UN MONDE
PRIVÉ DE SENS

Zaki Laïdi

UN MONDE PRIVÉ DE SENS

Fayard

A Louise,
à mes fils,
à mes parents

SOMMAIRE

« *Tout a-t-il vraiment du sens ? Ne reste-t-il pas des lieux vides, dont la vacuité seule peut-être signifierait ? N'y aurait-il pas un décalage, un trou, entre l'image produite et le sens qu'elle livre ou dissimule ?* »

Paul ZUMTHOR, *La Mesure du monde*,
Paris, Le Seuil, 1993, p. 15.

ITINÉRAIRE

Ce n'est pas faire preuve d'originalité que de dire que la fin de la guerre froide a profondément modifié notre regard sur le monde. Pourtant, la banalité de ce constat ne réduit pas l'intensité personnelle de ce sentiment lorsqu'on a choisi d'organiser sa trajectoire intellectuelle autour du thème de la « mondialité » et de ses enjeux. Le conflit « Est-Ouest » a longtemps constitué pour moi un véritable obstacle, me confinant presque par défaut à ce que je connaissais le moins mal : les rapports Nord-Sud. La fin de la guerre froide m'a, d'une certaine manière, libéré moi aussi... Elle m'a aidé à formuler des interrogations plus amples sur le « sens du monde » et par là même à accéder plus facilement à certains terrains avec lesquels j'entretenais jusque-là de faibles rapports de proximité culturelle (l'Asie) ou intellectuelle (l'Europe). C'est à cette « libération » intellectuelle et personnelle que cet ouvrage est consacré.

Dans cet effort, j'ai bénéficié depuis plus de dix ans de la réflexion et de la « valeur d'exemple » de personnes aussi différentes que Jean-François Bayart, Pierre Hassner, Guy Hermet et Jean Leca. Ils m'ont, chacun à sa manière, donné le goût du « grand large ». J'ai tiré également un immense profit des échanges avec la plupart de mes collègues ou invités du Centre d'études et de recherches internationales (CERI), qui me font l'amitié de participer régulièrement au séminaire pluridisciplinaire sur les relations internationales que j'anime depuis 1990. Ils sont trop nombreux pour que je les cite tous, mais ils sauront facilement *se reconnaître. Je suis également redevable à toute l'équipe « Temps mondial » qui, grâce à son indulgence, me permet de me familiariser avec des terrains et des problématiques étrangères, de tempérer ma propension naturelle mais immodérée à « globaliser » mes raisonnements et mes analyses.*

Ma reconnaissance va enfin à Rachel Bouyssou, lectrice privilégiée et exigeante du manuscrit de ce livre, ainsi qu'à l'équipe administrative du CERI qui sait toute l'affection que je lui porte.

Ai-je besoin d'ajouter que, sans la confiance inestimable de Claude Durand, ce livre n'aurait jamais vu le jour?

Paris-Vandœuvres

INTRODUCTION

Le divorce du sens et de la puissance

La fin de la guerre froide n'a pas seulement enterré le communisme. Elle a d'un même élan, d'une même humeur enseveli deux siècles de Lumières, deux siècles dont la guerre froide n'aura en définitive constitué que la phase historique la plus intense, l'expression géostratégique la plus vigoureuse, la forme idéologique la plus achevée. Le sentiment que nous avons de vivre depuis la chute du mur de Berlin une rupture exceptionnellement forte dans l'ordre du monde se double d'une infirmité tout aussi grande à l'interpréter, à lui assigner un sens. Car si tous les bouleversements que nous subissons quotidiennement revêtent plusieurs significations, rien n'indique qu'ils aient un sens si par sens on se réfère à la triple notion de fondement, d'unité et de finalité. De fondement, c'est-à-dire de principe de base sur lequel s'appuie un projet collectif. D'unité ensuite, c'est-à-dire de rassemblement d' « images du monde » dans un schéma d'ensemble cohérent. De finalité enfin, c'est-à-dire de projection, vers un ailleurs réputé meilleur. Or, avec la fin de la guerre froide, ce sont ces trois principes qui se disloquent. La « démocratie de marché » triomphe en apparence mais se montre plus que jamais incapable de soutenir le débat sur ses fondements. Les dérèglements politiques, économiques et financiers se prêtent de moins en moins à une grille de lecture commune alors qu'ils n'ont jamais été aussi interdépendants les uns des autres. Enfin la nécessité de se projeter dans l'avenir n'a jamais été aussi forte, alors que nous n'avons jamais été aussi peu armés sur le plan conceptuel pour penser cet avenir. D'où l'ampleur du décalage entre la rupture historique à laquelle nous sommes confrontés et notre difficulté à l'interpréter. Ce sont ces décalages qui sont à l'origine de la crise mondiale du sens. Et c'est au divorce mutilant qu'ils engendrent entre les jeux du sens et de la puissance que cet ouvrage est consacré.

Un monde sans Lumières

Au terme de ce cycle qui s'achève sans cataclysme nucléaire, mais aussi sans panache, le démantèlement des repères idéologiques, politiques, sociaux ou identitaires se révèle aussi prononcé chez les anciens adeptes du Grand Soir que chez ceux qui combattirent pied à pied l'irréversibilité de son avènement. Se trouvent ainsi déboussolés non seulement les esthètes moroses de l'Homme nouveau, mais également ceux qui partagèrent avec eux — généralement sans le savoir ou en croyant les pourfendre — le culte du *Progrès* ; ce cap identifiable, ce mouvement vers un monde meilleur vers lequel étaient censés converger le mouvement, la mémoire, l'identité et surtout la promesse d'un monde qualitativement supérieur[1]*. C'est pourquoi la perte des repères, la dépossession d'un « maître sens » sont loin d'affecter exclusivement les anciennes sociétés communistes ou le seul continent européen.

Dès lors que le message des Lumières et ses métastases communistes essaimèrent brutalement ou bruyamment aux quatre points du globe, les pertes de sens consécutives à la fin de la guerre froide se trouvent planétarisées ; la crise du sens est universelle. On n'hésitera d'ailleurs pas à pousser cette

* Les notes sont reportées en fin d'ouvrage.

affirmation encore plus loin en estimant que, hors des murs de l'Occident, la fin de la guerre froide est probablement beaucoup plus traumatique, beaucoup plus profonde encore, car les remises en cause qu'elle induit, les béances qu'elle dévoile, les fragilités qu'elle découvre se situent bien en amont de la guerre froide, sans que tous ces bouleversements mentaux soient — comme en Occident — atténués par les bienfaits de la prospérité matérielle. Le *sens* qui, à l'Est comme au Sud, palliait d'une certaine manière la misère matérielle a disparu. Il met en quelque sorte ces sociétés à nu. Ce n'est peut-être pas par hasard si des pays aussi différents que l'Inde, l'Algérie ou l'ancienne Yougoslavie se voient, à des degrés divers, bloqués, disloqués ou désintégrés, alors que les Etats qui les représentaient se trouvaient en pointe sur la scène mondiale il y a de cela à peine dix ans. Rétrospectivement, celle-ci constituait pour eux non seulement une source d'affirmation diplomatique mais aussi une source puissante de sublimation de leur fragilité interne. C'était le politique qui définissait l'identité, alors qu'aujourd'hui — et ce à l'échelle du monde — c'est de la quête problématique de l'identité que semble se dégager une bien incertaine action politique.

En Russie, on commence à comprendre chaque jour davantage que l'effondrement du communisme — que nous interprétons comme une césure absolue — constitue une rupture moins forte que la perte de l'empire. En effet, dans la mesure où le sens de la nation russe ne s'est construit que par rapport à l'empire, la privation d'empire entraîne une privation de sens pour la nation russe[2]. Autrement dit, si l'on veut réfléchir aux pertes de sens consécutives à l'effondrement de l'URSS, on doit presque mécaniquement porter son regard non pas sur le début de la révolution soviétique, mais bien sur le XVe siècle, quand le grand-duché de Moscovie servit de noyau au futur empire russe. A travers cet exemple, on comprendra aisément que les pertes de sens liées à la fin de la guerre froide ne sont pas seulement imputables à cet événement, mais aux effets en chaîne qu'il a déclenchés.

C'est dire combien les références galvaudées au « retour des nationalismes » — sorties fringantes de la glaciation bipolaire — semblent insuffisantes pour comprendre la situation actuelle. Nous avons affaire à des situations historiques totalement inédites.

En Chine, où la donne est pourtant fort différente, la perte de sens consécutive à l'effondrement de fait du communisme place le problème de l'articulation du sens et de la puissance chinoise non pas là où les communistes l'avaient posé — c'est-à-dire en 1949 — mais plutôt au milieu du XIXe siècle, quand commença l'éventrement économique et culturel de l'Empire céleste par les puissances occidentales[3]. Cette machine planétaire qui remonte ainsi le temps bien en amont de la guerre froide en se délestant sur son chemin de tout l'héritage des Lumières n'a probablement fait que commencer son travail. L'extension du mouvement de décomposition politique que l'on a vu à l'œuvre en URSS, puis en Europe de l'Est s'intensifie désormais à l'intérieur même de la Russie et gagne subrepticement l'Europe occidentale (Belgique, Italie) et l'Amérique du Nord (Canada). Partout, les mémoires collectives se trouvent sollicitées et réactivées par les acteurs politiques les plus divers afin de redonner sens à leurs ambitions les plus saines et les plus folles. Pourtant si l'on considère le cas de l'ancien Empire soviétique, seuls la Géorgie, l'Arménie et les trois Etats baltes peuvent être qualifiés de nations au sens propre du terme. L'Ukraine ne l'est que partiellement tandis que la Biélorussie, le Kazakhstan et les républiques musulmanes relèvent de la « fiction nationale ». Dans ces conditions, on comprendra aisément que l'enjeu pour ces nations n'est pas tant de juguler le « retour au nationalisme » que de donner sens à un « vivre ensemble » national, particulièrement difficile à définir et à organiser, une fois épuisé les disponibilités du « folklore identitaire[4] ». C'est pourquoi ce qu'il y a de préoccupant dans la montée des nationalismes, ce n'est pas seulement la nocivité politique des thèmes qu'ils charrient, mais l'impossibilité fondamentale de les satisfaire, d'apaiser les passions de ceux qui s'en réclament. Parce que le retour en arrière est impossible à l'heure de la mondialisation, les nationalismes ont tendance à devenir insatiables. Faute de pouvoir être repus, ils explorent chaque jour davantage le champ de l'infiniment petit, valorisant ainsi les différences les plus minimes, voire les plus insignifiantes. C'est dans cette logique que s'inscrit le drame yougoslave plutôt que dans une prétendue « guerre des cultures ». Tant qu'on n'opposera pas un projet de sens à cette dynamique, celle-ci n'a guère de chance de s'épuiser, de s'arrêter.

La fin de la guerre froide avait pourtant bien commencé. Nous avions assisté, en un tournemain, à l'effondrement d'un empire et à l'engloutissement d'une idéologie prométhéenne, et cela à un coût humain historiquement limité. Ce fut d'ailleurs la toute première fois dans l'histoire du système international que l'on parla d'esquisser un nouvel ordre international — aussi indispensable qu'improbable — sans que cet agencement eût été précédé par un conflit majeur et brutal entre les grandes puissances[5]. Cela signifiait que le jeu des Etats avait cessé de régler à lui seul le ballet du monde, que le système international classique cédait la place à un *système social mondial* aux contours imprécis et à la régulation aléatoire. C'est pourquoi, si la guerre froide s'est achevée sans confrontation militaire, c'est peut-être moins en raison de la progression de l'idée de paix dans la conscience universelle que dans l'essoufflement historique des Etats, habitués jusque-là à régler le cours du monde à coups de canon et de conférences diplomatiques.

Mais les doutes que nous nourrissons aujourd'hui ne portent pas seulement sur l'architecture de l'ordre mondial, sur la façon dont « les choses vont se passer ». Ils renvoient à une interrogation philosophique plus fondamentale que l'on peut résumer ainsi : la crise du sens consacre-t-elle la fin d'*une* problématique du sens — ce qui laisserait supposer que nous finirons par en trouver une nouvelle — ou bien annonce-t-elle de manière plus profonde la fin de toute problématique du sens, de toute représentation finalisée de notre devenir[6] ?

Il n'y a plus de centralité, il n'y a plus de finalité

Nous venons d'évoquer l'écart entre la puissance et le sens. C'est peut-être là que gît le nœud de l'après-guerre froide. En effet, nous semblons vivre une tension vive et croissante entre d'une part la projection des individus, des entreprises ou des nations dans un espace mondialisé à un rythme exceptionnellement rapide et d'autre part la disparition brutale de ce que Koselleck appelle l'*horizon d'attente*, autrement dit cette ligne asymptotique, ce *Telos* auquel nous tenions et vers lequel nous tendions depuis les Lumières[7]. En d'autres termes, nous vivons un divorce réel entre un rythme de la puissance qui s'intensifie et un sens qui, en devenant sécable et non plus global, finit par se déliter, s'effriter et se disperser. A mesure que se durcissent et se renforcent les conditions d'accès et de maintien sur les sentiers de la puissance, la voie d'accès au *sens global* se dérobe.

Avec la disparition de l'URSS aucune nation n'oserait aujourd'hui prétendre relever — sinon verbalement — le pari hasardeux d'une nouvelle transcendance idéologique. Aucun Etat ne semble disposé à jouer au Timon (le leader) capable de nous guider vers un nouveau *Telos* (la finalité). C'est en cela d'ailleurs que la thèse du monde unipolaire était et reste absurde, car la fin de la guerre froide a sonné le glas des superpuissances. Nous nous trouvons bel et bien *démunis de Timon et privés de Telos*. Il n'y a plus de centralité occidentale, même si la modernité occidentale n'a jamais été aussi présente. Il n'y a plus, également, de finalité à l'action collective.

Pour la stabilité du système international, cette « double absence » (ni centralité ni finalité) constitue un redoutable défi. Car si les Etats-nations, traditionnels gardiens du sens depuis deux siècles, accusent une perte douloureuse d'autorité sous les coups de boutoir de la mondialisation, ils sont loin d'être seuls à vivre la fin de l'ivresse du sens collectif. Les syndicats, les Eglises, les associations internationales et même les entreprises multinationales se trouvent indiscutablement confrontés à la fragmentation des intérêts, des passions et des représentations. Même les religions qui veulent investir le champ du sens laissé libre par l'effondrement des idéologies séculières se trouvent entravées dans leurs ambitions. Ici le caractère normatif et prescriptif du message chrétien butera en Occident sur l'individualisme qui assimile prescription à intrusion dans l'espace privé[8]. Ailleurs, comme en terre d'islam, la prétention des islamistes à totaliser sens et puissance affronte des contraintes majeures. En faisant de l'islam un combat largement politique, les islamistes désacralisent la religion en l'instrumentalisant[9]. Si l'on veut bien admettre que l'islamisme est avant tout un mouvement politique et identitaire plutôt que religieux on est spontanément tenté de le comparer au communisme auquel il s'apparente par sa prétentation totalitaire. Il s'en distingue pourtant sur un point essentiel : il se refuse à penser concrètement la modernité et ne propose aucun projet pour la prendre en charge. Sa force réside dans sa capacité à manipuler des symboles accessibles à tous et d'étancher ainsi superficiellement la soif identitaire des sociétés musulmanes. A la différence du communisme qui prétendait *dépasser* le capitalisme, l'islamisme n'offre aucun horizon de sens autre que le *rejet* de la modernité râtée des sociétés musulmanes. C'est au demeurant plus au fascisme qu'au communisme qu'il s'apparente le plus si l'on admet, après Robert Paxton, que le fascisme se définit moins par rapport à un modèle théorique invariable qu'au regard de sa capacité concrète à jouer de la « prouesse de la race, de la nation ou de la communauté[10] ». Comme le fascisme, l'islamisme réunit trois traits importants : une prétention politique totalitaire, un discours global sur la société dans lequel la thématique de l'exclusion occupe une place centrale, un appareil politique et associatif capable de prendre en charge des demandes sociales émanant de groupes sociaux défavorisés ou déclassés. Mais, comme le fascisme, l'islamisme au pouvoir trahit la rhétorique sociale ou morale qu'il prétend incarner au départ. L'exemple de l'Iran montre que l'avènement d'un régime islamiste ne s'accompagne ni d'un progrès économique, ni d'un regain de spiritualité ni d'un ralentissement de la dynamique d'individualisation, et on a du mal à penser qu'il puisse en être autrement en Algérie [11]. » Il est donc abusif de penser que l'islamisme pourra comme par enchantement aider les sociétés musulmanes à surmonter leur crise identitaire. En ce sens on peut donc penser que les régimes islamistes sont voués à l'échec ce qui ne signifie pas pour autant que leur nombre ne progressera pas ou qu'ils ne survivront pas longtemps à d'inévitables contestations [12]. Ceci veut simplement dire que l'islam rencontrera les mêmes défis et les mêmes problèmes que les autres religions dès lors qu'il affiche une prétention au sens total voire totalitaire. C'est la raison fondamentale pour laquelle la thèse du « retour du religieux » est insuffisante pour comprendre les enjeux du monde d'aujourd'hui, y compris dans les sociétés islamiques.

En fait, le socle commun à toutes ces *pertes de sens* reste celui de la mondialisation. Or ce processus, sur lequel nous essayerons de réfléchir tout au long de ce livre, se révèle d'emblée comme trop vaste et trop meuble pour y planter aisément de nouvelles balises ou creuser de nouveaux sillons. Parce qu'elle n'a aucune vertu prescriptive — et encore moins prédictive — en dehors de l'efficience marchande, la mondialisation se prête à tous les dévoiements sans qu'aucun acteur puisse en dénoncer efficacement l'usage abusif ou répréhensible. Autant dire que la mondialisation n'entretient qu'un vague air de famille avec l'internationalisme du XIXe siècle ou du début du XXe siècle. Celui-ci correspondait à une *aspiration* née d'une mémoire douloureuse et d'un espoir partagé. La mondialisation se vit avant tout comme une contrainte plus ou moins gratifiante (conquérir des marchés) ou opportune (accéder plus aisément à des biens culturels importés), mais très rarement comme une espérance.

Le grand défi de la mondialisation découle donc de notre difficulté à l'objectiver, à nous la représenter, à y investir personnellement, affectivement ou collectivement, autrement que par nécessité économique. La mondialisation est état ; elle n'est pas sens. De surcroît, aucun acteur politique, social ou économique ne se porte volontaire pour nous en proposer une interprétation, pour avancer un projet capable de nous aider à la vivre dans la sérénité, pour nous permettre de l'intégrer à un projet collectif, pour lui assigner une certaine positivité. Face à elle, l'Etat se trouve désemparé : il se montre incapable de nous dire si elle constitue un bien, un mal, un danger ou un atout alors que la demande de sens est très forte. Il en est réduit à formuler une réponse banale et désarmante à laquelle nous nous trouvons tous réduits : « cela dépend ». En termes plus formalisés, on dira que la mondialisation dépossède pour une bonne part l'Etat de son pouvoir d'objectivation de la *réalité sociale mondiale*. Il n'est plus ce réducteur d'incertitudes qu'il était autrefois. D'une situation où il s'efforçait de faire prévaloir son sens contre d'autres et d'éliminer ceux qui prétendaient contester son monopole du sens, il tend à évoluer vers une position où il s'efforce de préserver son pouvoir résiduel en fondant certaines de ses activités dans le jeu marchand ou en renonçant à certains arbitrages qu'on attendrait pourtant de lui. Il en vient dans certains cas à privilégier de manière défensive la conservation de son pouvoir au détriment de sa légitimité, en abandonnant des tâches, faute de pouvoir les redéfinir. La mondialisation apparaît comme le premier grand processus historique que l'Etat moderne ne parvient plus à objectiver, ce qui conduit à indissocier crise de l'Etat et crise du sens.

Tout se passe donc comme si cette mondialisation accélérée, comme si ce *déracinement territorial (perte des repères nationaux) et idéologique (perte de la finalité) nous projetait dans un espace planétaire sans relief que ne viendrait surplomber aucune attente*. C'est cet espace que nous appellerons le *temps mondial*[13]. Le *temps mondial* est donc à la fois le temps de la mondialisation et de l'après-guerre froide, comme si la logique des blocs, en sacralisant la force militaire et le territoire national, avait partiellement gelé ou en tout cas freiné la marche de la mondialisation[14].

Acteurs du *temps mondial*, nous ne cherchons plus à tendre vers un but, à parcourir la distance séparant l'expérience de l'attente. Nous nous trouvons contraints, sous le poids de la nécessité, mais non sous celui de la finalité, de nous mouvoir, de circuler, de communiquer sur un espace mondial où non seulement il n'y aurait plus d'attentes, mais où, de surcroît, le *champ de l'expérience* se trouverait en permanence retourné par la vitesse à laquelle nos pratiques, nos savoirs ou nos métiers se trouvent frappés d'obsolescence. La distance qui séparait l'expérience (ce que l'on fait) de l'attente (ce à quoi l'on aspire) et donnait ainsi sens à des projets collectifs n'existe plus, comme si notre projection individuelle ou collective dans le *temps mondial* — dominé par la logique de l'instantanéité — rendait caduque l'idée même de projet. *Projection* s'opposerait de plus en plus à *projet* comme avenir à devenir. L'innovation du futur, au nom duquel l'activité politique avait longtemps été légitimée, perd de sa force en se repliant piteusement sur la gestion du présent[15].

Certes, on pourrait imaginer que la disparition des attentes libère la créativité, favorise la diversité, stimule l'inventivité et enrichisse de façon plus générale le champ de notre expérience. Mais il n'est pas acquis que l'empirisme ou le gradualisme permettent d'enrayer le doute profond que nourrissent les acteurs sociaux sur le sens de leur action. Il n'est pas acquis que le bricolage social, vers lequel nous allons faute de mieux, puisse dispenser les sociétés de tout paradigme de la transformation au moment précisément où elles manifestent toutes un besoin profond de changement et de renouvellement.

La crise du sens s'exprime ainsi dans le décalage préoccupant entre l'attente de changement (« il faut partir sur de nouvelles bases ») et le discrédit idéologique des grands schémas de la transformation sociale consécutif à la fin de la guerre froide (« personne ne croit plus aux grandes idées »).

Autant dire d'emblée que la question centrale posée par la fin du *Telos*, la fin des grands récits (Lyotard) et l'annonce peu enthousiasmante de « basses eaux idéologiques » (Morin) a fort peu de chances de nous condamner à vivre dans un monde de « grand ennui », que redoutait en d'autres temps Schopenhauer. Bien au contraire, les individus, les entreprises ou les Etats se trouvent quotidiennement et presque mécaniquement contraints de se projeter vers l'avenir et dans le monde. La véritable question est plutôt celle de voir comment nous parviendrons à nous projeter de manière irrépressible dans la mondialité sans avoir en vue un point de mire et en tête des « images du monde » (Heidegger)[16].

Les foyers de la puissance n'affichent plus de prétention au sens

Ce qui donne aujourd'hui tant de pertinence à ce découplage du sens et de la puissance, c'est en premier lieu le fait qu'il nous concerne tous. Il affecte aussi bien les sociétés du Nord que celles du Sud, les individus et les entreprises autant que les Etats. A un titre ou à un autre, nous nous trouvons dans l'obligation de nous projeter dans l'avenir pour assurer en quelque sorte nos arrières. Dans les sociétés industrielles, les individus découvrent que le niveau global de prospérité de leur nation garantit de moins en moins leur sécurité économique personnelle, pas plus que la croissance économique ne leur assure la garantie d'un emploi. Il n'y a pas là de meilleure illustration sociale du divorce entre la puissance et le sens. Notre représentation subjective de la puissance — assimilée à la richesse mais également à la stabilité — fait de moins en moins sens à nos yeux.

Certes, les phénomènes de déclassement ou d'exclusion n'entretiennent pas toujours de relation de causalité directe avec la mondialisation ou avec la fin de la guerre froide. En revanche, ce que le *temps mondial* — croisement de la mondialisation et de la fin de la guerre froide — exacerbe, c'est la représentation de ce déclassement. D'une part parce que la mondialisation développe dans tous les métiers — des douaniers aux *golden boys* — une perception généralisée de précarité sociale. D'autre part parce que la perte de la finalité fait tomber la promesse sociale ou politique d'un « avenir meilleur », garanti par l'Etat-Providence ou par un combat aux règles stables et codifiées (militance, grèves, élections) [17], il incombe aux individus de prendre en charge une *double défection* : celle de l'*Etat protecteur* et celle du *temps prometteur,* pour prévenir leur exclusion. Pour y parvenir, ils n'auront de cesse de participer plus activement et plus rapidement au *temps mondial* en apprenant des langues étrangères, en s'intégrant à des réseaux professionnels internationaux ou en assimilant de nouvelles techniques. Mais rien n'indique que cette projection imposée débouchera nécessairement sur la définition d'un projet. Dans le domaine crucial de l'épargne, les lézardes de l'Etat-Providence n'entraînent pas pour autant une substitution des individus à l'Etat. Autrement dit, l'incapacité des Etats de lire et dire l'avenir pour leurs citoyens, par le jeu de la protection sociale par exemple, ne conduit pas immédiatement ces mêmes citoyens à assumer directement ou totalement cette carence. Bien au contraire, la dynamique de la mondialisation financière conduit les épargnants à gérer de manière rapide et volatile le fruit de leur travail, à rechercher un placement risqué mais optimal plutôt que d'accepter la perspective d'un revenu minimal de l'épargne sur le long terme [18]. En l'occurrence, la mondialisation élargit le champ d'action des individus (placements d'argent à l'échelle mondiale), mais restreint simultanément leur horizon à la gestion à court terme. Là encore, la projection des individus dans l'avenir et dans le monde est loin de déboucher sur la définition d'un projet, car il y a déconnexion entre projection dans l'espace et projection dans le temps long.

L'urgence ou la négation active de l'utopie

Ce découplage du sens et de la puissance est également vécu par les entreprises, quand bien même elles se trouveraient à la pointe de la mondialisation ou concernées par la conquête exclusive de nouveaux marchés (quête de la puissance).

Deux changements l'attestent. Le premier tient au fait que la mondialisation n'est plus le privilège d'une aristocratie de firmes pionnières, mais un processus massif[19]. La mondialisation ne relève plus de l'épopée vaillante mais de la contrainte universelle. Ainsi, le concept même de *multinationale*, objet de tant d'arguties taxonomiques au cours de ces vingt dernières années, accuse aujourd'hui une indéniable perte de sens.

Le second changement résulte de la modification du *sens* de la mondialisation. Auparavant, la projection à l'échelle internationale se vivait comme le couronnement presque linéaire d'une maturation interne. On passait à l'international au terme d'un apprentissage dûment effectué sur le plan national. On se trouvait consacré internationalement au bénéfice de l'expérience nationale. On se conformait à un schéma, on suivait un chemin balisé. L'internationalisation économique passait d'abord par l'exportation de ses produits, ensuite par le contrôle des circuits de distribution de ceux-ci à l'étranger et enfin par l'implantation physique au-delà de ses frontières. Aujourd'hui, cette linéarité et cette prévisibilité sont, pour les entreprises comme pour les autres acteurs du système international, remises en cause. Pour survivre, l'entreprise doit d'emblée se penser à l'échelle internationale en identifiant ses atouts — ses avantages comparatifs —, en écartant ses adversaires par le jeu des alliances et surtout en agissant le plus rapidement possible pour devancer ses concurrents. Projection globale et rapidité d'exécution sont devenues les éléments constitutifs de la compétition économique, même si l'arbitrage entre choix nationaux et choix globaux se révèle extrêmement difficile et complexe à penser et à réaliser[20]. Les deux tiers des alliances entre firmes se trouvent aujourd'hui guidées par des impératifs de conquête de marchés élargis (espace) et de réduction du décalage temporel entre l'innovation d'un produit et sa commercialisation (temps)[21]. Mais là encore, cette double dynamique nous éclaire davantage sur les *sentiers* de la puissance que sur les *finalités* de celle-ci.

A mesure que la globalisation économique s'intensifie, sa lisibilité tend donc à s'obscurcir et cela pour plusieurs raisons. La première résulte du fait que le processus — la globalisation — semble en avance permanente sur son interprétation. La représentation de la réalité court derrière cette même réalité en perpétuel mouvement. Autrement dit, même les entreprises, que l'on pourrait considérer comme les *porteurs de sens* privilégiés de cette mondialisation, ne sont pas en mesure de répondre à cette attente. Le changement technologique moteur de la mondialisation est autant subi que suscité par ces entreprises. Quand celles-ci en viennent à concevoir des produits dont l'espérance de vie se révèle inférieure au temps nécessaire à leur conception, elles effectuent un choix volontaire en apparence seulement. Mais cette surenchère fondée sur la *compression du temps* est moins guidée par une finalité que par la nécessité de se prémunir contre la concurrence[22]. Ce lien étroit entre perte de sens et accélération de la vitesse se reflète de manière encore plus forte dans la mondialisation financière. Par construction, les marchés financiers intègrent aussi bien les mouvements de taux d'intérêts que les performances économiques, les choix politiques ou les simples rumeurs.

Or cette confusion entre l'objectif et le subjectif, le court et le long terme n'est pas de nature à faciliter la construction de représentations collectives durables de la mondialisation. Par ailleurs, cette dynamique n'autorise aucune interprétation stable : une économie réputée « forte » à l'ouverture des marchés peut se trouver perçue comme « faible » ou vulnérable à leur clôture. La notion même de « monnaie forte » est dévitalisée ou dévalorisée par la logique de la mondialisation. Soit parce que la monnaie forte est en réalité tenue de se protéger grâce à des taux d'intérêts élevés pour maintenir sa parité et sa réputation (c'est le cas du mark allemand ; sa force ne va plus de soi). Soit parce que l'idée de « monnaie forte » tend à être associée à un handicap compétitif ou à un coût social durement payé. Le cas de la monnaie française est à cet égard emblématique de cette évolution, au moment où l'idée même de « franc fort » commençait à être intériorisée par la société française, au même titre que la dissuasion nucléaire par exemple. Enfin, l'accélération de la circulation de la richesse immatérielle s'accompagne de ce que l'on pourrait appeler une certaine *viscosité sociale*. Autrement dit, plus la richesse circule vite, plus le nombre d'acteurs impliqués dans ces transactions diminue.

Ainsi, tous les acteurs du jeu social mondial se projettent dans l'avenir non pas pour défendre un projet mais pour prévenir leur exclusion d'un jeu sans visage. Il n'y a plus de distance entre ce que l'on fait et ce à quoi on aspire. Cette confusion a une conséquence extrêmement préoccupante, car elle paraît désormais affranchir les Etats de toute perspective politique — la crise yougoslave en est l'expression la plus tragique. La fin de l'utopie a entraîné la sacralisation de l'urgence, érigé celle-ci en catégorie centrale du politique. Ainsi, nos sociétés prétendent que l'urgence des problèmes leur interdit de réfléchir à un projet, alors que c'est en fait l'absence totale de perspective qui les rend esclaves de l'urgence. L'urgence ne constitue pas la première étape d'un projet de sens : elle en représente plutôt la négation active.

La perte d'une mise en scène symbolique de notre devenir

Certes, notre perception d'un temps accéléré n'est probablement pas nouvelle, et, de ce fait, le décalage du sens et de la puissance représente peut-être un problème récurrent, voire permanent. La sociologie nous a aidés à comprendre qu'il existe des temps sociaux aux rythmes différenciés et que, d'une certaine manière, le divorce du sens et de la puissance sanctionne le retard accusé par nos représentations sociales, culturelles et historiques de la réalité sur cette même réalité[23]. Cela étant, deux réalités renforcent la tension, le divorce durable entre la puissance et le sens.

Quand, à l'orée du XXᵉ siècle, la naissance du « temps universel », la généralisation progressive du téléphone et de l'automobile provoquèrent une perception collective d'accélération du temps et de renégociation indispensable du rapport des hommes à l'espace, on vit se développer parallèlement, tant dans le domaine de la littérature que dans celui des arts, de la musique ou de la linguistique, des choix « modernistes » étayant la promesse du progrès et la planification rationnelle d'ordres sociaux idéaux qui en résulteraient[24]. Autrement dit, la projection accélérée vers l'avenir s'adossait à une promesse téléologique qui la rendait à la fois plus supportable et, pour certains, réellement enthousiasmante[25]. Aujourd'hui, les pertes de sens consécutives à la fin de la guerre froide et à l'accélération du phénomène de mondialisation ne débouchent sur aucune célébration[26].

Bien au contraire, partout où ils se trouvent, les acteurs sociaux nourrissent désormais un doute profond quant à leur capacité d'agir, d'une part parce qu'ils ne disposent plus de perspective globale dans laquelle ils pourraient inscrire leurs choix présents et futurs, d'autre part parce que la fragmentation de la réalité leur paraît si grande qu'elle semble ne leur conférer aucune prise, aucun levier pour agir — d'où la force d'appel de la thématique du vide et de l'impuissance que l'on retrouve dans la littérature ou dans les scénarios télévisuels. Dans ces conditions, on comprendra que les appels au « pragmatisme », au « réalisme » ou à « l'empirisme » ne serviront nullement à surmonter la crise du sens ; ils aideront, au contraire, à l'intensifier dans la mesure où le manque collectif dont nous souffrons tient précisément à l'absence de toute mise en scène symbolique de notre destin. La crise du sens se traduit par un clivage mal vécu entre le concept et la réalité, alors que le propre d'un projet collectif est précisément d'articuler une représentation globale et nécessairement abstraite du monde et des choses à des réalités tangibles.

Quand, dans les années soixante, Jean-Jacques Servan-Schreiber s'alarmait, dans *Le Défi américain*, de l'arrivée en force des firmes multinationales américaines et de notre dépossession politique, économique et identitaire par elles, il donnait sens à sa prophétie en lui assignant en quelque sorte un adversaire — l'Amérique — et un projet — le libéralisme à l'américaine[27]. Sens et puissance se trouvaient ainsi non seulement identifiés mais fondamentalement *couplés*. Le phénomène des *multinationales* s'apparentait pour ainsi dire à un choix de société, à un enjeu politique autour duquel pouvaient venir s'agréger d'autres contestations politiques, se nourrir d'autres émotions partisanes. Refuser les multinationales américaines faisait ainsi triplement sens : sur le plan politique (défense contre les empiétements de souveraineté), sur le plan idéologique (récuser le libéralisme à l'américaine), sur le plan culturel (ralentir l'américanisation de la société). Aujourd'hui, ce couplage est rien moins que certain. La généralisation du phénomène multinational l'a dépouillé de toute charge politique ou émotionnelle forte.

L'identification de cette dynamique à un pays est quant à elle rendue vaine par le jeu fluide et immatériel des fusions et des acquisitions.

La théorie néolibérale, qui pouvait prétendre servir de matrice conceptuelle à la mondialisation économique et financière, a jeté l'éponge à son tour. Elle se révèle inapte à comprendre et à interpréter le phénomène de globalisation. Les outils d'analyse dont elle dispose pour défendre et promouvoir l'économie de marché (un territoire délimité, des facteurs de production stables, une monnaie nationale, une main-d'œuvre qui ne chevauche pas les frontières, des avantages comparatifs peu sensibles à l'usure du temps) ne résistent plus à la réalité d'un monde où le changement technologique ignore les frontières du temps et de l'espace [28].

Au fond, le divorce du sens et de la puissance s'étend au champ économique, un champ qui envahit nos vies et imprime son rythme à nos expériences. Tout se passe comme si le sens se dérobait même là où l'on comptait pouvoir le rattraper. Mais ce paradoxe n'en a peut-être que les apparences. Si les théories libérales se trouvent subitement vieillies par l'ampleur du phénomène de mondialisation alors que la fin de la guerre froide aurait dû logiquement les statufier, c'est probablement parce qu'elles ont comme leurs homologues antilibérales, avec plus ou moins de nuances, puisé leurs ressources dans un fond commun, fourbi leurs armes dans les mêmes arsenaux, à l'enseigne lumineuse du *Progrès* linéaire commandé par les Etats-nations. Les Lumières ont ici aussi laissé leur marque [29]. On ne s'étonnera donc pas de voir toutes les entreprises soumises aujourd'hui à l'impératif du changement de leur paradigme interprétatif, de définition d'une nouvelle identité — au même titre que les individus ou les Etats —, alors que la logique du marché et la légitimité politique des entreprises n'ont jamais été autant célébrées. Tout se passe comme si l'économique — stade suprême de la puissance — ne parvenait pas à se satisfaire ou à assurer son hégémonie normative sur l'ensemble des représentations de la société [30]. Les foyers de la puissance —

qu'il s'agisse des Etats, des entreprises ou des individus — n'ont plus de sens à nous proposer.

C'est bien là que réside la difficulté majeure pour organiser l'après-guerre froide. Si tous les acteurs du système international affrontent non sans mal la crise du sens, aucun n'aspire à reconstruire un sens global, poser un fanal derrière lequel il convierait les autres acteurs à se ranger. Certes, les jeux de pouvoir, les rivalités politiques, la quête de prestige n'ont nullement vocation à disparaître de la scène sociale mondiale. Mais ce n'est pas de leur exacerbation que pourra surgir un sens collectif. La puissance — comprise au sens le plus large — de moins en moins se conçoit et se vit comme un processus de cumul de responsabilités, mais plutôt comme un *jeu d'évitement* : évitement d'engagement collectif chez les individus, évitement de responsabilités sociales pour les entreprises, évitement de responsabilités planétaires pour les Etats. Chaque acteur social évite de prendre ses responsabilités ou des responsabilités car, en l'absence de projet de sens, il ne mesure celles-ci qu'en termes de coût. Ce jeu de l'évitement qui esquive ainsi le débat sur le fondement conduit les sociétés occidentales à se nourrir de la thématique du vide car il y a bel et bien épuisement des références sur lesquelles peut se construire un nouvel ordre social ou mondial. Cette situation a une triple conséquence : la première est de fragiliser les sociétés démocratiques occidentales qui ne sont plus en mesure de discuter de ce qui les fonde et donc les légitime et qui par la même se trouvent en difficulté sur le plan international pour engager le débat avec ceux qui en Asie ou dans le monde musulman contestent ouvertement la thématique de la mondialisation démocratique. La seconde conséquence de cette crise du sens est de penser la transmission des identités et des valeurs en termes étroits voire régressifs, comme si les tenants des thématiques du retour (religion, nationalisme, ethnicité) savaient que ces retours n'étaient pas si faciles à organiser dès qu'ils se trouvaient en prise avec la complexité du réel ou les contraintes du pouvoir. Enfin cette difficulté à se situer par rapport à un référent fort conduit à une sorte d'immobilisme, de méfiance à l'encontre de toute idée de transformation, comme si l'idée de transformation et singulièrement de transformation sociale (déjà disqualifiée par la mort du communisme) paraissait contradictoire avec l'impératif de transmission identitaire. Transmission (des identités) et transformation (des sociétés) sont pensés et vécus en termes antinomiques ce qui explique d'ailleurs pour une bonne part pourquoi les forces politiques traditionnellement organisées autour du combat pour la transformation sociale se trouvent très mal à l'aise pour affronter les problèmes d'identité. Le divorce du sens et de la puissance semble durablement installé.

CHAPITRE PREMIER

Ce que fut la guerre froide

Plus nous nous éloignerons des rivages de la guerre froide, plus nous serons contraints de la penser, de la relire et à la réinterpréter non seulement à l'aune des mutations géopolitiques mais également à celle d'une certaine modernité. Nous découvrirons — avec sans doute le risque d'une rationalisation excessive du passé — combien ce moment historique fut inédit par sa capacité de reclasser sur une période de temps exceptionnellement longue les principaux enjeux du monde autour d'un conflit pour l'*appropriation du sens*. En un demi-siècle, la guerre froide est parvenue à « encadrer » des transformations politiques, économiques, sociales et culturelles d'une magnitude très grande : décolonisation du Tiers monde, montée en puissance économique du Japon et de l'Allemagne, schisme sino-soviétique, prolifération de conflits régionaux sanglants. Elle est également parvenue à assimiler des réalités économiques ou sociologiques aussi fondamentales que l'épuisement de la logique industrielle au profit de la tertiarisation, l'érosion du modèle keynésien, l'épanouissement des valeurs individualistes, le développement de la culture de masse et l'atomisation consécutive des revendications [1].

Un « système tragique »

Mais ce « moment » ne s'est pas limité à canaliser les déplacements de puissance mondiale ou à attiser consciencieusement les conflits régionaux. Il a permis la poursuite, l'approfondissement et peut-être l'achèvement de la longue et lente logique linéaire de *transfert historique du sens* qui, au fil des siècles, s'est successivement fixée sur la religion, le nationalisme et enfin l'idéologie, ce grand facteur mythogène du xxe siècle [2].

De fait, elle parvint à indissocier deux absolus : celui du sens, symbolisé par le combat idéologique entre deux systèmes de valeurs universalistes et concurrents, et celui de la puissance, véhiculé par l'arme absolue : l'arme nucléaire.

Entre 1917 et 1945, tous les germes d'un affrontement idéologique sont indiscutablement en place. Au moment où les bolcheviks prennent d'assaut le Palais d'hiver, le président américain Wilson esquisse déjà les contours d'un nouvel ordre capable de porter haut l'étendard de la démocratie dans le monde [3]. Mais à ce conflit qui se noue manque encore une armature géopolitique en mesure de lui conférer effectivité instrumentale et intensité dramatique.

La puissance américaine émergeait à peine, tandis que la Russie était exsangue. La rivalité entre les deux empires continentaux, que Tocqueville avait prophétisée bien avant la révolution russe, en était à ses prodromes. Il manquait à cet affrontement un terrain de manœuvre à sa mesure et une symbolique adéquate.

A l'inverse, depuis 1989, le conflit Est-Ouest a disparu malgré la rémanence d'arsenaux nucléaires encore impressionnants, car, dès lors que l'usage de ces armes n'est plus articulé à une doctrine d'emploi bien précise comme ce fut le cas pendant la guerre froide, on se trouve en peine de les assimiler à de véritables instruments de puissance. Tout se passe comme si l'arme absolue avait besoin d'une vérité absolue, d'un sens, donc, pour voir son usage éventuel légitimé ou, tout au moins, rendu moins intolérable, comme si la puissance militaire appelait une finalité pour faire sens. *La puissance n'est rien quand le sens vient à lui manquer.*

L'originalité historique de la guerre froide résulte bien de la capacité inédite acquise par deux Timons à se doter des armes les plus modernes de destruction massive tout en enracinant leur affrontement planétaire dans une perspective téléologique. Elle fut le point de rencontre de la production de masse, de la culture de masse et des armes de destruction de masse[4]. On pourra par conséquent la lire comme la tentative la plus achevée et la plus formalisée de *totalisation du sens et de la puissance*, de totalisation de l'ordre mondial. Cette articulation eut pour effets simultanés de magnifier l'affrontement et d'en dramatiser les enjeux.

De le magnifier, c'est-à-dire de le charger d'un contenu émotionnel fort, subjectivement ressenti dès lors que la rivalité entre les deux hégémons se trouva perçue moins comme le combat singulier entre deux nationalismes sourcilleux et étriqués que comme la mise à l'épreuve de deux universalismes concurrents, proposant les clés d'accès à la modernité. En pleine guerre froide, on assista, lors de l'exposition américaine de Moscou de 1959, à un échange de vues assez vif entre le facétieux Khrouchtchev et celui qui n'était encore que le vice-président Nixon sur les mérites comparés des cuisines américaine et soviétique. Derrière l'anecdote se dégageait une symbolique forte, que les déconvenues économiques ultérieures de l'Union soviétique nous ont fait oublier : la prétention des deux systèmes à porter la modernité dans tous les domaines, y compris dans l'aménagement de l'espace urbain et habitable[5].

Jusqu'à la fin des années soixante, le défi soviétique apparut à l'Occident comme un défi global et non pas exclusivement militaire. La capacité de l'URSS de dégager pendant plus de vingt ans un taux de croissance économique deux fois supérieur à celui des Etats-Unis nourrit la crainte

du rattrapage développée par la propagande khrouchtché-
vienne[6]. Cette crainte fut étayée par les percées initiales de
l'URSS dans le domaine spatial et par la perception — parfois
diffuse et implicite en Occident — d'une meilleure adaptation du modèle soviétique — rustique et exportable clef en
main — aux besoins des sociétés démunies et politiquement
fragiles du Tiers monde naissant. Parce que le soviétisme
proposait un sens global, une représentation totalisée du
monde et de ses enjeux, le libéralisme fut longtemps
contraint par symétrie à produire un contre-discours total, à
tenter d'exporter Locke pour faire pièce à Marx[7].

Magnifiée par le caractère englobant de tous ses enjeux, la
guerre froide s'en trouva dramatisée par la rigidité du jeu de
la dissuasion nucléaire, laissant un espace restreint à une
confrontation militaire intermédiaire entre la tension permanente et le feu nucléaire. Certes, pour des raisons liées à
l'évolution de la technologie militaire ou aux variations
cycliques des rapports Est-Ouest, les représentations de la
guerre froide n'ont pas été immuables. Dès la fin des années
soixante, la relative détente des relations soviéto-américaines
a entraîné un « relâchement » des interprétations systémati-
ques du système soviétique, tandis que le développement des
armes de précision contribuait à relever le seuil de la
dissuasion[8]. Mais ce qui frappe, c'est qu'à partir de la fin des
années soixante-dix les représentations occidentales du système totalitaire étaient globalement redevenues ce qu'elles
étaient en 1947. D'où le sentiment rétrospectif d'un moment
relativement homogène, d'un « bloc »[9].

Cette dramatisation du conflit par le jeu nucléaire contribue à renforcer la cohésion politique mais également sociale
de chaque bloc et singulièrement dans un camp occidental
pluraliste. Parce que rien n'était acquis, la mobilisation était
de rigueur. Parce qu'une rupture de l'équilibre était toujours
possible, le « réarmement moral » restait à l'ordre du jour.
De ce point de vue, la guerre froide a bel et bien constitué un
système tragique au sens de Steiner, c'est-à-dire une représentation s'assignant une fin mais n'excluant pas l'éventualité

d'une chute ou d'une rupture. « Depuis la Révolution française, écrit-il dans *Les Antigones*, tous les grands systèmes téléologiques sont des systèmes tragiques, car ils métaphorisent tous le postulat de la chute [10]. »

Loin de nuire à la cohésion du bloc ou du groupe, le « postulat de la chute » justifiait la tension permanente, la mobilisation incessante, le refoulement des contestations internes les plus bruyantes. Cette dialectique était consubstantielle au système communiste, en tout cas jusqu'à la fin du stalinisme. Mais, sur un mode mineur respectant le pluralisme, elle fut aussi la marque des sociétés occidentales. Pendant toutes ces années, les Etats-Unis n'ont pas échappé au développement d'une culture de la stabilité sociale, voire du conformisme culturel qu'Elaine Tyler Maine a appelé avec raison le *containment intérieur* [11].

Ainsi y eut-il en permanence au sein de chaque camp une circulation constante et fluide entre sens et puissance qui s'alimentaient et se renforçaient l'un l'autre, accentuant l'effet de symétrie global entre blocs. Cette articulation entre sens et puissance s'exprimait à travers des modalités que l'on pourrait schématiser comme suit.

Le sens, source de la puissance

La volonté et la capacité des deux Timons de *faire sens* ont constitué un adjuvant indiscutable à leur puissance respective. Faire sens, c'était afficher explicitement sa prétention à déchiffrer, à dépasser et à essaimer. Déchiffrer le monde, dépasser la réalité présente pour s'orienter « sans halte ni repos » (Hegel) vers une fin réputée meilleure, essaimer vers les autres non par pure et simple ambition nationale, mais par prétention universaliste. Faire sens, c'est fondamentalement « problématiser le monde » — comme le dit excellemment

Edgar Morin à propos de l'Europe —, afficher une prétention à « la validité universelle » (Habermas)[12]. C'est également récuser la césure entre le « projet pour soi » et le « projet pour les autres », le Bien pour soi et le Bien pour les autres. La guerre froide fut ainsi une sorte de *problématique téléologique hissée au-dessus d'une armature géopolitique*. Ce fut un cadre où, pour reprendre la définition d'Isaiah Berlin sur la téléologie, tout ou presque fut conçu et décrit et où surtout tous les événements inexplicables résultaient non pas de la défaillance du cadre initialement posé, mais plutôt de notre incapacité à découvrir la véritable finalité de ces événements[13]. De la sorte, si nous nous égarions à lire le moindre soubresaut ethnique africain comme un phénomène exclusivement endogène, on se trouvait piteusement rappelé à l'ordre pour n'avoir pas saisi et mesuré les ramifications symboliques (idéologie) ou matérielles (livraisons d'armes) reliant ces micro-conflits à la méga-histoire. De la même façon que la Révolution avait ouvert la porte de l'historicisation de l'Individu, la guerre froide « historicisa » les jeunes Etats-nations, avec toutes les manipulations auxquelles ce rattachement donna lieu.

Cette prétention à *offrir du sens* a généré de façon bijective une forte *demande de sens*, qui a tout naturellement permis à l'URSS et à l'Amérique de se hisser encore plus haut dans l'échelle des nations. Ce fut particulièrement vrai pour l'URSS et, dans une moindre mesure, pour la Chine maoïste. En effet, si le modèle soviétique du « tout-Etat » a tant fasciné les régimes du Tiers monde, c'est bien parce qu'il offrait non seulement des recettes bien concrètes pour conserver le pouvoir, mais aussi pour le légitimer, en le situant dans une problématique plus large, mondiale[14]. La guerre froide a pu ainsi étancher la soif d'universalisme des plus démunis. La Somalie des années soixante-dix, qui contraignit Soviétiques et Américains à la courtiser de manière inespérée, avait une autre allure que celle de 1992 qui accueille les troupes américaines chargées d'ouvrir la voie à l'aide humanitaire. Et ce n'est pas une coïncidence totale si le régime de Zyad Barre et l'Etat somalien s'effondrèrent en 1989, l'année de la chute du Mur de Berlin.

Au nom du sens et grâce à leur force respective, l'Est et l'Ouest dégagèrent simultanément un système planétaire de significations reposant sur la définition que donne Raymond Boudon de l'idéologie : *des signaux de ralliement et des symboles d'identification* [15].

Ces signaux et symboles balisaient un *marché idéologique mondial* où s'exerçait pleinement la concurrence des modèles politiques mais dont l'attractivité était rehaussée par le recours au *dumping idéologique* [16]. En effet, ni l'Est ni l'Ouest, en quarante ans de guerre froide, ne se sont montrés très sourcilleux sur l'usage concret que leurs alliés faisaient de leurs modèles — à l'exception de l'Europe. Dans ce qui fut le Tiers monde, les Soviétiques tenaient avant tout au respect des apparences, tandis que les Américains n'ont que très sporadiquement favorisé les forces démocratiques. Même sur le plan économique, l'usage du label « économie de marché » ne fut jamais sérieusement contrôlé — y compris dans les pays d'Asie du Sud-Est [17].

S'il nous faut rappeler ces faits saillants, c'est précisément parce que la fin de la guerre froide a provoqué la disparition de la concurrence idéologique et, partant, la disponibilité en modèles politiques qui permettait à des Etats fragiles non seulement de se repérer dans le monde, mais surtout de favoriser par cet accès à l'universel leur intégration politique interne. Ce n'est probablement pas le fait du hasard si des pays ou des Etats aujourd'hui déchirés (Inde, Algérie) ou décomposés (Yougoslavie) ont été dans les années soixante et soixante-dix les tenants du non-alignement, autrement dit de l'instrumentalisation du conflit Est-Ouest. A l'époque, ce jeu prêtait à une interprétation exclusivement géostratégique : les petits pays accroissaient leur marge d'action en jouant et en rejouant de la rivalité active entre les deux camps. Rétrospectivement, on comprendra que cette posture diplomatique exerçait une fonction politique peut-être plus décisive encore : elle permettait de faire de cette *projection* dans le jeu planétaire une source de cohésion politique interne grâce au rôle central de l'Etat[18].

Le pouvoir égalisateur du sens

Adjuvant de la puissance des Etats, le sens exerça un formidable pouvoir d'égalisation de cette même puissance. Autrement dit, les ressources du sens constituèrent un moyen exceptionnel pour l'ensemble des acteurs internationaux de compenser leurs handicaps propres par la manipulation des symboles ouverts par la guerre froide. Cela valut beaucoup — comme on l'a vu — pour le Tiers monde. Mais, plus fondamentalement encore, c'est l'URSS qui tira l'avantage le plus décisif de cette situation. Parce qu'elle était morphologiquement imposante, militairement menaçante et idéologiquement conquérante, elle parvint assez vite à créer une symétrie presque parfaite entre les deux camps, alors qu'économiquement parlant la puissance américaine était deux fois supérieure à celle de l'URSS[19]. C'est avant tout le sens qui fit de l'URSS une puissance, à l'image de la Raison de Hegel, produisant les circonstances (politiques) de sa propre réalisation[20].

Par le jeu combiné de l'arme nucléaire et de sa prétention à l'universalité, la France se trouva être, pendant la guerre froide, l'un des plus grands utilisateurs des ressources du sens pour rehausser son pouvoir ou en dissimuler les faiblesses. Elle a non seulement théorisé le *pouvoir égalisateur de l'atome* — il suffit de posséder des armes nucléaires, même en faible quantité, pour dissuader l'adversaire d'attaquer — mais aussi ce que l'on pourrait appeler par analogie le *pouvoir égalisateur du sens* : il suffit d'affirmer une volonté et de proposer un message aux autres pour faire jeu égal avec les plus grands. Cette survalorisation du sens donna lieu à la dialectique bien française du *rôle* et du *rang*, parfaitement analysée par Alfred Grosser. Cette spécialisation dans ce que Valéry appelait le « sens de l'universel » entraîna une sorte d'hypertrophie du rang par rapport au rôle, un attachement sourcilleux et narcissique à l'ordre des préséances du monde. L'important n'est plus tant le rôle, c'est-à-dire le résultat effectif auquel on parvient, que la représentation que l'on se fait de sa place dans le monde et de l'image que l'on donne de soi aux autres : « L'essentiel était le rang. Le rang proclamé plutôt que reconnu au dehors[21]. » *La guerre froide a ainsi théâtralisé les relations internationales en concédant une place essentielle à la mise en scène des acteurs étatiques.* Si l'action humanitaire apparaît pour cette raison comme un produit inédit de l'après-guerre froide, son utilisation intensive, voire intempestive, par la France se situe dans l'épure d'une conduite exploitant systématiquement les ressources du sens disponibles pour pallier les faiblesses de sa puissance.

L'Amérique, pendant la guerre froide, s'est trouvée dans une situation fort différente de celle de l'URSS, de la France ou du Tiers monde, dans la mesure où sa puissance était considérable dès le sortir de la guerre. On ne peut donc pas dire que sa prétention à faire sens était destinée à compenser un déficit de sa puissance. Cela étant, la guerre froide et la logique idéologique qui la sous-tendait ont conduit à renforcer la cohésion interne de la société américaine et conféré notamment à l'Etat fédéral des prérogatives qu'il n'aurait pas acquises autrement. Jusqu'à la Seconde Guerre mondiale, relève ainsi Richard Du Boff, les pouvoirs locaux (Etats de la fédération et municipalités) dépensaient collectivement deux à trois fois plus que le gouvernement fédéral. Par la suite, les dépenses fédérales augmentèrent à un rythme très soutenu, de sorte que le gouvernement fédéral prit le pas sur les Etats dans les années 50 et 60[22]. Or, ajoute-t-il, c'est au budget militaire, et donc à la guerre froide, que ce gonflement de l'Etat fédéral est imputable dans la mesure où celui-ci représentait quatre cinquièmes de ses achats. De 18,8 % en 1940, les dépenses fédérales — exprimées en pourcentage du PNB — passent à 26 % entre 1955 et 1959 et atteignent 34 %

en 1984, à la veille de l'arrivée au pouvoir de Mikhaïl Gorbatchev[23]. Ce que la guerre froide a provoqué, ce n'est pas simplement un renforcement du rôle de l'Etat fédéral — dans un pays historiquement rétif au déploiement de son action — mais, plus fondamentalement, une légitimation de son action. C'est ainsi, par exemple, que les impératifs de la guerre froide hâtèrent l'avènement d'une sorte de keynésianisme militaire qui a non seulement eu pour effet d'entraîner l'ensemble de la machine économique, mais de légitimer l'intervention économique de l'Etat dans la réduction des inégalités régionales, à travers le « placement » des commandes militaires dans des zones économiquement reculées ou frappées par le chômage[24]. Certes, il y aurait quelque abus à n'attribuer cette légitimation de l'Etat qu'aux conséquences mécaniques de la guerre froide, et l'obligation faite à l'Etat de favoriser croissance et plein emploi devait beaucoup à la pénétration des idées keynésiennes[25]. Mais il semble difficile de ne pas lier le triomphe idéologique du keynésianisme à la montée des aspirations sociales dans les pays occidentaux sous la pression idéologique, directe ou indirecte, de l'Union soviétique. Directe dans la mesure où la menace politico-idéologique de l'URSS contraignit les gouvernements de l'Ouest à resserrer les mailles du tissu social de leurs sociétés ; indirecte à travers la pression exercée à l'intérieur de nombreux pays européens par les partis communistes et leurs appendices syndicaux. Autrement dit, par capillarité autant que par nécessité, l'Etat américain a joué un rôle central dans la construction de la puissance américaine pendant la guerre froide et la projection de celle-ci dans le monde. Même dans ce pays réputé libéral, l'Etat assura pleinement la cohésion du sens et de la puissance[26].

Les origines profondes de la guerre froide

Ce qui a donné tant de cohérence à la guerre froide, c'est la capacité qu'elle eut, en tant que système téléologique, de problématiser non seulement le monde contemporain, mais également son histoire. Rétrospectivement, elle semble avoir réussi à compacter, à sédimenter — tout en les tamisant — les strates successives de ce que l'on a appelé la philosophie de l'Histoire. A travers les débats sur les mérites comparés de la libre entreprise et de la socialisation des moyens de production, la pertinence du modèle soviétique ou américain dans les pays démunis, les grands enjeux de la philosophie de l'Histoire acquirent une expression politique réaliste, une intelligibilité dépassant les cénacles philosophiques ou le cadre géographique de l'Occident, une traduction concrète et politique à un « horizon de sens ». L'incompatibilité philosophique entre théodicée et praxis, entre théorie et pratique, semblait pouvoir être amoindrie[27].

Avec l'émergence des deux superpuissances gorgées d'universalisme et animées de ce que Leibniz appelait la *volonté conséquente*, autrement dit l'ambition de « faire tout à la fois », les enjeux de la philosophie de l'Histoire donnèrent par moments l'impression de se frotter à ceux de l'histoire immédiate[28]. Ainsi, dans les années soixante, se dire « progressiste » non seulement révélait une signification politique à peu près commune à Paris et à Conakry, mais de surcroît renvoyait à un passé clairement identifiable, celui des Lumières. Grâce aux mécanismes d'adhésion ou d'identification, on trouvait immédiatement un sens à son action individuelle ou collective. Les réserves de sens étaient disponibles, et il « convenait » de les capter pour pouvoir en faire usage. Et cette démarche convenait aussi bien aux individus, aux mouvements sociaux qu'aux Etats. Cette application à l'universel ne conduisait pas toujours à nier les particularismes et les dynamiques internes, mais à récuser l'idée qu'ils puissent d'une manière ou d'une autre échapper à la guerre froide. La vitalité de celle-ci en tant que système *téléogico-stratégique* résidait moins dans sa capacité de bloquer l'inventivité des peuples, la profusion des pratiques sociales ou la diversité des calculs étatiques que dans son aptitude à les envelopper dans un système de sens. Elle fut en cela conforme à la définition que donne Ernst Cassirer de la *monade* de Leibniz : « La monade n'est pas un agrégat mais un tout dynamique qui ne peut se manifester que dans une profusion [...] et qui, tout en se différenciant à l'infini dans les expressions de sa force, se conserve comme un *centre* de force unique et vivant [...]. L'indivuel ne peut être " pensé " en général, être perçu " clairement et indistinctement " que par cette référence et ce rattachement à l'universel [...]. L'individuel ne peut en somme être " conçu " que par la manière dont il est pour ainsi dire " enveloppé " par l'universel[29]. » Ces identifications de l'histoire immédiate à l'Histoire, cette adhésion à une représentation téléologique du monde découlent non pas de la seule idéologie, mais aussi, fondamentalement, du fait qu'elle a été adossée à un progrès matériel inédit, constant et pour ainsi dire universel. Les années de guerre froide furent des années de croissance exceptionnelle à l'Ouest et à l'Est mais également dans le Tiers monde. La croissance forte et généralisée dans laquelle « baigna » la guerre froide crédibilisait la promesse téléologique, lui conférait un caractère tangible. Il y avait ainsi tout lieu d'adhérer au sens proposé par les grands systèmes idéologiques, dès lors que ceux-ci leur donnaient une signification concrète matérialisée par une hausse continue du niveau de vie.

Levinas a pu écrire qu'avec Hegel les concepts descendent dans la rue. Avant lui, Goethe avait pu dire à Valmy qu'avec la naissance de l'Etat-nation cimenté par la conscription, l'Histoire devenait « l'affaire de Jacques Bonhomme », autrement dit celle de chacun. Avec la guerre froide, on pourra estimer que la philosophie de l'Histoire est parvenue à *partager l'ordinaire des Etats-nations*, même si cette fréquentation ouverte par la Révolution française, poursuivie par la révolution soviétique et parachevée par la décolonisation du Tiers monde a inexorablement conduit, dans le feu de l'action politique et de la joute diplomatique, à convertir concepts en vulgates, argumentaires théoriques en indigestes prêts-à-penser. Cassirer a pu écrire de la pensée des Lumières qu'elle fut au XVIIIᵉ siècle marquée par sa capacité de ramener le complexe au simple, de réduire la diversité à une identité fondatrice [30]. La guerre froide a incontestablement hérité ce système de représentations en faisant en sorte que la *réduction* à laquelle elle se livrait fût perçue non comme une simplification intolérable mais plutôt comme une voie d'accès rapide à l'Universel et à « l'Histoire en marche ».

Certes, il n'y a jamais eu une et une seule philosophie de l'Histoire si par là on entend façon de penser l'Histoire en tant que réponse aux questions que se pose l'humanité, érection du relatif en absolu [31]. De saint Augustin à Marx en passant par Vico, Herder, Lessing, Leibniz, Kant ou Hegel, les rapports au sens, au *Telos*, aux fins ultimes ont été interprétés ou systématisés selon des modalités et à des rythmes fort différents. Le marxisme a cherché à « renverser » la perspective de Hegel. Hegel s'opposa à Kant. Kant critiqua durement Herder qui, pour sa part, ne ménagea ni Turgot ni Voltaire [32]. Dans cet ordre d'idées, Luc Ferry a souligné qu'en réalité il a fallu attendre la Révolution française pour que la philosophie de l'Histoire en vînt à valoriser la pratique comme instrument de la transformation du monde. Et ce n'est qu'avec le saint-simonisme et le marxisme que le réel historique s'est trouvé pensé non seulement comme intégralement rationnel, mais aussi comme parfaitement maîtrisable par une ou plusieurs volontés conscientes [33].

Il y eut au cours des siècles une longue et lente logique de transfert de sens global que les Eglises et les Etats se sont réappropriée pour fonder leur puissance ou leur domination. Certes, ce transfert de sens peut sembler purement métaphorique, de sorte que ce serait moins à un transfert de sens qu'à un transfert d'images auquel on aurait assisté. Mais la sécularisation de la philosophie d'origine religieuse ne fut-elle pas, elle aussi, une substitution d'images, un glissement du *perfectus* de l'Eglise vers le *progressus* laïc, comme le note Koselleck [34] ? La production d'images, d'allégories, de représentations symboliques n'est-elle pas également l'une des sources de production de sens, pour les individus, pour les sociétés et pour la société internationale ? *A contrario,* le déficit d'« images du monde » ne serait-il pas aujourd'hui l'une des sources majeures de pertes de sens de l'après-guerre froide ? Si l'on retient cette hypothèse, on dira qu'elle fut marquée à la fois par le pouvoir d'effectivité de ses Timons sur le plan diplomatico-stratégique et par sa capacité à enraciner historiquement sa projection téléologique. En d'autres termes, elle favorisa la formulation par ses acteurs d'un projet qui s'alimentait de représentations à la fois enracinées dans le passé, mais très aisément réactualisables. Le présent, le vécu assuraient une liaison forte et naturelle entre un passé enraciné et un futur idéalisé.

Cela ne signifie nullement que les acteurs de la guerre froide aient mécaniquement ou délibérément construit des « images du monde » préalablement puisées dans le stock de la philosophie de l'Histoire, mais plutôt que certaines représentations furent d'autant plus fortes qu'elles s'inscrivaient dans un *continuum* dont l'origine remontait aux sources de la philosophie de l'Histoire. Car si la guerre froide fut un conflit, elle constitua également un système de représentations communes aux deux blocs et héritées de l'idéologie du Progrès.

Ainsi retrouve-t-on dans la symbolique de la guerre froide des images dont l'origine remonte au fondateur de la philosophie de l'Histoire : saint Augustin. La plus forte est sans conteste celle du Progrès à laquelle les Grecs avaient été insensibles [35]. C'est le même Père de l'Eglise qui fait de l'Histoire une prise en charge du temps, auquel on donne un sens, une valeur, une orientation [36]. *Avec l'augustinisme, l'Histoire se trouve pour la première fois temporalisée. Elle ne cessera de l'être jusqu'à la fin de la guerre froide.* Corrélativement, l'augustinisme introduira également la notion essentielle de parcours, de progrès entre un point de départ et un point d'arrivée. La *civitas humana*, l'état terrestre, n'est qu'une préparation à un état supérieur, à la véritable réalité qui est la cité de Dieu et qui, elle, se situe au-delà du temps[37]. On trouve chez saint Augustin, comme plus tard chez Hegel, une fin de l'Histoire. Mais à ses yeux, elle est marquée par le triomphe de Dieu[38]. Il y a donc chez lui la notion centrale d'attente, « rendant l'avenir présent » et accordant une place essentielle au devenir[39]. Qui dit attente dit nécessairement *telos*, même si la transcendance dont il se réclame est exclusivement religieuse et implique face à elle une passivité humaine. Il y avait ainsi dans l'augustinisme politique — résumé ici au pas de charge — l'idée d'un temps orienté dans un sens progressif, avec un avant et un après, au cours duquel l'individu « progresse » dans la connaissance, une connaissance qui ne serait pas révélée mais graduée, ponctuée par des étapes successives[40]. Le temps aurait ainsi une valeur et un sens cumulatif alors que chez Platon, par exemple, il ne crée rien, car il n'est qu'oubli[41]. Cette idée de progrès était censée avoir d'autant plus de résonance qu'elle avait une contrepartie : la chute. La métaphorisation du « postulat de la chute » — que nous évoquions dans les pages précédentes en nous référant aux systèmes idéologiques modernes issus de la Révolution française — était clairement présente dans l'augustinisme. La force de ce postulat et de sa retranscription dans les idéologies modernes fut d'avoir été forgée sur la base d'un principe d'opposition binaire entre le bien et le mal, où la cité adverse est en lutte avec la « cité de Dieu ».

« L'Histoire n'est pas une monodie triomphale qui, d'étape en étape, conduirait vers l'horizon promis. Pour pouvoir penser cette réalité complexe, il faut nous donner une image polyphonique : deux thèmes concurrents s'y

superposent à chaque instant, s'entrecroisent et s'opposent :
oui, il y a bien la cité de Dieu qui se construit peu à peu [...],
mais son progrès se réalise à travers mille luttes, persécu-
tions, difficultés sans nombre [42]. »

A cette logique binaire — que l'on retroùvera sécularisée
dans les grands combats idéologiques et politiques du xixe et
du xxe siècle — les Lumières ont ajouté le principe de
cohérence, de totalisation de la réalité et du sens [43]. Ces
apports, la guerre froide — première et seule grande
polarisation de l'Histoire moderne — n'a donc fait que les
sédimenter en déplaçant la dynamique du conflit dans le
champ des rapports entre Etats.

L'esthétique de la guerre froide

Ajoutons à cela un fait indissociable qui tient aux fondements communs de la dualité, au caractère partagé du besoin
de finalité.
Derrière l'Est et l'Ouest, il y avait, on l'a déjà dit, la
modernité, une modernité incarnée par l'Etat. Grâce à son
pluralisme, l'Occident a réussi à faire évoluer l'idée de la
modernité sur les plans sociologique, culturel et économique.
Il était entré avant même l'achèvement de la guerre froide
dans la post-modernité. Au cours de cette période, les
mutations sociales et culturelles de l'Occident furent considérables. Prisonnier de son monolithisme, l'Est en resta à une
modernité figée. D'où le sentiment d'y retrouver des formes
matérielles ou des usages pétrifiés par le communisme et que
l'Ouest juge dépassés depuis fort longtemps. Mais, abstraction faite de cette différence essentielle, on se rend bien
compte qu'Est et Ouest adhéraient pleinement à une thématique du Progrès qui s'exprima dans le culte productiviste et
aveugle du fordisme et de son corollaire, le taylorisme [44].

Quand le père de l'automobile, Taylor, affirmait au début de ce siècle : « Dans le passé, l'homme arrivait en premier ; dans l'avenir, c'est le système qui passera en premier [45] », on imagine sans peine l'effet jubilatoire que de tels propos provoquèrent sur les bolcheviks découvrant l'avantage d'instrumentaliser un tel modèle en deux temps. D'abord, en le dépouillant soigneusement de toute référence au système pluraliste américain, découplant ainsi démocratie et technologie. Ensuite, en l'utilisant, dans un contexte bien soviétique, cette fois pour militariser la production et « discipliner » les citoyens. Du fond de sa geôle, Gramsci ne s'y était pas trompé. Il avait donné du fordisme une définition qui pouvait, mot pour mot, être donnée du soviétisme : « C'est le plus grand effort collectif jamais engagé pour créer à une vitesse inégalée et avec une conscience de ses objectifs inconnue dans l'Histoire, un nouveau type d'ouvrier, un homme nouveau [46]. » Au fil des ans et des décennies, ce « système » se développa, se raffina et se propagea. Il connut sa plénitude dans les deux décennies qui suivirent la fin de la Seconde Guerre mondiale, c'est-à-dire en pleine guerre froide.

Loin d'être un simple système de production, le fordisme s'érigea en véritable mode de vie fondé sur la production et la consommation de masse. Comme le note David Harvey qui a consacré des pages admirables à cette question, le fordisme engendra aussi, à l'Est comme à l'Ouest, une certaine esthétique totalisante de la modernité, de la masse et de l'autorité qu'un homme comme Le Corbusier exprima — jusqu'à la caricature — dans l'architecture.

Même si sa démarche ne se confondait naturellement pas avec la guerre froide, l'architecte symbolisa en effet l'air de famille, le chevauchement qui se dégageaient des réalisations de l'Est ou de l'Ouest. Il exprima une sorte d'*esthétique du Telos* dominée par les idées de centralité, d'exemplarité, d'irradiation sociale, de volonté de transformation collective, d'alliance permanente de la *masse* et de ses *significations*, de sens et de puissance. On pouvait y voir une prétention à intégrer dans un même projet expérience et attente, idées et procédés, réponses concrètes et aspiration à une sorte d'élévation symbolique. Ce fameux *besoin de tour* qui résiste à la fin de la guerre froide, comme le montre la construction à la Défense d'une nouvelle tour aux accents babéliens, aux couleurs se fondant dans la profondeur du ciel.

C'est de la *commande publique*, autrement dit de l'Etat, que devait partir toute *traduction* de la novation architecturale. Lui seul apparaissait comme suffisamment fort sur les plans financier et symbolique pour donner sens à la civilisation de masse.

L'architecture est une représentation volontariste, une transposition dans l'espace de vie des normes de la production et de ses contraintes. Elle doit être rejet de la ville ancienne tout en apportant air, soleil et espace et exprimer la fascination pour le progrès, le machinisme et le rationalisme[47]. Ce volontarisme allait plus loin puisqu'il parlait d'« apprendre aux habitants à habiter[48] ». L'architecture voulait impliquer les hommes et s'impliquer dans leurs enjeux sans concéder une once de son pouvoir de dire la norme, de présenter la Vérité. Pour faire sens, elle se devait d'être simplifiée, à la fois dépouillée pour être comprise de tous et démonstrative pour répondre aux exigences de prestige, de rayonnement de la symbolique étatique.

L'architecture n'a de raison d'être que parce qu'elle s'inscrit dans une représentation préconçue du Progrès. La *Ville radieuse* conçue par Le Corbusier exprimait cette ambition, ambition pleinement partagée par les architectes soviétiques avant et pendant la guerre froide.

Enfin, derrière la quête absolue de la modernité s'exprimait un « besoin d'édification ». L'architecture aspire à changer la vie, à concrétiser une promesse, à dépasser confusion et chaos[49].

La France est indiscutablement, de tous les grands pays occidentaux, celui où s'est exprimée le plus et le mieux cette proximité entre modèles de l'Est et de l'Ouest, et cela sous l'effet conjugué de l'intériorisation de la thématique révolutionnaire du Progrès et du poids historique de l'Etat dans le champ social :

« La France politique, révolutionnaire et démocratique et la France intellectuelle, écrit Michel Schneider, qui s'étourdit de l'opium marxiste plus que toute autre intelligentsia, ont adhéré pendant près de deux siècles au dogme selon lequel l'histoire aurait un sens, un progrès et une fin. Selon le positivisme régnant, ce sens peut être scientifiquement connu. Enfin, le monarchisme foncier qui subsiste confie à l'Etat le soin d'accomplir historiquement ce sens et donne à son intervention créatrice ses lettres de noblesse, c'est le cas de le dire. Loin d'être ce qu'Althusser voyait dans l'Histoire — " un procès sans sujet ni fin(s) " —, notre histoire intellectuelle et culturelle fut conçue comme un *progrès*, qui s'assignait une *fin*, et s'incarnait dans un *sujet*, l'Etat [50]. »

Cette prétention de l'Etat à jouer les gardiens du sens, à garantir l'accès au *Telos* n'entre pas pour peu dans la crise du sens qui frappe peut-être plus durement la France que les autres pays occidentaux, et ce indépendamment des capacités intrinsèques de sa puissance. Bien sûr, il y aurait quelque naïveté à établir la moindre relation de causalité entre l'épuisement du modèle économique fordiste — sur lequel nous reviendrons —, le rejet de l'esthétique avant-gardiste et la fin de la guerre froide ; là n'est pas notre propos. L'important est de voir que la fin de la guerre froide révèle, accentue — ou coïncide avec — un profond mouvement de remise en cause de toute conception englobante, linéaire et « annonciatrice » et que la sortie du *Telos* va bien au-delà de la sanction de l'échec du parcours marxiste.

CHAPITRE II

Chute du Mur, fin des Lumières

S'il fallait d'une phrase saillante résumer les désillusions nées de la fin de la guerre froide, on pourrait dire ceci : on a cru y voir le parachèvement de la grande œuvre des Lumières alors que tout indique qu'elle y mettait impitoyablement fin.

En effet, si l'on songe aux interprétations de l'après-guerre froide consécutives à la chute du mur de Berlin, on se rappelle sans difficulté combien elles empruntèrent, de manière implicite ou explicite, aux trois postulats, aux trois grands principes des Lumières[1] :

— la chute du communisme introduit dans les rapports entre nations une donne radicalement nouvelle (l'idée de « temps nouveaux ») ;

— l'ère qui s'ouvre avec la fin du communisme peut se penser comme qualitativement supérieure à la précédente, car elle est portée par des aspirations fondées sur la liberté (« l'Histoire a un sens ») ;

— la chute du communisme exprime la capacité des peuples à « faire l'Histoire » eux-mêmes en mettant à bas les systèmes politiques qui l'ont confisquée (« Ce sont les peuples qui font l'Histoire »).

Tant que la réalité mondiale semblait superficiellement conforter ces trois principes, il n'y avait naturellement aucune raison de ne pas continuer à se situer dans l'épure des Lumières. Mais quand on constata que les chemins de la déconstruction du communisme n'étaient pas tous « qualitativement supérieurs », on comprit non seulement que le parachèvement des Lumières n'était plus aussi bien garanti, mais que de surcroît nos propres référents (ceux des Lumières) demeuraient inopérants pour comprendre une réalité inédite. D'où l'inévitable pauvreté conceptuelle qui marque l'après-guerre froide.

Des trois *topoï* des Lumières qui ont servi d'armature au message du nouvel ordre mondial, le premier — celui d'une ère radicalement nouvelle — est probablement celui qui demeure le plus fondé. Ici le contresens ne résulte pas d'une surévaluation du changement induit par la fin de la guerre froide, mais d'une réduction de la radicalité du changement à la seule fin du seul communisme. Or, si la disparition du communisme est fondamentale pour comprendre la fin de la guerre froide, elle se révèle de moins en moins pertinente pour comprendre le monde de l'après-guerre froide. Celui-ci devient ainsi un *monde en soi*, une réalité autonome, au même titre d'ailleurs que le monde d'après 1945.

C'est sur cette différence essentielle qu'il convient d'insister, car elle seule est en mesure de nous aider à comprendre le paradoxe majeur de l'après-guerre froide : d'un côté le consensus planétaire sur les causes de l'échec du système communiste et de l'autre l'absence de référent commun pour vivre cette ère nouvelle.

En effet, le système de guerre froide a magnifié l'idée de Progrès portée par les Etats. Or c'est cette double digue qui s'est rompue, entraînant d'un même élan la remise en cause des grandes idéologies et la contestation croissante des Etats en tant que régulateurs du système international. Si l'on admet cette hypothèse, il faut envisager l'après-guerre non plus à partir d'un seul point de rupture, la chute du communisme, mais à partir de deux basculements déclenchés par celle-ci : la crise des systèmes téléologiques et la crise du système international garanti avant tout par les Etats. La mise en évidence de cette double crise permet à son tour de mieux approcher les conditions de l'échec du nouvel ordre mondial, lequel reposait précisément sur l'idée d'un projet mondial porté par les puissances dominantes du système international. Si le nouvel ordre mondial n'a pas vu le jour, c'est peut-être pour avoir trop lié son émergence à la seule fin des grands conflits idéologiques, alors que l'épuisement de la dynamique idéologique portait en lui les germes d'une délégitimation de la notion de projet — et *a fortiori* de projet collectif. Il révélait ainsi l'épuisement historique des Etats à prendre en charge à eux seuls le nouveau cours du monde. L'idée de nouvel ordre mondial était la fille des Lumières et de l'esprit hégélien en ce qu'elle accordait une place essentielle à l'idée de volonté portée par les Etats[2]. Ainsi, à défaut de nouvel ordre mondial, on se trouve en présence d'un *temps mondial* où trois dynamiques se renforcent : les déconstructions idéologiques, l'accentuation de la mondialisation et l'accélération des changements technologiques constatée depuis le début de la décennie, autrement dit depuis la fin de la guerre froide[3].

Si la radicalité du changement induit par la fin de la guerre froide semble peu douteuse, la perception de l'après-guerre froide comme une ère qualitativement nouvelle semble aujourd'hui singulièrement dévaluée. Nul ne peut, par exemple, interpréter les déchirements yougoslaves de manière positive, ni voir dans la Bosnie dépecée le signe d'une ère nouvelle préférable à la Yougoslavie titiste.

Là encore, nos représentations centrales de l'après-guerre froide pâtissent d'une vision optimiste et mécaniste de la réalité internationale, vision que le manichéisme hérité de la guerre froide n'a fait que renforcer.

On a ainsi eu tendance à prendre toutes les aspirations à la libération pour des aspirations démocratiques en jugeant transitoire ce que Pierre Rosanvallon appelle la « dissymétrie démocratique », autrement dit le décalage entre le développement d'une contestation politique menée au nom de la démocratie et la construction démocratique, c'est-à-dire la mise en place lente, longue et aléatoire d'institutions et de procédures d'un Etat de droit.

Du même coup, la « démocratie de marché », que l'on

croyait indépassable, se révèle friable et vulnérable non seulement dans les pays de l'Est et du Sud, mais également dans les sociétés occidentales développées.

Aux causes de ce retournement on peut donner deux séries d'explications. La première tient, comme on l'a vu, à l'héritage des Lumières dans ce qu'il avait de plus optimiste. Il était d'ailleurs prévisible que l'effondrement aussi rapide que pacifique de l'Union soviétique attiserait cet optimisme historique. Louis Dumont, qui s'est intéressé à la circulation des « idées-valeurs » dans le monde — à ce que nous appelons le *temps mondial* —, a bien souligné le caractère spectaculaire et volatil des grandes idées planétaires[4].

Dans un premier temps, l'impact de la nouveauté venue de l'extérieur est très fort, prenant presque au dépourvu ceux qui le subissent. On a ainsi senti que l'effondrement en chaîne des régimes communistes d'Europe de l'Est atteindrait inexorablement les bastions les mieux gardés comme la RDA et la Roumanie. Le mouvement gagna en ampleur et en crédibilité politique quand la contestation des systèmes communistes sembla frapper par contagion tous les régimes autoritaires, et cela sous l'influence décisive des médias. Ainsi vit-on l' « effet Ceaucescu » se répandre en Afrique et donner à la généralisation de la contestation démocratique aux quatre coins du globe un pouvoir attractif difficilement maîtrisable : si un dictateur aussi puissant que Ceaucescu pouvait disparaître aussi facilement, les petits tyranneaux africains s'éclipseraient encore plus vite. C'est au moins ce que l'on pouvait penser...

Ce que l'on sous-estima alors, c'est le caractère fragile de cette légitimation planétaire. Ce que l'on négligea, c'est la capacité des « temps locaux » non pas de combattre frontalement le *temps mondial*, mais de le contredire de biais au point de finir par le vider de son sens.

Certes, il n'y a aujourd'hui aucune contestation systématique et globale du *temps mondial* compris au sens d'articulation entre démocratie et marché. Les systèmes islamistes ou asiatiques qui rejettent de manière de plus en plus forte la prétention de l'Occident à universaliser la démocratie ne contestent pas, en revanche, les impératifs du marché. Mais, dans la mesure où il nient toute articulation entre démocratie et marché, ils récusent l'existence d'un *temps mondial*, combattent sa prétention à s'ériger en problématique légitime pour l'ensemble du monde. De surcroît, le refus d'une construction politique comme la « démocratie de marché » n'a nullement besoin d'être théorisée pour être efficace. Bien au contraire, la survie de régimes autoritaires passe de plus en plus par des concessions formelles au *temps mondial*. Ainsi, lorsque, au Pérou ou au Guatemala, des chefs d'Etat élus suspendent le Parlement pour lutter contre le terrorisme, les trafiquants de drogue ou la corruption, une mobilisation internationale est infiniment plus difficile à organiser que lorsque l'on se trouvait en présence de régimes plus franchement antidémocratiques[5] ; d'autant plus que la pression extérieure ne peut pas éternellement se maintenir de façon spectaculaire. S'opère très vite ce que Dumont appelle une « remontée » du temps local qui, selon les pays ou les cultures, ingérera, transformera ou contredira le *temps mondial*.

Cinq ans après la chute du mur de Berlin, c'est précisément à cette dynamique que l'on assiste en Afrique ou dans le monde arabe. On ne compte finalement que peu d'avancées démocratiques dans ces sociétés depuis 1989, alors que tous les régimes de ces deux ensembles paraissaient fragilisés à l'extrême par l'effondrement du communisme. La Syrie, par exemple, constitue toujours une pièce maîtresse au Moyen-Orient, alors qu'on avait vu dans la fin de la guerre froide la fin du régime syrien[6]. En Afrique, le régime du Zimbabwe témoigne d'une propension inédite à la survie alors que les deux ressources politiques sur lesquelles il fondait sa légitimité ont disparu : le « socialisme scientifique » comme modèle et l'Afrique du Sud raciste comme repoussoir.

Le cas de la Chine est plus spectaculaire encore dans la mesure où elle a eu à subir la délégitimation du système communiste et la pression économique régionale des nouvelles puissances asiatiques. Or ce à quoi on assiste, c'est à l'émergence d'un « autoritarisme de marché » (*market-leninism*), dont personne ne peut raisonnablement penser qu'il préfigure irrésistiblement l'avènement d'une « démocratie de marché[7] ». Même si les événements de la place Tien An Men ont souligné l'existence d'une revendication démocratique de type occidental dans ce pays, ils ne permettent aucune extrapolation abusive quant à l'intériorisation en profondeur de la valeur « démocratique ». Affirmer cela ne revient pas à retomber dans le piège du relativisme culturel (« les Chinois ne sont pas mûrs pour la démocratie ») mais à comprendre que le passage ou la conversion à la « démocratie de marché » ne sera jamais assuré par une sorte de nécessité historique. Qu'est-ce à dire ? Tout simplement que la démocratie ne gagne jamais du terrain parce qu'il s'agirait d'une bonne chose en soi. Sa construction puis son enracinement ont besoin de s'appuyer sur un vécu qui permette très concrètement de la juger préférable à un autre « état » politique. Autrement dit, elle l'emportera en Chine quand elle commencera à être assimilée à l'ordre. Pour cela, il faut imaginer des institutions politiques à même de gérer cet ordre. Or, si historiquement la pensée chinoise a réfléchi au pouvoir et à la morale, elle n'a jamais imaginé d'institutions capables d'assurer la régulation politique[8].

C'est dans cette lacune que réside peut-être la fragilité de la construction démocratique en Chine, plutôt que dans une sorte d' « inaptitude culturelle à la démocratie ». Cette hypothèse n'est probablement pas la seule à devoir être prise en compte, mais elle nous semble présenter au moins un mérite : dépasser ce débat statique et stérile entre ceux qui voient dans les résistances à la démocratie l'alibi des seuls autoritarismes et ceux pour qui la démocratie est décidément un produit trop périssable pour se prêter à des opérations d'exportation vers des « contrées lointaines ». Dans le cas chinois, cette construction passera par le dépassement du *Yi Fang, Jiu Luan*, autrement dit de l'idée que toute dérégulation conduit à la dislocation et au chaos. Il n'y a chez les

Chinois, note François Jullien, qu'une relation absolue : celle qui lie l'ordre au désordre[9]. Tant que la démocratie ne sera pas perçue comme le meilleur moyen d'endiguer le dérèglement social actuellement à l'œuvre, ses chances d'acclimatation resteront limitées en Chine. Dans cette perspective, ni les dénonciations emphatiques des violations des droits de l'homme ni les médiocres compromissions mercantiles avec le pouvoir chinois n'exerceront d'influence décisive sur le cours des choses.

Les contestations imprévues de la « démocratie de marché »

Le défi de la diversité historique, politique et culturelle ne suffit pourtant pas à expliquer les faiblesses de la « démocratie de marché » et à travers elle les déconvenues du nouvel ordre mondial. Pour apprécier le problème dans toute sa plénitude, il faut se demander pourquoi la « démocratie de marché » éprouve des difficultés à se constituer en horizon de sens, y compris dans les sociétés occidentales.

Conceptuellement, elle se présente comme un état optimal, presque naturel. De ce simple fait, elle se montre incapable de penser son propre dépassement si d'aventure le marché, la démocratie ou la combinaison des deux venaient à se dérégler. Certes, cet état optimal se prétend propice aux changements, aux améliorations, aux évolutions, aux aménagements. La « démocratie de marché » se veut souple, consensuelle et perfectible et donc partiellement immunisée contre les dérèglements brutaux propres aux systèmes rigides[10]. Mais, à la différence des grands systèmes téléologiques qui, comme on l'a vu, tendent à métaphoriser en permanence le « postulat de la chute », à envisager donc une rupture du projet collectif, la « démocratie de marché » y répugne. Implicitement, elle voit dans la combinaison de la sanction démocratique (élections) et du marché (compétition) le moyen de corriger à intervalles réguliers (démocratie), voire instantanément (marché), erreurs ou déviances. Son indestructibilité apparente est fondée sur les bases de l'échec des systèmes niant le pluralisme et le respect des signes du marché. Sa faiblesse fondamentale réside dans le fait qu'elle n'établit sa supériorité que face à l'absence de contre-modèle la contestant en totalité, négligeant ainsi les facteurs multiples qui pourraient la dérégler de l'intérieur, sans nécessairement chercher à la combattre en bloc. Autrement dit, la « démocratie de marché » croit tirer sa force du fait que personne ne conteste en bloc et la démocratie et le marché.

Paul Ricœur a pu dire que les utopies les plus fortes étaient celles qui trouveraient de l'inaccompli dans les traditions d'une société et que cet inaccompli constituait en fait une « réserve de sens [11] ». Mais tout porte à penser que précisément la « démocratie de marché » se démarque et s'éloigne de cette problématique. En se présentant comme un « état réputé nécessaire » à l'échelle mondiale, elle néglige ou sous-estime les conditions historiques ou culturelles particulières ayant conduit les sociétés occidentales à vivre dans des « démocraties de marché ». La revendication d'un particularisme historique ou culturel est implicitement perçue comme un alibi politique retardant l'avènement de la « démocratie de marché ». Autrement dit, si les Iraniens contestent la démocratie occidentale, ce serait moins au nom d'une incompatibilité entre islam et démocratie que d'une volonté de légitimer culturellement la nature antidémocratique du régime des mollahs. La « démocratie de marché » voit donc dans son manque d'épaisseur conceptuelle ou philosophique les conditions de sa propagation universelle (la « démocratie de marché » convient à tout le monde). Tout cela fait problème non seulement pour les « candidats » potentiels mais également pour les sociétés occidentales elles-mêmes.

En effet, si la « démocratie de marché » admet ses faiblesses et par là même sa perfectibilité, elle se pense avant tout comme un état présent ajustable par l'expérience quotidienne et délesté symétriquement des contraintes du passé ou des promesses de l'avenir meilleur. Etrangère à la notion d'attente, elle ne semble nullement disposée à se vivre et à se penser comme une utopie capable d'accomplir l'inaccompli, de cultiver ce qui était resté en jachère, d'atteindre un col jusque-là défendu par les glaces de la guerre froide. Elle se présente plutôt comme une combinatoire en mesure de gérer intemporellement les contraintes du présent. Le fait que les sociétés occidentales se montrent aujourd'hui — pour des raisons économiques et sociales — avant tout soucieuses de se protéger face à la montée du chômage plutôt que de se projeter vers un « avenir meilleur » est de nature à renforcer encore plus ce rétrécissement utopique.

La « démocratie de marché » récuse ainsi toute idée de transcendance. Elle ne cherche rien à prouver. Elle est le contraire d'un mythe, même si elle reste irréalisable dans sa plénitude. Car le concept de finalité qu'elle incarne (« la démocratie de marché » est indépassable) n'est pas soustendu par l'idée d'un conflit qui en repousserait la réalisation. Il lui manque ce potentiel évolutif qui permet à une mobilisation collective de se construire autour de la crainte de ne pas parvenir au résultat escompté.

Pourtant, tout en se voulant débarrassée de toute téléologie, elle ne s'émancipe pas pleinement de la tutelle des Lumières.

En ne se reconnaissant pour adversaire que les représentations qui la contesteraient dans sa globalité, elle s'en tient à une vision totalisante du monde. Elle apparaît comme une survivance hégélienne en ce qu'elle prétend que tout le réel trouve sa place dans les termes de démocratie et de marché. Ainsi, les Etats occidentaux semblent voir dans l'absence de contestation systématique et globale de toutes leurs valeurs le signe de leur légitimité universelle alors qu'on décèlera mille contestations ou dévoiements de la démocratie et du marché y compris chez eux. Le fait que ces mouvements ne sont pas pensés de manière cohérente ne change rien à leur réalité ou à leur vitalité, sauf à estimer que les problèmes ou les menaces appellent une systématisation ou un ordonnancement comparables à ceux du communisme.

En se présentant comme une expérience dont la validité aurait été démontrée par l'échec du communisme, la « démocratie de marché » récuse implicitement la tension créatrice entre champ d'expérience et horizon d'attente. Autrement dit, elle n'aspire ni à atteindre un nouvel objectif ni à bâtir un nouvel horizon de sens. Elle cherche simplement à conforter la viabilité de la réalité existante.

Ce refus de l'utopie paraît d'autant plus intéressant à analyser qu'il se trouve désormais relayé par toute une réflexion philosophique sur la démocratie, réflexion que les travaux de Rorty éclairent utilement. En effet, ce dernier s'efforce non seulement d'expliquer mais de justifier en termes philosophiques ce rétrécissement utopique. Pour lui la démocratie est un état plutôt qu'un fondement. Elle se trouverait ainsi dispensée de toute justification philosophique ou morale [12]. S'inscrivant en cela dans la lignée des « pragmatistes » américains au premier rang desquels figure Dewey, il estime que la démocratie peut « faire l'économie de présuppositions philosophiques ». Elle s'inscrirait dans l'ordre des choses importantes de la vie qui n'ont pas à justifier leur existence ou leur légitimité. Avoir une mère, dit-il, est absolument fondamental pour un individu. Mais cela le contraint-il pour autant à justifier l'existence de sa mère [13] ? A cette interrogation Rorty répond clairement par la négative. De manière presque explicite, il nous convie à penser la démocratie comme une réalité consubstantielle à l'identité occidentale qui rendrait la mise en débat de ses fondements presque sans objet. Même si le raisonnement de Rorty reste philosophique, autrement dit dépourvu de toute prétention opérationnelle, on ne peut manquer d'y voir une sorte d'esquive du débat sur des fondements de la démocratie, esquive qui fait aujourd'hui problème dans le monde de l'après-guerre froide, précisément parce que les contestations dont elle fait l'objet aujourd'hui sont beaucoup plus endogènes qu'exogènes. Elles émanent beaucoup moins d'un acteur extérieur doté d'un projet politique antidémocratique et pourvu des attributs de la force militaire que de contestations internes, partielles et fragmentées auxquelles ne manque au fond que les occasions ou les mots d'ordre qui pourraient les coaguler. Or comment peut-on répondre à ces remises en cause internes sans se situer par rapport à une problématique du fondement, dès lors que la menace externe n'est plus là pour servir de repoussoir, de contre-exemple, de « contre fondement » ? La fragilisation du lien démocratique dans toutes les sociétés démocratiques occidentales ne résulte-t-elle pas de la difficulté à fonder ce lien maintenant que l'ordre des périls et des conflits s'est profondément modifié ? A ces interrogations essentielles, Rorty ne répond pas de façon convaincante. Il laisse de côté l'objection centrale d'un Koselleck pour qui précisément la disparition d'un *horizon d'attente*, qui n'est au fond que la projection dans l'avenir d'un ou de plusieurs fondements, entraîne nécessairement la remise en cause de l'expérience du présent. Autrement dit, sans fondement la démocratie se délite puisque l'on ne peut plus lui opposer un principe supérieur. Du même coup, le fait de ne plus s'assigner une finalité ou, ce qui revient au même, à ne plus se reconnaître de fondement, conduit nécessairement à remettre en cause tout ce que l'on avait consenti pour cette finalité désormais répudiée. En apparence, le refus de « fonder » la démocratie peut fort bien s'interpréter comme un acte de relativisme politique et philosophique qui correspondrait bien à l'idée de Dewey selon laquelle le désenchantement commun serait le prix à payer pour la libération spirituelle individuelle [14]. Mais on ne peut manquer de constater le décalage qui existe entre cette modestie philosophique de la « démocratie de marché » et sa prétention politique à faire sens à travers le monde. En dehors de l'Occident, les prétentions de la « démocratie de marché » à vouloir s'imposer sans avoir à se justifier sont génératrices de tensions politiques internationales qui finissent « faute de mieux » par s'exprimer et par s'exacerber en termes culturels. Au nom de quoi l'Occident parviendrait-il à présenter la démocratie comme un « bien » ou comme un « mieux » s'il ne parvient ni à définir ce « bien » ni à justifier ce « mieux » ? Il n'est donc pas exagéré de penser que la prétention de l'Occident à convertir la « démocratie de marché » en horizon politique indépassable se double d'une sorte d'appauvrissement philosophique considérable du contenu même de cette « démocratie de marché ». Dans ces conditions, on ne s'étonnera donc pas de voir proliférer dans le monde, y compris en Europe de l'Est, des contestations parfois feutrées mais souvent violentes de la « démocratie de marché » comme si l'Occident donnait l'impression de vouloir répandre ses valeurs sans trop savoir au nom de quoi il prétendait agir ainsi. Il y a là encore une inconséquence politique majeure à vouloir prôner une sorte d'universalisme abstrait et presque dogmatique hors de ses murs au moment où l'on s'installe chez soi dans un relativisme destructeur.

L'esquive du débat sur les fondements de la démocratie présente des risques politiques réels qui dépassent d'ailleurs assez largement le champ des rapports internationaux. Au sein même des sociétés occidentales, la disparition de tout horizon d'attente entraîne des remises en cause confuses de l'ordre politique et cela à travers la contestation des « institutions de guerre froide », la délégitimation des problématiques redistributives ou sociales et l'ébranlement de l'ordre territorial étatique.

Le démantèlement des institutions de guerre froide

La contestation des institutions et des régimes de guerre froide a été l'expression la plus forte mais également la plus inattendue dans les sociétés occidentales. Si tout le monde s'attendait à ce que rien ne fût plus comme avant, peu de gens entrevoyaient que l'effondrement des institutions soviétiques affecterait par capillarité leurs homologues occidentales. Cet effet de symétrie a été sous-estimé ou nié, car il aurait d'emblée assombri la victoire de la liberté sur le totalitarisme et aurait entretenu l'idée d'un apparentement des institutions de l'Est à celles de l'Ouest alors que ces dernières se pensaient comme radicalement opposées. La rapidité avec laquelle s'est effondré le communisme et l'ampleur de sa délégitimation ont fait que très vite la perception et la mesure des choses ont cessé d'être relatives. L'idée d'accepter l'imperfection d'institutions qui avaient pour mérite d'être supérieures ou préférables à celles du communisme est devenue obsolète, puisque sans objet. Dans certains cas, c'est la terminologie employée à l'Est pour défaire les institutions communistes qui servit au démantèlement des institutions de guerre froide. Ainsi, le concept de « transparence », apparu pendant la période gorbatchévienne, fut repris dans les sociétés occidentales pour mettre fin à l'opacité des institutions de guerre froide, c'est-à-dire non seulement les institutions politiques, sociales, culturelles ou militaires qui prirent une part active à la guerre froide, mais, de manière plus générale, l'ensemble des institutions de type pyramidal, fortement hiérarchisées, très opaques et généralement dotées d'une culture institutionnelle propre très forte. C'est le cas de la Banque mondiale, qui ne peut plus arguer de la souveraineté des Etats pour négliger le point de vue des opinions publiques exigeant d'en savoir plus sur ses projets de développement. Mais c'est aussi le cas de la SNCF, qui paie aujourd'hui durement le prix d'une vision de l'intérêt général très largement coupée des besoins concrets de ses utilisateurs [15]. Même un pays comme la Suisse ne semble pas échapper à ce mouvement de défiance à l'égard des institutions établies, défiance qui s'exprime d'ailleurs plus vis-à-vis des institutions de proximité (cantons, villes) qu'envers des institutions fédérales [16].

La grève des infirmières, en 1990, qui fut en France la première grande grève de l'après-guerre froide, fut emblématique. Elle exprimait deux exigences complémentaires : celle d'une plus grande transparence des procédures et du fonc-tionnement des « grandes administrations » — comme l'As-sistance publique —, celle aussi d'une reconnaissance de l'identité propre des infirmières tiraillées entre leur spéciali-sation croissante et le besoin de faire reconnaître la cohérence globale du service infirmier[17]. Elle révéla une aspiration à la participation et à la reconnaissance. Elle traduit par là même une demande de sens[18].

C'est également par analogie avec le système soviétique que l'effondrement du régime de guerre froide a commencé en Italie : « Il y a en Italie une crise morale analogue à celle du socialisme réel et de sa nomenklatura[19]. » Cette crise a frappé simultanément le système politique et l'Etat. Le premier parce que la démocratie chrétienne hégémonique perdait son rôle historique de barrage à l'arrivée au pouvoir du Parti communiste. Le second parce qu'il n'a pas su se construire une légitimité propre indépendante de la partito-cratie. La montée en puissance des ligues régionalistes souligne non seulement l'épuisement du régime de guerre froide, qui reposait sur une articulation étroite entre idéolo-gie et clientélisme, mais aussi, à travers lui, l'estompage des clivages de classe et de religion sur lesquels s'était construite l'Italie de l'après-guerre[20]. Dans les régions septentrionales, la Ligue-Nord mord très nettement sur les électorats démo-crate-chrétien et communiste.

Mais, en Italie comme ailleurs, l'effondrement du régime de guerre froide dépasse le seul démantèlement de ses institutions. La contestation régionaliste s'attaque aux fonde-ments mêmes de l'Italie moderne du *Risorgimento*[21].

Dans le cas italien comme dans celui de la Belgique, l'échec, ressenti comme décisif, de la dynamique de la modernisation étatique dans ce qu'elle pouvait avoir de volontariste et d'unificateur fait que la contestation du régime de guerre froide s'articule très étroitement à une contestation radicale de l'unité nationale et de ses implica-tions redistributives. On comprendra alors que la force d'appel des ligues ne réside pas dans leur capacité d'activer une identité régionale clairement définie — il n'y a pas plus d'identité lombarde que d'identité vénitienne ou toscane clairement établie — mais plutôt la contestation des trois fondements de l'Italie d'après-guerre : les partis, la nation et la redistribution[22]. Aux partis nationaux clientélistes on opposera les ligues, à la nation italienne les régions et à la redistribution sociale et nationale l'appropriation locale et régionale des ressources.

Au travers de l'exemple italien on comprendra combien se trouvent dévaluées non seulement la problématique intégratrice des Lumières mais également toute la terminologie qu'elle a induite. Il serait par exemple erroné de voir dans le phénomène des ligues un phénomène passéiste opposé à une logique modernisatrice, un réflexe de peur face à la mondialisation, une thématique identitaire fondée sur l'ethnicité opposée à un projet national, car, sur ces trois plans, la réalité est infiniment plus complexe et largement opposée à ces schématisations abusives. Par certains côtés, le phénomène des ligues n'est pas une réaction antimoderniste mais une réaction à l'échec de la modernisation politique de l'Italie[23]. On ne soulignera jamais assez qu'avant d'être « morale » la contestation du système partitocratique de corruption en Italie résulte de son coût économique croissant, coût que l'intégration à l'Europe rendait de plus en plus intolérable[24].

Cette interaction entre la fin de la guerre froide — appelant une relève des équipes — et les contraintes de la mondialisation — imposant un resserrement des marges — explique pour une large part le séisme contrôlé du système politique japonais. En Italie comme au Japon — même si les situations sont fort différentes —, la dénonciation de la corruption ne peut se comprendre sans la prise en compte de cette conjonction de facteurs, sans cette prégnance du *temps mondial*.

C'est que la fin des grandes idéologies et la montée en puissance de la logique de marché dans toute la vie sociale contribuent aussi à faire de l'efficacité économique l'un des critères essentiels d'évaluation des systèmes politiques occidentaux [25]. Ceux-ci se trouvent soumis à une obligation de résultat avec tous les risques de désacralisation de la puissance publique que cette dynamique implique. C'est le divorce entre l'archaïsme politique et la dynamique économique qui explique pour partie la crise du système italien, crise que les ligues ont réinterprétée abusivement sur la base d'un clivage Nord-Sud : l'archaïsme politique est attribué à l'effet d'emprise du Sud sur le système politique central, et la modernité aux régions prospères du Nord.

Ceci étant posé, il nous faut désormais comprendre comment le désanchantement né de la fin de la guerre froide s'est progressivement installé dans le monde, à travers quels enchaînements la clarification hégélienne de « l'énigme du monde » a débouché en si peu de temps sur une confusion politique planétaire. Il n'est pas inutile de reprendre ici la chronologie de la fin de la guerre froide ou de ce qu'il conviendrait d'ailleurs plutôt d'appeler *les* après-guerre froide.

Il y a plusieurs « Après-Guerre Froide »

Le premier après-guerre froide commence avec la chute du Mur et s'achève avec le début de la crise du Golfe. C'est la période euphorique pendant laquelle fleurissent les thèses kantiennes et hégéliennes sur la paix perpétuelle et le triomphe de la raison. Ce fut donc surtout le moment pendant lequel on crut que la liquidation de la guerre froide représenterait un *moment maîtrisable dans le temps et dans l'espace*. La guerre froide constituait en quelque sorte un mauvais souvenir qu'il convenait de chasser de son esprit et dont l'évacuation mentale se trouvait facilitée par le constat d'échec généralisé porté sur le communisme. L'Occident, comme les élites de l'Est, ont alors eu tendance à interpréter la fin de la guerre froide comme une « purge », comme une sorte de *normalisation à l'envers*.

Le fait que les sociétés civiles de l'Est se sont montrées incapables d'avancer la moindre idée nouvelle sur l'organisation de l'après-guerre froide ; le fait que la dissidence à l'Est a été plus sociale (Pologne) ou morale (Tchécoslovaquie) que politique ; le fait que la transition au marché n'a jamais été pensée par la dissidence : tout cela fut interprété peu ou prou non comme un handicap structurel mais plutôt comme un circuit court vers la « démocratie de marché ». Même si cela n'a jamais été théorisé, ce premier après-guerre froide fut animé par un grand volontarisme libéral, reposant sur l'idée selon laquelle le rejet du communisme et la vacuité politique en Europe de l'Est — reflétée par une idéalisation infantile de l'Occident — constituaient le meilleur atout de la « démocratie de marché ». Maîtrisable dans le temps, l'après-guerre froide semblait également maîtrisable dans l'espace. On feignait de croire et d'espérer qu'il existait une sorte d'*optimum de la décomposition politique* qui non seulement n'avait pas de raison de porter atteinte à la structure territoriale de la guerre froide (Allemagne de l'Est et pays baltes exclus), mais qui, de surcroît, devait se limiter à l'Europe de l'Est. Pendant comme après la guerre froide, les Etats-Unis n'ont par exemple jamais souhaité l'éclatement politique et territorial de l'URSS. *Démanteler toute la guerre froide, mais rien que la guerre froide*, tel devait être l'ordre du jour rationnel du nouvel ordre mondial.

Avec le début de la crise du Golfe, en août 1990, le système international entre dans le second après-guerre froide. Cette crise aura pour effet d'élargir au Sud la vision d'une restructuration forte et rapide du monde sur des bases nouvelles. Elle va amplifier l'euphorie occidentale, car elle préfigure la disparition politique de l'URSS. Il n'y avait non seulement plus d'alternative idéologique — ce que l'on savait depuis la chute du mur de Berlin —, mais plus d'alternative stratégique, ce que l'immense majorité des pays du Sud découvrira avec effroi. C'est la période qui voit fleurir l'idée d'un ordre mondial fondé sur le triomphe du droit international et de la raison. En vérité, il s'agissait moins de bâtir un

« nouvel ordre mondial » que de dégager les règles d'un *nouvel ordre public* reposant sur une articulation nouvelle et optimale entre principes et moyens aussi bien à l'Est qu'au Sud.

Du point de vue des moyens, la guerre du Golfe vit naître le principe de la coalition, combinant les avantages du consensus politique et ceux du leadership exercé par un acteur dominant. Sur le plan des principes, elle consacra, à travers la fameuse résolution 688 des Nations unies, le principe de l'ingérence, même si dans les faits le « texte fondateur de l'ingérence » reposait sur d'innombrables ambiguïtés. La moins négligeable d'entre elles découle du fait que, contrairement à certaines idées reçues, l'ingérence humanitaire passe par l'accord formel de l'Etat dans lequel cette intervention s'effectue (en l'occurence l'Irak)[26]. Quoi qu'il en soit ce second « moment » consacre superficiellement à l'échelle internationale — et plus seulement à l'Est — l'hypothèse d'un après-guerre froide maîtrisable, déchiffrable et qualitativement supérieur.

Un an après le début de la crise du Golfe, c'est le putsch de Moscou, précédé de peu par le démantèlement de la Yougoslavie et par l'effondrement consécutif de l'URSS en décembre 1991, qui va ruiner cette représentation de l'après-guerre froide. Dans cette phase, deux réalités nouvelles surgissent, qui annulent presque totalement les perceptions euphoriques précédentes.

La première conséquence de la disparition de l'URSS fut tout d'abord de démontrer que le principe de la *normalisation à l'envers* n'était plus de mise. La décomposition ne s'arrêterait plus aux portes de la guerre froide, mais emporterait avec elle tout l'édifice antérieur. En effet, la décommunisation a entraîné non seulement la disparition de la RDA et de l'Union soviétique, mais l'éclatement de la fédération tchécoslovaque, la désintégration de la Yougoslavie, l'extension du phénomène de purification ethnique aux Etats de l'Europe de l'Est ou de l'ancienne Union soviétique comptant en leur sein des minorités nationales et l'exacerbation des particularismes et des régionalismes au sein même de la Fédération de Russie. Autrement dit, non seulement la logique de décomposition ne s'est pas arrêtée là où on l'espérait, mais de surcroît on voit mal ce qui pourrait désormais l'enrayer.

La deuxième conséquence — beaucoup plus alarmante encore que la première — fut de souligner que la décomposition politique n'avait pas vocation à rester cantonnée aux anciens pays socialistes mais pouvait gagner l'Occident où les régionalismes à tonalité séparatiste progressent en Belgique, en Italie ou au Canada.

On a en effet pu constater combien la fin de la guerre froide avait accéléré la décomposition de la Belgique par le jeu conjoint de la suppression de la conscription — qui limite le brassage entre Flamands et Wallons — et de l'effet de démonstration que constitue pour ce pays le divorce « à l'amiable » de la République tchèque et de la Slovaquie. S'y ajoute un troisième élément qui découle pour une large part de la dévalorisation de l'idée socialiste : la délégitimisation d'une redistribution des richesses entre régions à niveaux de développement inégaux (Wallonie/Flandre). Cet élément a joué un rôle essentiel dans les conditions de démantèlement de la fédération yougoslave, la Slovénie voulant de moins en moins partager sa « prospérité » avec les républiques moins développées. Au sein d'une même nation, l'obligation de « payer pour les autres » quand « les autres » ne parlent pas la même langue ou ne partagent pas la même histoire perd de sa pertinence. Le champ du « pensable politiquement » après la guerre froide tend à vouloir se libérer de la contrainte territoriale (nationale) et sociale (partage), et ce bien au-delà du cas belge. La mesure de ce problème revêt un caractère fondamental pour l'Europe. En effet, le traité d'Union européenne a, entre autres ambitions, celle de répondre au double défi de la crise de la territorialité et de la redistribution par une sorte de volontarisme supra-étatique. Sur les plans économique et monétaire, l'espace national est d'une certaine manière aboli (marché unique, banque centrale européenne) ou jugé peu pertinent. Sur le plan social, l'Europe de Maastricht se propose de renforcer la redistribution des richesses des pays nantis vers les pays défavorisés. Or c'est ce double déploiement qui fait problème car il se heurte à la souveraineté résiduelle des Etats ainsi qu'à l'intolérance croissante des opinions pour les politiques redistributives nationales et *a fortiori* supranationales. On n'a pas fini de mesurer l'ampleur des remises en cause induites par l'effondrement du communisme.

CHAPITRE III

Le dérèglement du temps

La crise de la finalité se développe dans la confusion. Elle entraîne en effet un dérèglement profond du rapport au temps et un rejet de toute idée d'attente, définie comme l'ensemble des manifestations privées ou collectives visant le futur et impliquant un dépassement de sa propre expérience [1]. Ce concept correspond au besoin de se projeter vers un ailleurs que l'on croit meilleur. Il exprime le refus d'admettre que le vécu quotidien, l'expérience de tous les jours suffisent comme source de sens.

' C'est à l'Est — mais les pays du Sud imprégnés de progressisme ne s'y soustraient guère —, où l'attente a été dévitalisée, défigurée, avilie par le communisme, que le dérèglement est le plus sensible [2]. L'excès d'utopie a d'une certaine manière tué l'utopie. Toute idée de *Telos*, toute invite à un nouveau parcours rencontre la méfiance. Si le débat sur la « fin de l'Histoire » a un sens, c'est bien là qu'il se situe. La crise des attentes n'annonce nullement la fin de l'Histoire en tant que processus de transformation des sociétés humaines, mais elle pose en revanche avec acuité et en des termes inédits la question de la représentation de l'avenir en dehors de toute projection finalisée d'un sens prédonné, d'une issue prédéterminée, d'un avenir constructible. Ce qui est en jeu, ce n'est naturellement pas le changement social dans le monde, mais notre capacité de nous le représenter, de l'orienter, de le penser. Ce qui est en jeu, ce n'est donc pas le rythme du monde mais le sens du monde — pour reprendre l'excellente expression de Jean-Luc Nancy[3]. « En Russie, écrit Georges Nivat, on rêve d'un capitalisme russe, d'une Sibérie irriguée par le capital nippon, d'une initiative privée digne des marchands russes d'autrefois, d'une Russie rénovée, d'une Union fédérative, d'un nouveau baptême de la Russie [...], mais l'avenir n'existe plus. [...] Le pays des utopistes, de l'utopie slavophile, de l'utopie marxiste, de l'utopie cosmique de Tsiolkovski, de l'utopie des futuristes, de l'« utopie réalisée » de Zinoviev, de l'utopie inversée et dérisoire de la *Katastroïka* n'a aujourd'hui plus de pensée de son avenir[4]. »

La conséquence première de ce déracinement téléologique est l'érosion de toutes les identifications politiques à tonalité prométhéenne, parmi lesquelles, naturellement, le socialisme :

« Il apparaît que la tradition politique issue des Lumières et de la Révolution française ressort profondément affaiblie de quarante années de régime communiste. Cette tradition est souvent posée comme leur source idéologique première, porteuse des mêmes supposés " prométhéens ", " constructivistes ", " athées ", c'est-à-dire des présupposés dont le communisme aurait été le produit achevé et fatal. C'est peu dire que les révolutions de 1989 ne sont pas reçues en Europe comme l'écho lointain de celle de 1789 : elles seraient vues plutôt comme son ultime défaite[5]. »

Le traumatisme de l'ablation téléologique qui a accompagné la disparition de l'*Homo sovieticus* conduit non seulement à la disparition de tout horizon d'attente mais à un retour au passé, à un passé reconstruit à base de mise en scène des traditions. Celles-ci sont porteuses d'illusions au même titre que le mythe de l'« Homme nouveau » communiste. Mais, à la différence de celui-ci, ce retour au passé ne propose aucune voie d'accès cohérente, aucun parcours téléologique et encore moins d'unité conceptuelle, idéologique, politique ou culturelle[6]. Les tentatives de reconstruction du sens ne manquent pas en Russie. Elles vont du mythe de la Troisième Rome à celui d'une Russie spiritualiste, en passant par les catastrophismes les plus divers. Mais leurs capacités de faire sens semblent limitées au regard de l'atomisation du champ social ou de l'ampleur des problèmes les plus quotidiens[7].

Ce dérèglement entraîne l'inadéquation presque totale du scénario de transition vers la « démocratie de marché » tel qu'on a pu le définir pour l'Europe du Sud ou l'Amérique latine au cours de ces vingt dernières années pour penser le changement à l'Est. « Transition » évoquait « parcours », mais aussi programmation raisonnée et raisonnable du changement. Un changement cadencé par la refonte progressive des institutions, le refoulement des antagonismes entre nouvelles et anciennes élites dirigeantes, leur association transitoire au pouvoir en vue de remodeler l'État[8].

Or ce qui frappe à l'Est, c'est de voir combien cette idée de parcours construit à partir d'objectifs graduels et de mobilisation se révèle inadaptée. D'une part parce que nous nous trouvons devant un champ de manœuvres dévasté, atomisé, sans mobilisation sociale. D'autre part parce que les rythmes cadençant le changement se télescopent.

L'immédiateté a ruiné l'idée de transition

L'idée de transition implique généralement de se frayer un chemin parmi les obstacles, d'opérer un tri sélectif et pondéré entre héritages positif et négatif, de greffer la démocratie sur une économie de marché préexistante (Espagne, Amérique latine). Elle repose sur la nécessité d'extirper les métastases politiques infiltrées dans un corps sain. Elle implique également l'intégration à la société politique des groupes non démocratiques jugés « récupérables » (les « conservateurs

Franquistes » par exemple). Or ce type d'hypothèse sur la transition apparaît inopérant pour comprendre le caractère, inédit, de la transition politique à l'Est. Malgré l'ampleur de la production intellectuelle consacrée à la différenciation entre autoritarisme et totalitarisme, la décommunisation semble curieusement avoir été pensée avec les outils intellectuels employés pour analyser l'Espagne de Franco ou le Chili de Pinochet. Autrement dit, on a cru qu'il suffisait de démanteler les institutions totalitaires pour parvenir ou revenir à l'âge démocratique. « Il nous paraissait évident que seuls le régime, les Russes, les communistes nous empêchaient alors de réaliser nos plans ambitieux, notre volonté de reconstruire le pays [9]. » La douceur avec laquelle se sont effondrés les régimes communistes a un temps favorisé cette confusion et masqué la radicalité des problèmes générés par l'effondrement de l'Etat, le délitement des rapports sociaux et la dévastation de l'appareil de production. Alors que ce que l'on appelle les « transitions démocratiques » s'en tient au seul démantèlement des structures autoritaires, les transitions à l'Est affrontent une triple dislocation territoriale, politique et économique, alors que, dans les transitions « classiques » d'Europe occidentale, l'enjeu était presque exclusivement politique [10].

L'immensité des problèmes et leur caractère historiquement inédit (l'Europe occidentale a mis près de deux siècles à passer de l'Etat-nation à la démocratie) rendent illusoire la référence à un modèle, la sélection d'un *itinéraire conseillé*, d'autant qu'aucune puissance extérieure ne paraît conceptuellement et économiquement armée pour définir le rythme et les conditions de transformation de ces sociétés. C'est pourquoi tous les débats sur l'aide économique à la Russie ont quelque chose de dérisoire, tant ils semblent oublier que l'injection de ressources extérieures ne peut avoir qu'un effet marginal sur le rythme et les conditions de transformation sociale d'un pays de cette taille.

Derrière l'idée de transition se profilait non seulement l'image du parcours, mais également celle de changement graduel, négocié par les acteurs du changement. A transition douce, transformation souple. Or, à l'Est, cette adéquation se révèle difficilement transposable, car gradualisme et radicalisme sont tout aussi inadaptés.

Le gradualisme économique, reflété par exemple par la lenteur des privatisations, ne manque pas d'entretenir confusion et enlisement des réformes. Celles-ci cumulent alors les inconvénients du passé et ceux du présent transitoire. Le radicalisme est en principe capable de remédier à ces inconvénients en créant un choc, en délogeant presque par surprise les tenants de l'ordre ancien et de rendre le changement irréversible. La libération des prix procède entre autres de cette démarche. Mais les inconvénients d'une dislocation accélérée, d'un démembrement brutal semblent tout aussi importants sur les plans économique (le marché est un construit humain et institutionnel), social (la déprotection sociale) et moral (la perte des repères). On a ainsi pu constater que certaines privatisations brutales débouchaient non pas sur une véritable libéralisation mais sur une privatisation de l'Etat dont les anciennes *nomenklaturas* se montraient très friandes. La dérégulation de l'économie est alors étroitement imbriquée au dérèglement de l'Etat comme le suggère le cas de la Russie où prolifèrent désormais les mafias, maîtresses du jeu économique.

Autant dire que la simultanéité des défis et leur caractère inédit rendent illusoire le choix entre radicalisme et gradualisme. Au demeurant, la plupart des sociétés de l'Est vivent à des rythmes de transformation où " gradualisme " et " radicalisme " s'entremêlent et se télescopent.

Ce dérèglement du rapport au temps se trouve accentué par les conditions rapides et inattendues dans lesquelles s'opéra le changement. En effet, les révolutions de 1989 ont alimenté un volontarisme destructeur (du passé), une volonté de rupture avec le « passé vif », avec tout ce qui le symbolisait, y compris des formes d'opposition au totalitarisme. Celles-ci se sont effondrées parce qu'elles n'existaient souvent que par opposition au communisme (Solidarité en

Pologne), ou ne survivaient que grâce à lui : « Notre vieille culture s'effondre sous nos yeux après avoir tenu le coup jusqu'à l'épuisement », a pu dire le réalisateur géorgien Otar Iosseliani [12].

Mais ce volontarisme qui se veut instrument privilégié de rupture se révèle précisément la part d'héritage la plus substantielle du « passé récusé ». Vaclav Havel ne s'y est pas trompé, disant qu'il « avait constaté avec effroi que son impatience avait quelque chose de communiste ». De leur côté Adam Michnik ou Béla Farago ont pu parler de bolchevisme antisoviétique [13]. Cette culture politique de l'impatience s'explique à la fois par l'héritage communiste et par la logique du temps présent, les contraintes du *temps mondial*.

De leur répudiation du *Telos* marxiste, les sociétés est-européennes espèrent implicitement une gratification immédiate, une compensation rapide à leur renoncement. La « démocratie de marché » se perçoit comme un dû et non comme un construit aléatoire, socialement peu sécurisant. Si elles semblent volontiers disposées à voir en elle un horizon politiquement *indépassable*, elles ne comprennent pas pourquoi la distance qui les sépare de cet horizon ne serait pas du même coup rapidement *franchissable*. L'envie de partir que l'on observe si souvent dans ces sociétés alors même qu'elles se libèrent ne répond pas à des nécessités strictement matérielles. Elle répond au refus d'attendre encore davantage et au désir d'accéder très vite à ce qui paraît disponible ailleurs. L'immensité du malentendu naissant entre l'Europe de l'Est et l'Union européenne trouve ici son origine. L'Europe de l'Est a du mal à comprendre qu'une adhésion de sa part à un *sens commun européen* ne débouche pas sur une prospérité mieux partagée entre les deux Europe, qu'une communauté de valeurs (le sens) n'engendre pas une communauté d'appartenance. Les sociétés est-européennes ont le sentiment d'avoir déjà payé au prix fort le tribut de l'attente. Elles exigent davantage la satisfaction immédiate de demandes que la définition d'un nouveau « parcours ». « La patience, la confiance et la croyance », instamment requises par l'ampleur des problèmes, comme le souligne Carl Offe, se trouvent précisément être les valeurs les plus dévaluées de l'ère post-totalitaire [14].

Ce contretemps n'est toutefois pas propre aux sociétés est-européennes ; il caractérise en fait l'ensemble des sociétés où la rupture était perçue comme annonciatrice d'un changement radical, d'une véritable libération.

C'est par exemple le cas de l'Afrique du Sud où il est à présent particulièrement délicat de faire admettre à une population noire exaspérée que le seul démantèlement de l'apartheid ne garantit ni en soi ni rapidement l'amélioration du niveau de vie du plus grand nombre. L'atomisation sociale produite par l'apartheid favorise le glissement vers la délinquance et la violence plutôt que vers la mobilisation sociale canalisée par des acteurs sociaux puissants ou représentatifs [15]. Dans un tel contexte, la « démocratie de marché » représente une abstraction pure ou bien n'a pas grande signification pour l'expérience, même si celle-ci comporte *de la* « démocratie » et *du* « marché ».

La sortie de l'apartheid ne se réduit pas à l'abolition définitive de l'apartheid, de la même façon que la sortie du communisme ne se résume pas à l'effondrement du communisme.

La fin des attentes et la montée des frustrations

Cette répudiation de l'attente dans toutes les sociétés imprégnées de l'idée de finalité est accentuée par la vigueur du mouvement de mondialisation culturelle, autrement dit par la force du sentiment d'instantanéité et de proximité généré par les logiques de la mondialisation marchande ou médiatique. Il s'ensuit une extrême volatilité des opinions publiques qu'exprime l'expression galvaudée de « désenchantement » dès que les demandes les plus immédiates ne sont plus satisfaites. La conjonction historique de la fin du *Telos* et de la mondialisation, avec son cortège de frustrations et d'impatiences, bouleverse le rapport des sociétés au temps ainsi que les conditions de leur prise en charge politique. A l'Est comme au Sud, ces sociétés ont les moyens de *visualiser*, pourrait-on dire, la « démocratie de marché ». Elles se trouvent stimulées par cette proximité pour y accéder le plus rapidement possible, *sans transition*. On assiste ainsi à une sorte de récusation de toute nouvelle attente, à une tentative collective de réduire sa propre expérience à celle actuellement vécue par les sociétés ouest-européennes. Il manque à l'analyse politique une véritable théorie de l'impatience qui permettrait de prendre en compte deux dynamiques du *temps mondial :* la vitesse et l'émotion, dynamiques qui se construisent et se nourrissent de façon remarquable à travers les médias. Paul Virilio est l'un des premiers à avoir attiré l'attention sur le rôle de la vitesse dans l'analyse politique [16].

La conséquence la plus immédiate de cette nouvelle donne est de substituer à la logique de l'attente celle de la frustration. La mondialisation des frustrations est la fille naturelle de la révolution technologique des quinze dernières années. La réduction du coût des communications, conjuguée avec la commercialisation des nouvelles formes de transmission, fait de la télécopie et des satellites des vecteurs banalisés. Le prix unitaire de ces nouveaux médias a tellement baissé que leur propagation au Sud se heurte de moins en moins à la faiblesse des revenus disponibles localement. D'aucuns contesteront l'ampleur actuelle ou future du phénomène en prétendant que la profusion désordonnée d'images superficielles et déformées a une faible incidence sur le rythme des transformations de ces sociétés du Sud et de l'Est.

Si elle mérite d'être prise en compte, l'objection ne convainc pas pleinement. En effet, la mondialisation de la frustration ne repose pas sur l'assimilation, filtrée et ordonnée, d'un savoir extérieur. Loin de programmer la modération à distance, elle cultive la frustration à domicile en entretenant l'illusion que l'on peut connaître autre chose alors qu'on n'a pas de réelle chance de pouvoir y accéder. A la différence de ce qui se passait du temps des idéologies conquérantes de la modernisation, où l'on cherchait simplement à imiter ou à être autre, on s'efforce aujourd'hui d'accéder à la prospérité du Nord sans en partager toutes les valeurs [17]. La frustration se nourrit alors de cette double impossibilité. C'est, qu'on le veuille ou non, l'une des raisons de la complexification du problème de l'immigration. C'est aussi pourquoi le repli identitaire comme la mondialisation se vivent comme des séquences synchronisées plutôt que consécutives, avec tous les enchaînements contradictoires qu'ils engendrent. Globalisation et fragmentation travaillent de concert le corps social mondial.

Parce qu'ils ont plus que jamais le sentiment de vivre en temps réel avec les riches du Nord, les acteurs du système social mondial acceptent de plus en plus difficilement les valeurs de patience. La revendication de l'instantanéité est d'autant plus forte que les indépendances se sont fracassées sur les mythes du « sacrifice pour les générations futures ». C'est pourquoi, au Sud comme à l'Est, les frustrations s'exacerbent non pas au moment où l'ordre se fixe mais alors que tout devient possible à long terme. La méfiance à l'égard des lendemains qui chantent a enflé au point de rendre le « coût marginal » de l'attente subjectivement intolérable. La dynamique de la frustration se met alors en œuvre, même si, selon les sociétés et les pays (l'Inde n'est pas le Mexique...), son rythme et son intensité restent différenciés. De ce point de vue, les corrélations hâtivement établies entre taux de chômage à l'Est et immigration à l'Ouest ne paraissent pas justifiées. Car si le tribut de la frustration reste élevé, le coût du déracinement l'est encore plus.

Le développement de ce potentiel de frustration est puissamment véhiculé par les médias. Mais ceux-ci n'en sont que l'un des vecteurs au même titre que la levée des entraves aux voyages à l'étranger, que le bouche à oreille, les envois de cassettes, la fréquentation des touristes ou les échanges familiaux. Aussi, de manière hétéroclite et souvent inattendue, « l'homme du Sud » a acquis de la hiérarchie des biens et des valeurs matérielles du Nord une connaissance presque intime : la gamme des prix des différents modèles de Mercedes fait partie du savoir minimal des désœuvrés de Lagos. Les propriétaires des véhicules mesurent d'ailleurs si bien l'ampleur de cette réalité qu'ils en font un signe fondamental de distinction sociale [18]. Cette transformation du rapport à l'espace et au temps est une des caractéristiques les plus fondamentales de la mondialisation sociale et un des facteurs de bouleversement des rapports sociaux entre le Nord et le Sud, l'Est et l'Ouest, après la guerre froide.

Assez curieusement, cette transformation du rapport au changement social dans le monde n'a pas été convenablement appréhendée dans l'euphorie qui suivit la chute du mur de Berlin. A l'Est comme à l'Ouest, elle semble avoir été initialement pensée non comme un obstacle fondamental au « redémarrage » de ces sociétés, mais comme un circuit court d'accès à la « démocratie de marché ». Autrement dit, on a cru que, en copiant en quelque sorte l'expérience de l'Occident, on se dispenserait d'effectuer son propre chemin, de reformuler en termes nouveaux et spécifiques une nouvelle relation entre son expérience et ses attentes. Cinq ans plus tard, on ne trouve dans aucune société de l'Est l'ébauche d'un projet collectif élaboré par des forces sociales ou politiques.

On a pu dire et noter que les sociétés est-européennes avaient tendance à adhérer à l'utopie libérale après avoir rejeté l'utopie communiste. Mais cette utopie s'apparente davantage à une simple idéalisation de la « démocratie de marché » qu'à la volonté de se donner les moyens de la construire pour satisfaire cette attente.

Cette propension à se projeter dans l'avenir sans véritablement assumer son propre présent s'est reflétée dans la précipitation avec laquelle chaque pays de l'Est a voulu aller isolément et rapidement vers l'Union européenne soit pour en obtenir un statut d'association, soit pour y attirer les investissements, quitte à négliger les avantages d'une coopération régionale renouvelée ou les dangers redoutables d'une ouverture économique myope, mécanique et mimétique [19]. On a ainsi pensé que la répudiation intégrale du passé accélérerait une transformation radicale et positive.

Ce divorce entre attente et expérience tend, comme l'explique Paul Ricœur, à désespérer l'action, car, faute d'ancrage dans l'expérience en cours, la projection dans un avenir idéalisé n'est pas en mesure de proposer un chemin praticable vers les idéaux [20]. Il s'ensuit un dérèglement du rapport au temps qui tend à nier l'expérience présente au prix d'une projection vers un futur libéral pourvoyeur de prospérité (puissance) et d'une rétro-projection vers un passé antérieur confortant son identité (sens). Dans de telles conditions, l'articulation du sens et de la puissance recherchée devient extrêmement délicate, car elle fait appel à deux temporalités dont le seul point commun semble être la fuite devant l'expérience présente.

CHAPITRE IV

L'essoufflement de l'universalisme

L'épuisement universaliste

La répudiation de l'attente, la perte de légitimité des idées progressistes, le refus de se projeter dans un « avenir prometteur » se reflètent désormais à travers l'enjeu central de l'après-guerre froide : celui de l'identité.

Le rapport de symétrie entre la fin des attentes et l'exacerbation identitaire n'est nullement fortuit. Comme le note Charles Taylor, parler d'identité, c'est cesser de concevoir son horizon comme un destin[1]. On renonce à se projeter, à se *destiner* ; on répudie l'attente (et donc l'avenir) au profit de l'expérience la moins récusable en apparence : celle du passé. Là encore, la logique de l'immédiateté dont nous parlions plus haut s'exerce avec force, dans la mesure où le repli traduit une impatience face aux contraintes du « vivre ensemble ». Petr Pithart explique le divorce tchécoslovaque non comme une fatalité, mais comme l'effet de l'impatience des deux parties. Entre les avantages à long terme de cette unité et les bénéfices symboliques à court terme de la désunion — pour les Slovaques —, les deux parties ont fait leur choix[2].

La quête d'identité s'apparente ainsi à une sorte de temps d'arrêt symbolique, de ressourcement — réel ou illusoire —, vécu de plus en plus comme un mode d'affranchissement par rapport à ce qui se trouve être géographiquement plus grand (un ensemble fédéral ou la mondialisation) ou symboliquement plus large (un projet d'avenir d'inspiration téléologique).

Ce retour à l'identité ne signifie nullement l'absence de cet enjeu pendant la guerre froide. Il se trouvait simplement sublimé par d'autres formes d'identification plus prégnantes, de caractère social, politique ou idéologique : avant d'être lombard, on se pensait comme ouvrier syndiqué chez Fiat. Aujourd'hui, on est lombard avant de travailler chez Fiat, même si le Lombard de chez Fiat a toutes les chances de venir du Sud italien, honni par les ligues.

Cette thématique de l'enracinement est communément qualifiée de « retour au nationalisme ». Superficiellement, l'expression peut convaincre. Partout, en effet, on assiste à des remises en scène du passé, à des démarches fondées sur l'exclusion ou le différencialisme. Partout, on s'empresse de faire resurgir ou ressortir les anciens symboles et les vieilles habitudes. Partout, on tente de réhabiliter des formes de socialisation tombées en désuétude. Dans un registre plus politique, on n'hésitera pas à solliciter la mémoire collective — de manière soigneusement sélective, d'ailleurs — afin de justifier par le passé sa conduite du présent. On ne dira d'ailleurs jamais assez que le « retour au nationalisme » ne constitue pas un processus historiquement ou culturellement irrépressible, une sorte de tropisme du passé. C'est une réinvention du passé mise au service d'un projet actuel[3].

Cela étant dit, ni le terme de « nationalisme » ni celui de « retour » ne permettent de comprendre l'ensemble des phénomènes et processus auxquels nous sommes aujourd'hui confrontés. L'apparente similitude des situations est trompeuse.

Dans le « retour des nationalismes », s'imposent tout d'abord des revendications qui, paradoxalement, mettent en péril l'idée nationale. Les ligues italiennes sont la négation du nationalisme unitaire italien ; c'est sur les carences de celui-ci que se construit le régionalisme. La crise de la péninsule ne réside pas tant dans une sorte d'exacerbation nationaliste que dans la crise du sentiment national. Le « léghisme » relève d'une réaction contre les trois symboles de l'Etat que sont le Parlement, les partis et la redistribution des richesses en faveur du Sud. C'est l'expression récurrente d'une logique politique « antisystème » qui trouve dans le temps mondial l'occasion de s'exprimer et surtout de prospérer [4].

Sur un mode plus sanglant, les affrontements tribaux en Afghanistan ou au Tadjikistan voisin montrent aussi que l'exacerbation des identités primaires s'exerce à l'encontre précisément des Etats-nations anciennement ou fraîchement constitués. Ces nations ne « retournent pas au nationalisme ». Elles cherchent au mieux à le construire, au pire à en détruire les rares symboles.

Enfin, même si les mouvements islamistes agissent très souvent sur une base nationale, leur action cherche précisément à s'inscrire contre la problématique nationaliste incarnée — comme en Algérie — par la *nomenklatura* socialiste. Il y a d'ailleurs dans l'islamisme algérien une très nette ligne de clivage entre les « algérianistes » (nationalistes) et les « salafistes » (traditionalistes) pour qui le nationalisme est une source d'affaiblissement de la « tradition » islamique [5]. Les risques, désormais réels, d'une décomposition de l'Algérie démontrent d'ailleurs tragiquement que le « nationalisme » ne constitue plus dans ce pays une ressource suffisante pour enrayer une possible dislocation nationale. Certes, on conviendra aisément que l'ensemble des acteurs politiques de l'après-guerre froide invoquent de manière incantatoire le nationalisme. Les partisans des ligues italiennes invoquent la nation lombarde, les islamistes la nation islamique et les Pachtouns afghans la nation pachtoune. Mais ces discours ne prouvent rien, car il s'agit le plus souvent de néo-nationalismes inventés ou réinventés et non d'un retour à un passé réactualisable : il n'y a en effet jamais eu de nation lombarde au sens moderne d'Etat-nation, pas plus qu'il n'y eu sur ce même modèle de nation islamique ou pachtoune. En Italie, la capacité des ligues régionales de construire un mouvement politique fondé sur l'identification régionale est limitée par le fait que les différences régionales n'ont pas coïncidé avec l'identification de différences ethniques ou linguistiques claires[6].

En réalité, la dynamique de toutes ces affirmations identitaires résulte d'un certain épuisement universaliste. De ce fait, la dynamique nationaliste ne recherche aucune positivité : elle n'a pas d'objectif en soi sinon celui de détruire des cadres de référence plus larges, jugés inopérants. Même s'il s'inscrit dans une dynamique de recomposition politique, le jeu de la Ligue-Nord en Italie révèle bien ses limites dès qu'il tente de passer d'une logique protestataire à une logique de proposition. Cette destruction des référentiels plus larges épousera naturellement les couleurs du nationalisme quand celui-ci s'affirme contre un ensemble plus large (fédérations soviétique, yougoslave ou tchécoslovaque). Mais, dans d'autres cas — comme ceux de l'Italie, de la Belgique ou du Canada —, où le cadre plus large est la nation, c'est contre la nation constituée que s'acharnent les « déconstructions » politiques de l'après-guerre froide. Au Canada, c'est très clairement contre le nationalisme canadien imaginé par Pierre Eliott Trudeau dans la Charte des droits et libertés que les Québécois se rebellent[7]. En Chine, la montée des régionalismes s'inscrit contre un nationalisme politique assimilé au communisme.

La peur, la perte et l'instrumentalisation

La dynamique identitaire mobilise généralement trois ressources tantôt complémentaires, tantôt contradictoires : le sentiment de la perte, la peur et l'instrumentalisation.

Le sentiment de la perte constitue aujourd'hui l'un des ressorts centraux du néo-nationalisme — russe, par exemple. Plus que la fin du communisme, c'est la chute de l'empire qui mutile l'identité russe. Là aussi, on comprendra très bien que la notion de « retour au nationalisme » n'emporte pas pleinement l'adhésion, si elle laisse supposer un pur et simple retour à un passé déjà existant. Le problème du nationalisme russe et de son potentiel agressif vient de ce qu'il ne peut invoquer aucun « sanctuaire identitaire » puissant ou peu contestable. En effet, le propre de la Russie d'aujourd'hui est précisément de se trouver confrontée à une situation à laquelle elle ne peut guère se référer historiquement. Car, avec la chute du communisme, elle ne se retrouve pas dans une situation comparable à celle qu'elle connaissait en 1917, mais plutôt dans une situation remontant au xvie siècle. Cette double rupture avec le communisme et avec l'empire nourrit un sentiment d'humiliation et de perte que Norbert Elias a parfaitement résumé :

« Pour les habitants d'un pays, il est certes pénible et difficile d'en venir à s'accepter comme un pays à la puissance et au statut diminués, comme un pays dont beaucoup auront le sentiment qu'il est déchu [...]. Le déclin et l'abaissement relatifs d'un Etat national à l'intérieur de la hiérarchie des Etats sont largement ressentis par les individus qui composent cet Etat comme une déchéance personnelle. Il n'est pas rare qu'ils se révoltent contre leur destin collectif et tentent, même par la force, d'inverser le cours du temps. Incapables d'adapter aux réalités l'image qu'ils ont d'eux-mêmes, ils peuvent en entraîner d'autres dans des épreuves de force, tout en construisant des représentations imaginaires de leur pays afin de se prouver à eux-mêmes et au monde entier que rien n'a changé. Ils peuvent même reconnaître " en termes rationnels " la réalité du changement de position de leur pays tout en la niant dans leur imagination et leur affectivité. S'accepter comme un pays au statut et à la puissance amoindris peut représenter un processus très long et doulou-reux s'étendant sur plusieurs générations[8]. »

Ceux qui vivent cette perte ne sont presque jamais des idéologues ou des *apparatchiks* issus de l'ancien régime. Le sentiment de la perte est généralement intériorisé par des catégories sociales ou politiques totalement désidéologisées qui ressentent cette perte d'autant plus fortement qu'ils la savent insurmontable. Dans ce cas, le « nationalisme » ne fait pas spontanément ou naturellement sens. C'est avant tout l'expression d'une perte de sens durement ressentie. Comprendre cela, c'est bien voir que, si le communisme a idéologiquement échoué, il avait en revanche réussi à s'imposer comme un *système rituel* à base de codes, de connivences, d'habitudes ou d'honneurs. Olivier Roy a bien montré, dans une étude récente, combien était encore présente en Asie centrale la nostalgie des kolkhozes, des décorations, des défilés, des voyages à Moscou ou dans les anciens pays frères.

« Ce qui apparaissait de l'extérieur comme rituel figé (les photos compassées de la " une " des journaux mettant en scène les travailleurs modèles un instant sortis de leur anonymat, les tableaux d'honneur aux entrées des usines ou des entreprises) était vécu comme reconnaissance sociale. On est toujours frappé par le nombre de gens qui arborent des insignes à leur boutonnière. Car ces insignes les inscrivaient dans un ordre non pas tant social que commémoratif ; j'ai fait ceci, je suis ceci. Il n'y avait guère d'avantages matériels joints, il n'y avait aucun pouvoir, tout au plus une place d'honneur à tel banquet ou commémoration, mais aussi une photo sur le journal, distinction qui culminait dans les rites funéraires : le faire-part qui énumère l'essentiel des titres, un cursus social qui s'inscrit dans le papier, la pierre, voire le bronze. Or d'emblée, tout ce qui marquait comme positif cet être social ne fait plus sens : ancien combattant d'une guerre entre Russes et Allemands, héros du travail socialiste, poignée de main avec un dirigeant soviétique, membre d'une délégation montée à Moscou, lauréat d'un prix quelconque... Ce qui a disparu, c'est la téléologie de la vie quotidienne.

« Les vrais *apparatchiks* n'ont pas ces états d'âme, eux à qui l'indépendance a apporté un surcroît de pouvoir et qui se sont d'emblée installés dans les nouvelles valeurs légitimantes. Mais *quid* du retraité bardé de médailles et de diplômes commémoratifs qui se retrouve aussi dévalué que sa pension ? Il est touchant de voir dans les rues la dignité vacillante d'un vétéran étiqueté de haut en bas par des pin's, des badges et des médailles récompensant des états de services envers un monde qui n'existe plus.[9] »

La peur constitue le deuxième ressort de la thématique identitaire. Elle repose généralement sur une anticipation auto-réalisatrice de la réalité. Ainsi, dans l'espace yougoslave, l'idée du démembrement fédéral était « dans les têtes » bien avant son éclatement. Et si les feux de la discorde s'allumèrent d'abord en Slovénie alors qu'on les redoutait au Kosovo, c'est précisément parce que les Slovènes — économiquement plus avancés ethniquement très homogènes — anticipèrent la rupture. Ils se sont ainsi séparés de la fédération yougoslave de crainte de subir les conséquences d'un éclatement. *A contrario*, les Bosniaques, qui n'avaient guère les moyens de leur indépendance, optèrent pour la préservation de la fédération. Et c'est seulement quand la survie de la Yougoslavie se révéla impossible que la peur de faire les frais d'un dépeçage serbo-croate contraignit les Bosniaques à se penser de plus en plus comme nation, voire comme nation islamique. Leur nationalisme n'est pas « génétique », parce que la Bosnie fut une création du maréchal Tito. C'est la dynamique de la peur qui ne leur laissa plus d'autre solution que celle de se déclarer et de se penser comme « nationalistes ». On le comprendra bien : expliquer le conflit yougoslave par l'exacerbation mécanique d'antagonismes nationalistes ou religieux revient en réalité à prendre l'effet pour la cause. La religion, ici, lubrifie plutôt qu'elle ne fonde l'exaltation de la différence. Comme l'écrit Michael Ignatieff : « Même dans la période prémoderne, la Bosnie, bien loin d'être la frontière fatale entre deux civilisations antithétiques — le christianisme et l'islam —, était au contraire le lieu où l'une et l'autre apprirent pendant cinq siècles à coexister en paix.

« L'instabilité séculaire de cette région ne découle pas de la différence confessionnelle en tant que telle, mais du conflit qui opposait en Bosnie les puissances austro-hongroise et ottomane, et, à partir des années soixante-dix du siècle dernier, des ambitions expansionnistes des Etats voisins, notamment de la Serbie. (...)

« L'histoire de la Bosnie est une illustration tragique de la relation paradoxale entre la religion et le nationalisme, le paradoxe étant en l'occurrence que le lien religieux semble s'être relâché en Bosnie à mesure que s'intensifiait la signification nationaliste des démarcations confessionnelles. Dans les années quatre-vingts, seulement 17 % des habitants de Bosnie se définissaient comme croyants. Le fait d'être musulman était quasi dépourvu de tout contenu religieux. Cela signifiait choisir un prénom musulman, faire circoncire son fils, célébrer le Baïram, c'est-à-dire la fête qui marque la fin du Ramadan, faire couper les cheveux des enfants par un parrain ou une marraine, prendre son café dans de petites tasses sans anse et avoir de la sympathie pour les araignées. Chez les catholiques et les orthodoxes de Bosnie également, la différence confessionnelle était en train de se réduire à une simple préférence culturelle de second plan. C'est à ce moment que l'idéologie nationaliste s'est mise à exploiter ces différences culturelles, les redéfinissant comme les signes essentiels, purs et indissolubles de l'identité nationale.

« La Bosnie possédait dans ses trois communautés une foule d'esprits laïcs et cultivés parfaitement capables de comprendre et d'anticiper les conséquences fatales qu'aurait toute tentative pour imposer des étiquettes étroitement " nationalistes " sur des différences confessionnelles fluides, de sorte qu'on se demande comment cette tragédie a pu se produire. (...) La Bosnie n'a pas été déchirée de l'intérieur, mais de l'extérieur [10]. »

L'instrumentalisation désigne le troisième facteur du nationalisme de l'après-guerre froide. Il exprime cette réalité simple mais forte : la demande nationaliste n'est jamais abstraite ou purement symbolique. Pour prospérer, elle a besoin parfois de s'appuyer sur la satisfaction d'objectifs matériels ou concrets dont la rationalité est relativement limpide : on revendique une identité particulariste, ethnique ou nationale, pour ne plus avoir à partager sa richesse, ses biens avec d'autres jugés plus démunis. Avec la répudiation du socialisme qui renvoyait à l'idée de distribution, le « séparatisme économique » n'a plus de raison de s'avancer masqué. On ne saurait comprendre le régionalisme lombard, le nationalisme flamand ou slovène sans prendre en compte ce facteur élémentaire du ressort nationaliste. On ne pourra pas comprendre la dynamique potentielle de dislocation de la Russie et notamment de l'Extrême-Orient russe sans référence à cette réalité. Certes, dans certains cas, comme ceux de la Slovaquie ou du Québec, la revendication nationaliste n'est pas réductible à cette problématique : les Slovaques comme les Québécois jouissent respectivement d'un statut économique plutôt moins favorable que celui des Tchèques et du reste des Canadiens. Mais ici, les inconvénients économiques de la rupture sont compensés par l'accès aux ressources symboliques lui-même offert par l'accès à la souveraineté politique : on souhaite avoir son Etat, son drapeau et ses ambassades [11]. Pour des élites ambitieuses, généralement à la pointe du combat nationaliste, l'intérêt d'une telle démarche est considérable. Dans la quasi-totalité des anciennes républiques soviétiques, ce facteur purement politique fut décisif dans le processus de décomposition et en tout cas plus important que la pression populaire en faveur de l'indépendance. C'est la raison pour laquelle, d'ailleurs, toutes les tentatives de replâtrage fédéral ou confédéral apparaissent dérisoires quand l'idée de séparation a déjà germé. La renégociation de l'unité résonne auprès des indépendantistes comme un aveu de faiblesse, comme la reconnaissance d'un problème ou d'une volonté de retarder l'inéluctable. C'est l'une des explications du rejet par la majorité des Canadiens de l'accord du Meeck Lake de 1990 qui réorganisait le fédéralisme sur des bases plus simples et décentralisées encore qu'auparavant [12].

Souvent, comme au Québec, en Slovaquie ou en Lombardie, la revendication identitaire s'exacerbe au moment précis où l'identité est précisément ébranlée. C'est ce que l'on pourrait appeler *l'éveil paradoxal du nationalisme*.

C'est en effet au moment où les Québécois se différencient de moins en moins nettement des autres Canadiens sur les plans économique, démographique et sociologique qu'ils s'emploient à « réinventer leur différence ». C'est au moment où les Slovaques se rapprochent le plus des Tchèques qu'ils expriment ce besoin impatient de se distinguer. C'est au moment où les Lombards sont de moins en moins différents des autres Italiens que leur séparatisme s'exacerbe. La migration massive des habitants du Sud vers le nord a paradoxalement *réduit* le particularisme d'une ville comme Turin par rapport à ce qu'il était avant guerre [13].

On touche ici au problème fondamental du sens du nationalisme après la guerre froide. Celui-ci ne repose pas sur la recherche d'une identité clairement définie, facilement disponible ou directement opératoire. Il s'appuie plutôt sur ce que Freud appelle le « narcissisme des petites différences », c'est-à-dire l'exaltation de tout ce qui nous sépare de quelqu'un dont on est historiquement proche [14]. Le conflit, dans ce cas, traduit moins une hostilité indépassable qu'une valorisation des différences. C'est ce que Samuel Huntington semble avoir peine à comprendre en brandissant le spectre bien commode du « conflit des civilisations ».

La référence à Freud ne nous semble pas fortuite. Elle mérite qu'on s'y attarde, car il y a à l'évidence plus qu'une analogie entre son interprétation de la psychologie des foules et les crispations identitaires auxquelles on assiste aujourd'hui dans le monde. Dans *Psychologie des foules et Analyse du moi* [15], Freud développe l'idée selon laquelle les foules constituent des ensembles construits artificiellement autour de ce qu'il appelle un « point fixe » [16]. Ce point fixe, ce peut être une armée ou une Eglise. Mais on peut sans difficulté étendre l'analogie à une idéologie, à un Etat voire, à un système international encadré par des Etats. Dans ces foules, deux dynamiques sont à l'œuvre : la contagion et la panique.

La contagion qui conduit chacun à imiter l'autre : « On se trouve comme poussé et contraint à imiter les autres, à se mettre à l'unisson avec les autres [17]. » La panique qui saisit la foule dès qu'elle perd son fixe, son repère entraînant ainsi sa désagrégation : « Chacun a alors le sentiment d'être seul face au danger [18]. » Or, note Freud, c'est au moment précis où le point fixe disparaît que la foule apparaît le plus la foule : « L'âme collective se dissout au moment même où elle manifeste sa priorité la plus caractéristique [19]. » Autrement dit, c'est au moment où la foule se désagrège que le sentiment d'appartenir à cette foule se ressent. Ceci se comprend d'ailleurs aisément. On aura toujours plus la sensation d'être dans une foule au moment où elle se disloque de manière incontrôlée ou imprévue que lorsque sa dispersion s'opère dans le calme. On ne peut pas ne pas établir de relation analogique entre ce mécanisme et la réalité de l'après-guerre froide. En effet, le système international enregistre lui aussi des processus de dislocation comparables : une perte de repères collectifs consécutifs à la mort de la bipolarité (c'est la perte du fameux point fixe dont parle Freud), une sorte de « contagion-panique » des phénomènes identitaires, un sentiment universel d'appartenance à un même monde au moment précis où le désordre et la désagrégation semblent de proche en proche gagner le monde (« désagrégation de la foule »). Dans la crise yougoslave, par exemple, le phénomène de « contagion-panique » est essentiel : la contagion politique est venue d'Union soviétique en rendant vain et illusoire le maintien d'une fédération yougoslave pluriethnique, tandis que la panique a été déclenchée par l'anticipation d'un dérèglement de la fédération au profit de la Serbie chez les Croates et de la Croatie chez les Serbes. Cette « contagion-panique » s'est trouvée à son tour amplifiée par les médias qui propagent les informations à une vitesse inédite (« effet de contagion ») et accentuent leur résonance (« effet de panique »). Ce sont pour une bonne part les médias contrôlés par les anciens communistes recyclés dans le nationalisme qui ont attisé le ressentiment national des peuples de la fédération en réhabilitant et en dramatisant des événements historiques soigneusement sélectionnés. Ainsi, le rappel ·incessant du massacre des Serbes par les Oustachi croates a très facilement ravivé, réactualisé et légitimé aux yeux de l'opinion publique serbe le recours à « l'auto-défense » c'est-à-dire à l'expansionnisme préventif face aux Croates d'abord et aux Bosniaques ensuite[20].

A cette aune, tous les séparatismes ou presque se trouvent légitimés à partir du moment où c'est implicitement la différence mineure et non l'altérité radicale qui attise le feu du différencialisme. Ainsi, dans le cas canadien, l'indépendance du Québec peut fort logiquement inciter la Colombie britannique ou l'Alberta à se détacher de la fédération dès lors qu'il n'y a plus guère d'obstacle à la légitimation du moindre séparatisme. Cela veut dire que cette dynamique ne place désormais aucune entité politique pluriethnique à l'abri de l'ethno-nationalisme.

Sens et nationalisme

Ces éléments d'un puzzle complexe ayant été rappelés, il nous faut désormais mettre en relation la question du nationalisme avec la problématique du sens. Or, sur ce point, le nationalisme pose dans le monde de l'après-guerre froide deux redoutables problèmes. Le premier tient à son contenu anti-universaliste, le second à son caractère instable car insatiable. Ces deux éléments conjugués ont sur l'équilibre mondial un potentiel déstabilisateur dans la mesure où ils exacerbent plutôt qu'ils atténuent les deux « demandes » majeures de l'après-guerre froide : demande de stabilité, demande d'identité.

En effet, le nationalisme de l'après-guerre froide a ceci de particulier d'être à la fois *anti-universaliste* — il ne s'adosse à aucun projet, ne se réfère à aucune finalité — et *insatiable*, car, par définition, la demande identitaire qu'il dégage ne pourra jamais se stabiliser et, partant, jamais être satisfaite. A la différence du nationalisme du xixᵉ siècle en Europe et de la première moitié du xxᵉ siècle dans le Tiers monde, le nationalisme d'aujourd'hui ne s'inscrit dans aucune perspective historique. Il n'a pas d'autre support que la mondialisation des particularismes. Le nationalisme européen empruntait très clairement à l'idéologie des Lumières ; il se situait dans un *temps mondial* dont les deux rameaux étaient le libéralisme et le socialisme. Il aspirait à se libérer de la tutelle des empires, en s'intégrant à une aspiration universelle. C'est la raison pour laquelle le yougoslavisme aussi était une idée nationaliste, une idée émancipatrice et intégratrice[21].

Aujourd'hui, la problématique paraît fort différente, malgré la similitude apparente des formes. Car si cette demande identitaire revêt un caractère mondial, elle est loin de revêtir un sens universaliste. Le nationalisme se veut autojustificateur et antitéléologique. Il n'y a ni chez les Serbes ni chez les Lombards, la moindre recherche d'un projet capable de dépasser le particularisme, de s'inscrire dans un ensemble de significations planétaires. C'est tout le sens des propos de Jirinowski, quand il dit :

« Le national-socialisme n'a rien de commun avec l'hitlérisme. Hitler a discrédité l'idée du national-socialisme. Il a davantage emprunté, dans ses doctrines, aux idées de la révolution mondiale kominternienne. Entre les prétentions à la domination mondiale et à la révolution mondiale, la différence est mince. Le national-socialiste n'a pas besoin de dominer le monde, il ne mesurera pas le crâne de son voisin d'une autre nationalité, il ne cherche pas le combat. La philosophie du national-socialiste, c'est celle de l'homme ordinaire, du petit-bourgeois si vous voulez, de celui qui veut vivre tranquillement dans son appartement, avoir une femme aimante, des enfants sains, un emploi sûr, sortir le dimanche dans son jardin ou à la campagne, aller se reposer une fois par an.

« Il ne veut gêner personne, mais il ne veut pas qu'on le gêne. Il n'est absolument pas un héros, il ne souhaite pas creuser la terre gelée sous les tanks au nom d'on ne sait quels principes[22]. »

Pour survivre et se légitimer, le nationalisme s'appuie sur la mondialisation et non sur l'universalité : la première le renforce, la seconde pourrait le condamner.

Si, confusément, tous les peuples aspirent aujourd'hui à « retrouver une identité », ils ne pensent nullement à fonder cette démarche en relation avec les autres. Ce renversement historique de perspective du nationalisme hier universaliste, aujourd'hui différencialiste, est clairement attesté dans le cas indien. Lorsque est créé en 1865 le Congrès national indien, l'ambition de ses fondateurs est nationaliste : il s'agit, à l'intérieur d'un cadre national, de faire émerger une nation indienne où seraient éliminées les allégeances envers les corps intermédiaires, où les pratiques religieuses resteraient cantonnées à la sphère privée. Le nationalisme indien se veut clairement universaliste et non pas ethnique[23]. Une fois au pouvoir, Nehru renforce cette conception volontaire et idéologique de la nation[24]. Ce primat de la nation conçue comme projet et volonté se reflète alors dans la Constitution de 1950 qui fait du *jus soli* le critère d'appartenance à la nation indienne. La parenté avec la France est évidente.

Dans cette perspective, on pouvait se dire indien sans nécessairement être hindou. C'est ce découplage que les fondamentalistes hindous récusent aujourd'hui au nom d'une conception ethno-nationaliste et communaliste. Pour Savarkar, le père idéologique du nationalisme hindou, un hindou est une personne qui considère l'Inde comme sa mère patrie aussi bien que comme sa terre sacrée. La définition est territoriale, généalogique et religieuse. Les hindous, les sikhs ou les bouddhistes répondent à cette définition. En revanche, les chrétiens, les juifs et les musulmans en sont logiquement exclus puisqu'ils ne peuvent identifier l'Inde au berceau de leur religion[25].

Le nationalisme n'a donc pas resurgi en Inde avec la fin de la guerre froide. Il s'est plutôt transformé, passant d'une acception humaniste et universaliste du « vivre ensemble » à une définition ethno-nationaliste du « chacun chez soi ». Mais, pour se légitimer et gagner des adeptes ou des électeurs, ce différencialisme a besoin de creuser en permanence l'écart qui le sépare de l'autre, de détruire le lien social qui le relie à l'autre, de décourager même l'idée d'une appartenance commune qui viendrait relativiser nécessairement sa revendication nationaliste. C'est ce à quoi on assiste en Inde où les extrémistes hindous font tout pour gommer l'héritage commun qui lie hindous et musulmans dans le domaine de la peinture, de l'écriture ou de la musique[26].

Le nationalisme insatiable

Ce différentialisme exacerbé présente pour l'ordre international une conséquence capitale : il est par construction *insatiable*. Il n'y a pas de nationalisme repu comme on pouvait parler de nation repue après une guerre ou des conquêtes. Autrement dit, la demande identitaire a besoin, pour survivre, de se nourrir en permanence de son anti-universalisme pour exacerber des différences de plus en plus petites.

Si l'idée nationaliste renvoyait, comme au XIXᵉ siècle, à une réalité stable et construite, on pourrait espérer que le retour au nationalisme débouche sur une stabilisation de l'ordre international. A partir du moment où chaque nation retrouverait son identité détruite ou comprimée, l'ordre international serait peu ou prou stabilisé. La crise du système international ressemblerait alors plus à une crise d'*ajustement* qu'à un processus de *dérèglement*. Or, si nous nous trouvons confrontés à un processus fort différent, c'est précisément parce que la demande identitaire a peu de chances d'être satisfaite par une pure et simple accession à l'indépendance politique. De l'Ukraine au Tadjikistan en passant par la Slovaquie, l'accès à la souveraineté n'est peut-être qu'un « moment » dans le processus de décomposition ou de désintégration.

Cette dynamique insatiable tient à plusieurs facteurs. Très souvent, comme dans l'ancienne URSS, la décomposition politique doit beaucoup aux difficultés économiques et sociales du moment ainsi qu'au caractère pluri-ethnique des nations nouvellement constituées. Il est frappant de voir combien est forte l'idée de désenchantement national dans des républiques qui sont censées avoir retrouvé leur dignité et leur identité. On pourrait sans trop de difficultés établir des corrélations entre l'ampleur des dislocations économiques et sociales que connaissent les différentes sociétés et l'acuité du processus de décomposition identitaire. C'est pourquoi, sans redressement économique, la nation la plus pacifiée ethniquement ne parviendrait pas à une sorte d'apaisement identitaire. Cela est très net en Ukraine, par exemple, où les risques de fragmentation entre Russes d'Ukraine et Ukrainiens seraient restés faibles ou latents si l'Ukraine apparaissait plus prospère que la Russie.

A cette première explication s'ajoute une deuxième, plus importante, que l'on pourrait qualifier de *méprise identitaire*. On croit qu'en se libérant de la tutelle de l'Autre on clarifie son identité, alors que cet Autre n'est pas toujours nécessairement responsable de sa crise identitaire. Cette méprise est flagrante dans le cas tchécoslovaque. En divorçant à l'amiable, Tchèques et Slovaques étaient censés « régler » leur problème identitaire : chacun redevenait ce qu'il croyait avoir été en soldant de tout compte ses rapports avec l'Autre. Les Tchèques redeviennent tchèques et les Slovaques, slovaques, évacuant ainsi la question de l'identité tchécoslovaque. Or, si la partition n'est de nature à régler ni les problèmes identitaires des Tchèques ni ceux des Slovaques, c'est aussi parce que la source de leur problème identitaire respectif ne se situe pas là où on pensait qu'elle se trouvait. Pour les

Tchèques, la définition de leur identité découle moins de leur rapport aux Slovaques que de leur relation historique à l'Allemagne. Pour les Slovaques, la méprise identitaire est du même ordre. C'est moins leur rapport avec les Tchèques qui fait historiquement problème pour eux que leur relation avec la Hongrie et les Hongrois auxquels ils ont été longtemps soumis. « Les Slovaques n'ont jamais vraiment eu d'Etat à eux : il leur a été imposé par les Habsbourg, les Hongrois... c'est là que réside la question de notre identité et non dans notre relation avec les Tchèques[27]. » De fait, aujourd'hui, les Slovaques ont du mal à se sentir slovaques alors que les Tchèques ne parviennent même pas à trouver un nom à leur territoire. Car si la « Tchéquie » ne renvoie à rien, la « Bohême-Moravie » rappellerait en revanche trop l'Allemagne. L'identité tchèque est donc à construire[28]. Elle n'est pas spontanément disponible.

Cet exemple est important, car il permet de souligner le déséquilibre fondamental qui existe aujourd'hui dans le monde entre la *demande identitaire*, forte mais complexe, et une *offre identitaire*, qui ne peut s'exprimer que par le truchement de l'Etat-nation. C'est ce décalage qui contribue à rendre le nationalisme insatiable. C'est là d'ailleurs que réside l'une des caractéristiques principales du nationalisme de l'après-guerre froide : il ne peut s'exprimer qu'à travers l'Etat-nation, mais rien ne prouve que, une fois cet Etat-nation conquis, celui-ci lui permette de prendre pleinement en charge la demande d'identité. La demande identitaire est d'une certaine façon trop complexe pour s'incarner dans l'Etat-nation. C'est la raison pour laquelle la prolifération des Etats-nations ne résout nullement la crise du sens. C'est pour cette même raison que la prolifération d'Etats-nations nouveaux économiquement peu viables et identitairement fragiles est préoccupante pour l'équilibre du monde.

Il y a enfin dans cette logique insatiable du nationalisme une troisième source de difficultés : le « retour » au passé se révèle beaucoup plus facile à penser qu'à organiser concrètement. Là encore, il ne suffit pas de se proclamer Ukrainien,

Lombard ou Ouzbek pour vivre son « ukrainité », sa « lombardité » ou son « ouzbékité » de manière simple ou sereine. Pour revitaliser une identité lombarde bien problématique, la Ligue recourt à des symboles désuets (drapeaux, armures, chants) manipulés par un tout petit noyau de militants. Pour la majorité des Lombards, la Ligue exerce une fonction protestataire plutôt qu'identitaire. De surcroît, les conditions et les modalités de formulation de cette identité changent très rapidement. Ilvo Diamanti, cité par Marc Lazar, montre comment le phénomène des ligues est passé en quelques années de l'ethno-régionalisme symbolisé par la Ligue vénitienne à la recherche d'une autonomie régionale sur les plans économique et fiscal[29]. La force politique de la Ligue lombarde réside d'ailleurs dans sa capacité à comprendre que, pour survivre politiquement, il lui faut en permanence s'adapter à la donne politique italienne plutôt que de s'en tenir — comme la Ligue vénitienne — à un ethno-régionalisme figé. Cette capacité d'adaptation passe ainsi, selon les situations, soit par une radicalisation du discours séparatiste, soit par un « transformisme » politique à la fois très italien et très classique reflété aujourd'hui par son entrée dans le gouvernement Berlusconi. Dans un article admirable consacré à la crise italienne, William Harris souligne que ce sont le flou et l'équivoque qui alimentent la force de la Ligue-Nord et non sa capacité concrète de répondre à une demande. Car les difficultés commencent dès que l'on passe du discours à la réalité. L'idée d'un partage de l'Italie en trois « macrorégions » (Pandanie au nord, Etrurie au centre et République du Sud) a été accueillie avec « hilarité », tout simplement parce qu'elle ne correspondait pas à une réalité historique ou culturelle spontanément acceptable même par les gens du Nord[30]. Francesco Marello ne dit pas autre chose quand il écrit qu'il « n'y a pas plus de similitude entre la Lombardie, le Frioul et le Val d'Aoste, qui sont dans le Nord, qu'entre la même Lombardie, les Marches ou la Toscane au Centre[31] ». En réalité, l'identité lombarde n'existe que grâce au puissant repoussoir du Sud. Si celui-ci venait à disparaître, par suite d'une partition de l'Italie, cette identité deviendrait bien problématique.

Le cas de l'Ukraine n'est naturellement pas comparable à celui de la Lombardie. Mais Abraham Brunberg a fort bien montré combien il importait à ce pays de se recréer une histoire nationale distincte de celle de la Russie à laquelle elle fut pourtant historiquement très liée. Car, paradoxalement, il devient plus difficile pour les Ukrainiens de se sentir aujourd'hui ukrainiens que lorsqu'ils partageaient une communauté de destin avec la Russie. Pour lutter contre ce malaise identitaire, l'Ukraine s'emploie à se réinventer une grandeur, un martyrologe, des mythes. L'Ukraine moderne se retrouve ainsi érigée en héritière de tribus ukrainiennes vivant depuis le vi^e siècle autour de la mer d'Azov, du Dniestr et du Dniepr [32]. Dès lors, tout s'enchaîne pour fonder, étayer et exacerber les différences avec la Russie au prix, bien sûr, d'inévitables déformations historiques. Ainsi, les révoltes paysannes qui se propagent à partir du xvie siècle sont aujourd'hui réinterprétées comme le symbole d'un soulèvement nationaliste, alors qu'il s'agissait plus prosaïquement de jacqueries dirigées contre les nobles polonais, les Lituaniens et les Juifs [33]. On comprendra que l'idée d'une révolte nationaliste relève de l'anachronisme, au même titre d'ailleurs que la révolte des Cosaques, elle aussi érigée au rang de révolte nationaliste. En se soulevant eux aussi au xvie siècle, ceux-ci ne prenaient part à aucun mouvement national : ils défendaient leur droit à obtenir des privilèges comparables à ceux des nobles polonais, parmi lesquels celui d'avoir des serfs [34].

Dans le cas de l'Asie centrale, cette tâche se révèle plus difficile, car, comme le souligne Olivier Roy, le passé fondateur est très pauvre. Pour rebaptiser les rues, les kolkhozes ou les monuments, on manque de noms :

« Le répertoire des nouvelles légitimités est limité. Bien des petites rues gardent leur nom soviétique, dont l'origine est d'ailleurs de moins en moins sue des habitants : ainsi, à

Tachkent, on trouve les rues Liebknecht et Rosa-Luxem-
burg. D'autre part, on sent une résistance diffuse à la
débaptisation : si la ville de Leninabad (Nord-Tadjikistan) a
retrouvé son vieux nom de Khojent, la province dont elle est
capitale a très officiellement gardé le nom de Leninabad.
Dans la province tadjike de Khatlan, les villes de Kalinina-
bad, Kouyibishev, Kolkhozabad, Moskovsky n'ont pas été
débaptisées, mais Oktyabrsk est devenue Bakhtar. Pour tous
ces cas, s'il est certain que la victoire des " conservateurs " en
1992 a mis fin à la débaptisation, il faut remarquer qu'il n'y a
pas toujours de liens directs entre contexte idéologique et
changement de nom : la province de Leninabad et la ville de
Khojent sont tenues par les mêmes autorités, héritières
directes de l'ancien PC. Il semblerait donc que les lieux qui
gardent leur nom " soviétique " sont ceux dont la création et
le développement sont liés à l'histoire des soixante-dix
dernières années (comme la province de Leninabad) alors
que les lieux historiques, débaptisés durant la période
soviétique, retrouvent leur nom ancien (comme la ville de
Khojent).

« Ce principe se vérifie encore plus au niveau local. Des
villages créés à la suite des déplacements de populations
opérés à l'époque soviétique, et qui donc n'ont pas de nom
ancien, gardent leurs noms " prolétariens " : on trouve, tant
en Ouzbékistan qu'au Tadjikistan, des dizaines de " Lenin
Yolu " ou " Rah-i Lenin " (" la voie de Lénine "). Le
phénomène est le même pour les kolkhozes, par définition
création du système soviétique (" Lénine ", le plus grand
kolkhoze de Douchanbe, " Octobre rouge ", " Prolétariat ",
etc.). Signalons aussi un grand nombre de kolkhozes " Rashidov " en Ouzbékistan, où l'on concilie nationalisme et
fidélité au soviétisme (car l'attaque lancée en 1983 par
Andropov contre le défunt premier secrétaire du PC ouzbek,
Rashidov, qui a été le point de départ de la lutte contre la
" mafia ouzbek ", est vue en Ouzbékistan comme une action
chauviniste russe et le début de la funeste perestroïka).
Quant aux kolkhozes qui avaient des noms puisés dans la

tradition " nationale " (" Avicenne ", " Nowruz "), ils les ont bien sûr gardés. Pourtant, pour les kolkhozes, un mouvement de rebaptême se dessine, en donnant au kolkhoze le nom soit de son fondateur ou du président qui l'a dirigé pendant une longue période de prospérité, soit d'un héros local de la récente guerre civile (Tadjikistan). Ainsi, à Koulab, au Tadjikistan, pourtant bastion des forces pro-communistes, le kolkhoze Shatalov (nom d'un officier de l'Armée rouge lors de la guerre contre les Basmatchis) est rebaptisé Safarali Zafirov (président du kolkhoze pendant quarante ans). Dans certaines autres zones pro-communistes, la guerre civile de l'automne 1992 fournit une nouvelle réserve de noms glorieux (Sangak Safarov, ou Fayzali qui donne son nom au sovkhoze " Tekhnikum "). On voit ainsi se renforcer une identité kolkhozienne en fonction de l'histoire récente, car chaque kolkhoze a un passé, des notables, voire des héros [35]. »

Tout cet aspect réinventé de la nation ne présente aucune originalité historique. Il est au cœur même de la problémati-que nationaliste depuis le XIXe siècle. La question n'est donc pas de savoir si le nationalisme de l'après-guerre est un processus « naturel » ou « artificiel », une réalité historique ou une manipulation politique mais elle consiste à se demander si ce processus de réinvention du passé et de création nationale est encore efficace à la fin du XXe siècle.

Or, sur ce point, la dynamique nationaliste rencontre deux difficultés majeures. La première tient au fait que la répudia-tion universaliste du nationalisme de l'après-guerre froide n'oppose aucune barrière politique ou de principe au narcis-sisme de la différence mineure. Tout particularisme peut se parer des atours du nationalisme. Tout différencialisme devient légitime.

La seconde s'explique par la logique puissante de la mondialisation sociale, culturelle et économique qui tend à s'accélérer avec la fin de la guerre froide. Elle rend ainsi encore plus délicate la recherche d'un sens nationalement partagé. Cette difficulté paraît criante en Allemagne, par exemple, où la redéfinition d'un projet national se heurte à un jeu de contraintes croissantes : le patriotisme constitutionnel bute contre la faible intériorisation de cette idée par les Allemands de l'Est qui ne participèrent pas à ce projet entre 1945 et 1989 ; le patriotisme du deutschemark, probablement mieux ancré encore, rencontre sur son chemin les contraintes du projet européen le modèle social, enfin, se trouve confronté aux impératifs de la mondialisation économique[37]. L'Allemagne se doit ainsi d'apprendre simultanément à être de nouveau une nation, tout en sachant que cette nation ne pourra pas se référer à un « Fondement » historique facilement utilisable dans le monde d'aujourd'hui[38]. Ainsi, la plupart des nations se retrouvent dans un entredeux historique où le pur et simple retour en arrière est impossible, mais où le dépassement du cadre national est très difficile à assumer.

Nous nous trouvons dans une situation où certes le retour au nationalisme constitue la dynamique la plus forte de l'après-guerre froide, mais où, paradoxalement, ses chances de stabiliser l'ordre politique des nations sont extrêmement limitées. C'est la raison pour laquelle le nationalisme de la fin du XXe siècle est beaucoup plus le révélateur de la crise du sens que le garant de son dépassement.

CHAPITRE V

La crise du sens et l'Europe

De tous les grands ensembles régionaux du monde contemporain, l'Europe est celui où la recherche d'une articulation entre sens et puissance se trouve la plus pressante et la plus explicitement posée. Pour continuer à peser sur un jeu mondial de plus en plus rude, pour préserver son haut niveau de vie et la qualité de celle-ci, pour atténuer les effets socialement dévastateurs d'une compétition mondiale exacerbée, l'Europe se doit d'agréger ses forces et de réduire sa fragmentation.

La logique de la puissance s'oriente vers la prise en compte d'espaces sans cesse plus larges, au sein desquels les jeux de l'échange (le grand marché) affectent par capillarité des activités régaliennes de souveraineté comme la monnaie, la recherche ou les productions militaires — sans oublier l'harmonisation et la codification juridiques[1]. Il faut ainsi créer une monnaie unique pour réduire les coûts de transaction entre les différents pays, concevoir des programmes conjoints pour amortir les coûts de la recherche, définir des programmes paneuropéens palliant l'exiguïté des marchés nationaux. Ainsi se développe une Europe de la nécessité dont on déduit logiquement une Europe de la finalité. Ce serait implicitement le moyen qui commanderait la fin, la puissance qui déterminerait le sens, le besoin d'unité économique et marchande qui faciliterait l'aspiration à la communauté politique. Or c'est cette démarche qui se trouve d'une certaine manière freinée, voire enrayée, alors que, paradoxalement, tout devrait concourir à la stimuler : la vigueur de la compétition économique — qui légitimerait l'impératif économique — et la disparition des représentations téléologiques — qui relativiserait la valeur des grandes constructions idéologiques finalisées — et par conséquent du sens dans l'espace international. Pourquoi donc la justification économique de l'unification marchande de l'Europe — faiblement contestée — se trouve-t-elle en peine pour engendrer une problématique du sens socialement partagée par toutes les nations et les peuples d'Europe ?

Besoin de sens

A la différence de l'Asie, mais à l'instar du monde musulman, l'Europe a toujours affirmé, affiché une prétention du sens. Historiquement, elle a cherché à nommer les choses et à les orienter, à nourrir des attentes collectives à partir de son expérience présente. Il y a chez les Européens un besoin de problématiser leur avenir, de projeter dans le monde leurs forces et leurs valeurs [2]. Ils se distinguent en cela des Asiatiques et singulièrement des Chinois auxquels rien n'est plus étranger que l'idée de finalité, de vérité, de parcours : « Ne les intéressent ni les récits cosmogoniques ni les suppositions téléologiques, écrits. Ni de raconter le début ni de rêver un dénouement [...]. Ce n'est donc point le problème de l'être que les Chinois se posent [...], mais celui de la capacité de fonctionnement : d'où procède l'efficacité que l'on constate partout à l'œuvre au sein du réel et comment peut-on le mieux en profiter [3] ? » Là où les Européens parlent de sens, les Chinois parlent de dispositif. Là où les Européens évoquent la transcendance, les Chinois invoquent l'immanence [4]. Comme on le verra plus loin, ces différences historiques et culturelles pèsent lourd dans la manière dont le régionalisme se développe en Europe et en Asie.

En effet, si l'Asie se construit, son architecture s'exprime sans architecte. Celle-ci n'est pas préalablement pensée comme un dessein, une aspiration collective. Il n'y a guère de demande sociale ou politique pour systématiser l'expérience du présent, pour la projeter vers un horizon d'attente souhaitable. Symétriquement, il n'y a pas de crise de la conscience asiatique, en dépit d'une histoire régionale encombrée de drames et de déchirements. Il est par exemple acquis que, même dans l'éventualité de création d'un espace économique asiatique intégré comparable à l'Europe communautaire, celui-ci a peu de chances de reposer sur un univers réglementaire aussi sophistiqué et harmonisé que celui de la Communauté européenne. Il sera davantage affaire de pratiques informelles et de solidarités ethniques. Au demeurant, les traditions libertaires comme le taoïsme ou plus ritualistes comme le confucianisme ont en commun de ne pas attendre du droit la solution à leurs problèmes [5]. L'Asie peut se faire sans penser son destin.

Même quand, par moments, le sens de l'Europe semble s'éloigner du volontarisme de l'Idée, il est frappant de voir combien celui-ci parvient à rattraper en quelque sorte les marchands, à envelopper leur vitalité, à convertir leur puissance en source de sens. Ainsi, quand à la fin du XVIe siècle, la cité marchande d'Amsterdam prospère et facilite l'usage de la lettre de change, elle n'affiche aucune prétention à l'universalité. Simplement, en plaçant l'argent au cœur des rapports entre hommes et nations, elle est parvenue à décentrer les valeurs de l'honneur, de l'héroïsme et de la guerre, à rendre de plus en plus compatibles argent et liberté. Amsterdam a ainsi réussi, sans volontarisme préalable, à proposer une nouvelle articulation du sens (paix entre nations et liberté individuelle) et de la puissance (la vitalité marchande) qu'on finit par appeler « hollandisation » et que Henry Méchoulan résume en ces termes : « L'Europe apprendra d'Amsterdam que le glaive ne pèse plus si lourd et que les armes ne décident pas de tout [...]. Le marchand d'Amsterdam est à l'origine d'une nouvelle vision du monde[6]. »

Cette quête de sens trouve globalement son origine dans le rôle politique joué par la chrétienté (christianisme romain rénové par la Réforme et la Contre-Réforme) dans la définition d'une identité culturelle européenne[7]. A l'image des grandes religions monothéistes, la chrétienté a placé au centre de son interrogation sur l'Homme la question du devenir, celle de la transcendance et du bien commun. Autant de thèmes que l'on retrouve sous une forme sécularisée dans les débats les plus actuels. Autant de débats cruciaux où l'exigence de vérité et d'intégralité (le sens) se heurte parfois à celle de liberté.

La mouvance européenne chrétienne — mais pas seulement elle — ne se résout pas en effet à accepter l'idée que la logique marchande envahissante puisse se dispenser d'une certaine forme de transcendance. Elle manifeste une réticence à admettre que la liberté devienne l'absolu qui fonde l'Europe au détriment de la recherche d'une certaine vérité[8]. Tant que la guerre froide était là, la confrontation entre liberté et vérité était nécessairement condamnée à rester feutrée au sein de la Communauté européenne ; elles s'épaulaient l'une l'autre dans leur rejet du communisme. Avec l'effondrement de celui-ci, le débat renaît de deux façons. D'une part à travers l'émergence d'un espace marchand tenté de voir dans la liberté de circulation des biens et des personnes la seule finalité de l'Europe. D'autre part à travers la banalisation idéologique qui conduirait, au nom d'un certain relativisme libéral, à penser que « tout se vaut », que tous les sens sont équivalents et qu'à cette aune les discours générateurs de vérité n'auraient plus de légitimité. L'exigence de vérité ne serait ainsi qu'une forme parmi d'autres de demande de sens. Elle ne pourrait en aucun cas devenir opposable à l'impératif de liberté[9].

La chrétienté, dont la centralité dans l'histoire de l'Europe ne souffre guère la contestation, ne saurait pourtant expliquer à elle seule le besoin de sens de l'Europe. Comme le rappelle Jean-Pierre Faye, l'Europe est un continent dessiné dans l'espace par une histoire de la pensée, ce qui, là encore, n'est pas le cas de l'Asie. Lorsque, vers 1200, naît l'*Universitas parisiensis*, celle-ci se retrouve avec une compétence étendue à l'ensemble du continent, de Coimbra à Cracovie, de Naples à Uppsala[10]. Ce qu'il importe de souligner ici, c'est combien cette Europe du sens ne se résume pas à une simple Europe marchande, combien cette Europe de la pensée est parvenue en certaines circonstances à précéder la dynamique marchande. Ainsi, la Humboldt Universität, créée à Berlin en 1808, voit le jour avant le Zollverein, autrement dit avant le début de l'unité économique de l'Allemagne[11].

Quand, à partir du xvie siècle, le facteur religieux cesse d'être le fondement exclusif de l'identité collective de l'Europe, le transfert d'allégeance s'effectue progressivement vers la nation, comme le remarqua en son temps Arnold Toynbee[12]. Avant de prendre la connotation qu'on lui attribue aujourd'hui, le machiavélisme fut la théorisation de ce transfert d'allégeance de la *Chrétienté* à la froide *raison d'Etat*.

Ce recul de la religion dans la définition d'un rapport collectif au sens n'a pas pour autant réduit la demande de sens, bien au contraire. En transférant les allégeances collectives vers la nation et ultérieurement vers l'idéologie, on resta dans l'épure de représentations abstraites non réductibles à la possession d'un bien ou d'un gain matériel. Autrement dit, l'*être* passait avant l'*avoir*. Le passage de l'ère théologique à l'ère téléologique a maintenu intacte la demande de sens. Le recul du religieux entraîna une dérivation de l'attente mais non sa disparition. Même quand l'Etat moderne européen s'employa, à partir du xviie siècle, à combattre les prophéties religieuses pour asseoir son monopole du sens, à séparer l'histoire sainte de l'histoire humaine, il ne fit que canaliser la demande de sens non plus vers la prophétie religieuse mais vers l'action politique[13]. C'est la

Révolution française qui devait historiciser cette rupture avec une représentation religieuse du monde, tout en en construisant une nouvelle déifiant la Nation.

C'est dans cette phase que le sens de l'Europe s'identifie le plus aux nations et à la modernité. Et c'est également dans ce mouvement qu'un pays comme la France excelle dans l'universalisme, manifeste l'amplitude de sa volonté, exerce le rôle d'instituteur des nations, enseignant aux autres comment regarder vers elle, jouant au « fonctionnaire de l'Humanité » et agissant pour le bien des autres [14]. La fonction d'empire porte à son paroxysme la prétention volontariste de l'Europe à faire sens.

L'Europe a épuisé son besoin d'empire

Au lendemain de la Seconde Guerre mondiale, l'Europe réduit cette prétention universaliste, car sa vocation à essaimer bute désormais sur les limites concrètes de sa puissance. La naissance d'un ordre bipolaire soviéto-américain relativise sa position hiérarchique et rétrécit son espace de rayonnement. Elle épuisera ainsi graduellement son besoin d'empire.

De surcroît, sa propension à rayonner à travers le monde, à promouvoir ses valeurs ne la rendit pas pour autant propriétaire de celles-ci. Elles furent dans bien des cas réappropriées par les élites coloniales que l'on voulait convaincre et soumettre — mais ces élites retournèrent ensuite contre l'Europe les principes intellectuels que cette dernière prétendait leur inculquer. La décolonisation, parfois violente, du Tiers monde ne fut que l'expression de ce retournement. L'Europe qui exporta l'idée de nation se vit opposer les nationalismes du Tiers monde qu'elle avait partiellement enfantés.

Commence alors un travail... de retour sur soi qui tend à

harmoniser le sens de l'Europe avec sa puissance, à canaliser le besoin de se penser sur soi plutôt que vers les autres.

Les épreuves consécutives de la guerre mondiale et de la guerre froide incitent naturellement les Européens à réfléchir aux meilleurs moyens de pacifier durablement leurs rapports, de contenir pacifiquement l'Allemagne, de surmonter la division. L'expérience immédiate et la mémoire de la douleur collective dégagent presque spontanément un *horizon d'attente*. La force du projet européen qui se met alors en place au travers de la création du Marché commun par le traité de Rome repose sur deux piliers originaux aujourd'hui ébranlés.

Le premier consiste à promouvoir un projet suffisamment volontariste, directif, conduit d'en haut, pour faire avancer la construction européenne, tout en respectant le rythme politique, identitaire des nations européennes. Le second est de dégager une perspective suffisamment ambitieuse pour mobiliser les opinions ou les faire rêver (ambition téléologique) tout en faisant en sorte que cette aspiration forte soit jalonnée de réalisations concrètes, tangibles, identifiables. Précisons ces deux points essentiels.

La construction de l'Europe dans sa dimension communautaire s'est faite avec le consentement des Etats. Certes, il y a toujours eu un mouvement fédéraliste prônant d'emblée un dépassement des Etats-nations au profit d'une structure fédérale de type américain, mais ce mouvement est resté et reste minoritaire. La démarche communautaire définie en mai 1950 par Jean Monnet reposait sur ce que le recteur Brugmans a appelé le « fédéralisme à l'envers[15] ». A la différence de ce qui se passa aux Etats-Unis, les abandons de souveraineté par les Etats européens commencèrent dans les secteurs où elle pouvait être le plus facilement entamée (charbon, acier, Euratom, marché unique) pour graduellement se déplacer vers des domaines plus sensibles (monnaie, sécurité). L'Europe se faisait sans affecter le vécu des Européens ou leurs représentations du monde. La mise en place de la politique agricole commune (PAC) ne contredit pas pleinement cette appréciation, dans la mesure où elle ne concernait que la vie du monde paysan.

L'adhésion à l'Europe était d'autant plus forte qu'elle n'engageait à rien ou presque. Elle s'effectuait sans implications, sans mobilisation des affects. L'Europe était, au sens plein du terme, une « affaire d'Etats ». Au sein même de chacun d'entre eux, son emprise sur les appareils administratifs resta pendant longtemps extrêmement faible [16]. L'Etat français, par exemple, s'accommodait fort bien de l'idée européenne, car il nourrit pendant fort longtemps l'ambition ou l'illusion que celle-ci n'était qu'une projection à l'échelle de l'Europe du dessein français : l'Etat capétien aspirait à se projeter dans une Europe carolingienne [17]. Le risque de voir cette démarche volontariste dégénérer en mise en place d'un dispositif bureaucratique capable de se soustraire au contrôle démocratique paraissait devoir être contenu par le pacte implicite qui pendant longtemps avait lié les Etats à leurs opinions. Les opinions déléguaient aux Etats le soin de « faire l'Europe », perçue comme une source de maximisation de l'intérêt national, en échange de quoi elles se trouvaient déchargées de toute implication. Les opinions ont pendant longtemps troqué leur déresponsabilisation contre leur adhésion politique à l'Europe [18]. Le risque de dérive bureaucratique ou antidémocratique n'était alors pas ou guère posé, car le caractère démocratique de la construction européenne se déduisait de la nature fondamentalement démocratique des Etats concernés. La valeur de ce sophisme aujourd'hui contesté était naturellement rehaussée par la proximité d'une Europe communiste fondamentalement antidémocratique.

Mais si l'Europe parvint à faire sens, ce ne fut pas seulement parce qu'elle était contrôlée par les Etats ; ce fut aussi parce que le projet européen sut articuler perspectives ambitieuses et retombées concrètes.

Dès le début, les pères de l'Europe laissent entrevoir comme perspective au continent le fédéralisme, mais ils se gardent d'en définir les contours [19]. Le projet européen a d'ailleurs en permanence oscillé entre une définition se référant à un modèle déjà connu (le fédéralisme) et un modèle inédit toujours à construire, jamais achevé et requérant à cette fin une mobilisation sans relâche. En ce sens, le projet était bel et bien téléologique. Il s'inscrivait très clairement dans le champ des représentations constructivistes de la guerre froide. Simultanément, ce projet asymptotique — c'est-à-dire sans fin atteignable — fut irrigué par des réalisations concrètes. Du traité de Rome à l'Acte unique, l'Europe communautaire est une Europe de réalisations tangibles, ne remettant pas en cause l'allégeance quasi exclusive des citoyens européens à leur Etat-nation.

Aujourd'hui, si la crise du sens frappe le continent, c'est moins, comme on le croit généralement, parce que le projet européen propose de rompre radicalement avec l'allégeance exclusive à l'Etat-nation, que parce qu'il se montre incapable de donner une signification symbolique et unitaire à une Europe fondée sur des allégeances multiples.

Penser des allégeances multiples

Or l'Etat affronte aujourd'hui une situation inédite : il doit organiser le dépassement de sa souveraineté tout en veillant soigneusement à encadrer cette mutation, afin qu'elle n'avantage pas ses « associés rivaux ». Il ne peut ainsi ni programmer sa disparition au nom de la supranationalité ni étanchéifier le cadre traditionnel de sa souveraineté. Il se trouve à la fois le moteur d'une Europe supra-étatique et l'agent de renforcement de la tutelle interétatique en Europe. C'est la raison pour laquelle les initiatives politiques les plus sensibles et les plus supranationales ont été systématiquement doublées par un renforcement du contrôle interétatique. Ainsi, la création du Conseil européen s'est accompagnée dans les faits d'un déplacement d'un certain nombre d'arbitrages de la Commission vers la présidence assurée à tour de rôle par chaque Etat. Le traité de Maastricht consacre pleinement cette ambivalence : il dépasse la souveraineté étatique par la mise en place d'une monnaie unique. Mais jamais, depuis le traité de Rome, la place des Etats n'a été aussi prééminente dans la relance de l'Europe (conférence intergouvernementale) ; jamais le devenir de l'Europe n'a semblé aussi vulnérable, sensible à l'état des rapports politiques entre puissances européennes. Ainsi est-ce à l'aune des rapports franco-allemands que les opinions se représentent l'état de l'Europe alors que, paradoxalement, c'est dans l'épuisement de la dynamique interétatique qu'il faut trouver une des explications à la crise européenne ; chaque fois que l'Europe avance, les Etats sont là pour encadrer sa marche. Il n'y a plus de dynamique de transfert d'allégeance linéaire de l'Etat vers une supranationalité définie, mais tentative de dépassement partiel et volontaire du cadre national par une logique aux formes complexes et aux finalités imprécises.

Cette difficulté trouve sans nul doute sa source dans les divergences incompressibles entre Etats, dans la pusillanimité des dirigeants européens et dans la conjoncture mondiale plus propice aux replis nationaux qu'aux redéploiements post-nationaux. Mais il faut aller plus loin et se demander si cette indécision et cette imprécision ne constituent pas des enjeux historiques avant d'être des problèmes politiques.

En effet, on ne dispose aujourd'hui ni en Europe ni dans le reste du monde de modèles capables de construire, d'organiser des allégeances multiples et non exclusives. Les deux grands vecteurs de la dynamique européenne ont été les Etats et le marché. Or, à l'évidence, ces deux agents unitaires ont d'une certaine manière épuisé leur force propulsive. La source de sens et de modèles historiquement disponibles s'est tarie.

L'érosion du volontarisme étatique a fort bien été révélée par le traité d'Union européenne. Celui-ci souffre à la fois de ne pas être relayé par les opinions et donc de manquer de force d'entraînement, mais aussi de ne pas offrir de perspective claire, identifiable à la construction de l'Europe[20]. Si cette hypothèse était la bonne, elle tendrait à prouver que c'est moins le volontarisme étatique que le volontarisme sans finalité qui poserait problème. A cette aune, la crise de l'Europe s'apparenterait moins à un refus organisé et cohérent qu'à une demande de sens.

Pour autant, cette éventualité n'induit aucune automaticité quant à une clarification rapide du sens de l'Europe. En effet, si l'on veut bien reconnaître que l'extrême complexité des procédures et l'absence de lisibilité qui en découle pour les opinions résultent à la fois des contradictions interétatiques — qui entraînent une surcharge juridique de textes — et du recours à la procédure judiciaire pour pallier l'indétermination du projet politique européen, il paraît difficile d'espérer voir un problème aussi fondamental se résoudre par un effort amplifié de volonté.

La mise en avant du principe de subsidiarité par les Etats pour donner à la construction de l'Europe un sens compris et maîtrisé par les opinions publiques ne pourra pas en soi dégager rapidement une nouvelle grille de lecture. D'ailleurs, le fait que le débat sur la subsidiarité a purement et simplement disparu du débat européen, après avoir été tendu comme un hochet aux opinions publiques pour les faire adhérer au traité de Maastricht, montre à quel point les élites de l'Europe ont peine à réfléchir avec constance au devenir du continent, à donner vie et vigueur à des symboles pourtant disponibles [21].

En dehors de la subsidiarité, le concept de citoyenneté européenne apparaît comme une réponse « stratégique » à la demande de définition de l'Europe. Le traité de Maastricht avance l'idée d'une citoyenneté qui se cumulerait avec la citoyenneté nationale. Outre qu'elle ne pourra s'intérioriser que de manière lente et graduelle, celle-ci a pour faiblesse de reposer sur un déséquilibre dans la mesure où les droits qu'elle confère sont plus importants que les devoirs qu'elle impose [22]. Alors que, dans la plupart des espaces nationaux, les contrats de citoyenneté tendent à se renégocier sur une base de plus en plus restrictive — notamment pour endiguer l'immigration et aussi pour légitimer l'érosion de la protection sociale étatique —, la citoyenneté européenne se présente avant tout comme une somme d'avantages offerts à l'échelle d'un continent par des Etats-nations. Elle n'est attachée à aucune allégeance à une autorité européenne. Que cette « facilité » n'ait pas été perçue comme une source en soi décisive de mobilisation en faveur du traité montre combien la problématique européenne intègre des questions de sens, de repérage et pas seulement des interrogations matérielles ou catégorielles. On pourra naturellement estimer que ce processus d'intériorisation de la citoyenneté européenne s'effectuera avec le temps ; il y aurait un engrenage de la citoyenneté comme il y a eu un engrenage du marché unique. A cette aune, la transformation graduelle du marché européen en espace public européen serait affaire de temps. L'Europe de la puissance déboucherait à terme sur une Europe du sens.

Il manque à l'Europe une mise en scène de son destin

Mais cette hypothèse semble sérieusement compromise au regard de plusieurs difficultés qui s'inscrivent dans la réalité de l'Europe d'aujourd'hui.

La première résulte sans nul doute de l'effondrement des représentations finalisées de notre devenir. Celui-ci prive les sociétés européennes comme celles du reste du monde de schémas englobants et puissants capables de proposer une articulation crédible entre espace marchand et espace public. La thèse d'un retard historiquement aberrant de l'espace public sur l'espace marchand qu'une mobilisation collective viendrait à combler paraît dévaluée avec la fin de la guerre froide. Autrement dit, l'idée même que la construction de l'Europe découlerait d'un « sens de l'Histoire » immanent bute sur la contestation radicale et croissante de l'idée du sens de l'Histoire, voire sur la négation de l'idée même d'Histoire[23]. L'idée européenne pâtit des déconstructions téléologiques aujourd'hui à l'œuvre. Elle risque de devenir un patrimoine plutôt qu'un projet et de glisser ainsi aisément du volontarisme vers la passivité[24]. Le sens ne serait plus une projection vers l'avenir, mais une allégorie nostalgique du passé[25]. On note en France l'existence d'une relation étroite entre la fin du « roman national », c'est-à-dire de l'histoire d'un pays qui accomplirait son destin à travers une « identité-projet » et la valorisation croissante de l'idée de mémoire. Mais ce tropisme n'est pas purement français. L'Europe littéraire — celle de Magris ou d'Eco — n'échappe pas à cette impression de rétrospection ou de recyclage[26].

Curieusement, pourtant, cette délégitimation historique du sens de l'Europe ne conduit pas pour autant à une valorisation de l'idée d'un modèle européen *sui generis*, spécifique et sans équivalent dans l'Histoire, dont la dynamique reposerait moins sur une construction ou un schéma passé que sur un futur indéterminé. L'idée selon laquelle le continent innoverait et inventerait son avenir en dehors de schémas connus et éprouvés ne produit pas d'effet d'adhésion spontanée. Autrement dit, la condamnation d'un projet trop volontariste ne s'accompagne pas pour autant d'une représentation plus aléatoire — plus esthétique, pourrait-on dire — de l'Europe.

L'imprécision de ses contours accentue la perte de sens au lieu de la combler. C'est ce que nous appellerons ici le *paradoxe du sens*. Si les sociétés européennes se montrent extrêmement réservées et rétives à toute reformulation globale et volontariste, elles persistent à exprimer une demande de sens forte mais complexe. Si elles attendent de tout projet collectif des implications concrètes sur leur vécu quotidien, elles ne sauraient se résoudre à se construire un « horizon de sens » fondé sur la seule rationalité instrumentale.

Le débat français sur Maastricht a révélé de manière

emblématique cette contradiction essentielle. Pour répondre à une demande concrète d'explication et parer aux critiques d'une Europe éloignée des citoyens, les acteurs politiques n'ont pas hésité à entrer dans la technicité du traité. On vit ainsi des hommes d'Etat disserter sous les préaux d'écoles des avantages et des inconvénients à maintenir des déficits publics limités ou à se voir imposer une discipline monétaire par une Banque centrale européenne. Mais, simultanément, l'extrême timidité du traité sur les dimensions symboliques de l'Europe, sur ses valeurs philosophiques, morales et culturelles a souvent conforté les citoyens dans le sentiment d'altérité qu'ils entretenaient avec l'Europe. Il n'y a pas trace dans ce texte d'une ambition collective portée par des mots ou des principes forts capables de compenser son extrême aridité. On lui a ainsi, en toute légitimité, reproché de manquer terriblement de « souffle », de symbolique alors qu'il mettait potentiellement en cause tant de choses.

L'indétermination du traité sur ses finalités politiques n'a pas été prise en charge ou représentée faute d'un modèle symbolique capable de la transcender, tandis que l'exigence de concret exprimée par les citoyens s'est trouvée inhibée, voire asphyxiée par l'extrême technicité du débat sur la convergence monétaire par exemple. Ainsi fut révélée une double crise de la représentation : celle de l'indéfinissable (difficulté à exprimer et à expliciter l'incertitude sur les finalités) mais également celle du tangible (technicité rebutante des enjeux concrets). L'Europe éprouve des difficultés à symboliser aussi bien les fins que les moyens de son devenir. Elle a peine à métaphoriser son destin, à le théâtraliser, pourrait-on dire. Or il n'y a pas de légitimité sans métaphore, de discours de vérité sans mise en scène[27].

La deuxième difficulté tient aux différences de nature qui séparent l'idée de *marché unique européen* de celle d'*espace public européen*. Un marché unique repose sur un arbitrage entre des préférences de consommation (désirs) ou de rentabilité (intérêts), alors qu'un espace public exige un choix entre des allégeances (valeurs). Les intérêts et les désirs se prêtent à la réversibilité, au rebours des choix de valeurs généralement plus contraignants et plus durables. La juxta-position de plusieurs marchés nationaux peut déboucher sur la constitution d'un grand marché dès lors que les obstacles économiques et juridiques à la circulation des biens sont surmontés. La constitution d'un espace public européen relève d'une problématique différente. Elle dépend d'initia-tives, d'enchevêtrements qui ne se développent qu'à la longue et pour lesquels on ne dispose que de peu de modèles-types. Il faut donc inventer des méthodes de constitution d'espace public. Mais il convient également d'en imaginer le contenu. Des expériences faites entre jeunes Français et Allemands au sein de l'OFAJ (Office franco-allemand pour la jeunesse) soulignent la difficulté à passer du niveau des échanges d'information à une véritable compréhension parta-gée[28]. Dans ce processus, l'idéalisation de l'Autre ne pré-sente pas moins d'inconvénients que son pur rejet. Autre-ment dit, s'il est admis que ce n'est pas en cultivant sa singularité que l'on crée un espace public, ce n'est pas en idéalisant son partenaire ou en magnifiant ses rapports avec lui — comme c'est souvent le cas dans les rapports franco-allemands — que l'on crée les bases d'un espace politique commun[29]. Ce qui est vrai pour les échanges culturels l'est aussi pour la littérature. Quand des écrivains européens se rencontrent, c'est souvent de manière solennelle, empesée, formelle ; leurs échanges ont quelque chose de forcé et d'artificiel sans grand rapport avec le temps où Thomas Mann rencontrait Gide ou Cocteau[30].

En troisième lieu, il faut admettre que l'effondrement des grandes narrations téléologiques fondées sur la cohérence des moyens et des fins ultimes laisse le champ libre à des conceptions plus modulées, plus déconstructivistes : tout devient possible, tout devient concevable. Dans cette pers-pective, l'idée d'un découplage entre espace marchand et espace public n'induirait pas une perte de sens, mais une façon de réagencer le sens et la puissance. La puissance définie par l'impératif économique serait garantie par le marché unique, tandis que le sens resterait confiné à l'espace public national voire régional. La revendication exacerbée d'une « préférence communautaire » par les adversaires les plus résolus du traité de Maastricht illustre bien cette hypothèse. Ainsi, par effet de compensation, la renationalisation du sens accompagnerait une décentralisation de la puissance. Nous entrerions alors dans une logique véritablement post-moderne où espace de sens et espace de puissance ne coïncideraient pas. Ce divorce ne serait pas traumatique mais salvateur, durable et non plus transitoire.

La montée des ligues dans l'Italie du Nord ou du séparatisme flamand en Belgique reflète bien la vivacité de cette démarche. Flamands et Lombards n'auraient aucun prix à payer pour la rupture avec l'Etat-nation dans la mesure où ils se trouveraient déjà pleinement intégrés à un espace plus large, celui de l'Europe. C'est précisément le sens du message que la Ligue lombarde voulait communiquer aux électeurs milanais en juin 1993, quand ses affiches proclamaient : « La Ligue nous emmène directement en Europe », sous-entendant ainsi que le passage par Rome — symbole de l'unité italienne — ne représentait qu'un détour inutile vers l'Europe. Les Lombards ou les Flamands retrouveraient ainsi leur identité et seraient encore plus puissants, puisqu'ils n'auraient plus à partager leurs richesses avec les « gens du Sud »[31].

Il n'y a pas de liberté sans valeur

Ainsi sur le socle commun d'une Europe marchande viendraient se greffer plusieurs projets politiques possibles. Du même coup se trouve soulevée une question essentielle, esquissée plus haut en parlant du rapport tendu entre vérité et liberté.

En autorisant toutes les configurations politiques ou identitaires, l'Europe marchande peut-elle devenir source de valeurs ? Autrement dit, la perspective offerte aux acteurs de la société européenne de consommer librement, de s'établir là où ils le désirent, de se déplacer sans entraves est-elle annonciatrice d'un ordre ou d'un sens collectif européens, ou bien le prélude à son atomisation ? Dans cette dernière hypothèse, la propension de l'Europe communautaire à édicter chaque jour davantage de règles et de normes pour garantir l'équité, l'équivalence des règles du jeu marchand entre Européens, loin de créer du sens ou des allégeances inédites, ne contribuerait-elle qu'à produire de simples garanties contre tout manquement à la libre circulation ?

Ces interrogations inquiètes, qui jalonnent le débat entre tenants de l'Europe marchande et tenants de l'Europe politique avec toutes les variations possibles sur ce thème, se situent en fait dans un affrontement plus fondamental au sein des sociétés occidentales entre adeptes libéraux de la seule équité et partisans d'une refondation autour de valeurs communes, seul gage contre le désenchantement et le narcissisme intégral[32]. Il paraît difficile de penser l'Europe aujourd'hui en dehors de ce débat, sauf à prendre le risque de s'enliser dans un affrontement réducteur entre « nationalistes » et « fédéralistes ».

Les premiers, dans la lignée de John Rawls et de sa *Théorie de la justice*, insistent sur la distinction entre la justice et le bien[33]. Par le recours aux procédures juridiques, la société poserait des règles équitables sans nécessairement choisir entre différentes conceptions du bien ; le droit primerait le bien. Transposée à l'Europe, cette approche serait non seulement indifférente à la forme politique de l'Europe, mais hostile à l'idée qu'un principe global ou transcendant — de caractère laïque, religieux ou moral — ne vienne à la fonder. Elle permettrait ainsi de défendre de manière implicite une Europe reposant sur la liberté marchande mais également sur la liberté culturelle (le multiculturalisme). Se trouverait ainsi récusé tout projet constructiviste « à la française » et valorisée, à l'inverse, la recherche d'un « consensus par recoupement [34] ». On ne chercherait plus à mobiliser les peuples autour d'un projet finalisé mais à définir les seuils minimaux de coexistence entre des communautés ou des « tribus » nationales ou régionales qui vivraient au sein d'un même espace. La liberté, réduite aux libertés individuelles ou communautaristes, appellerait un Etat désincarné, sans projet ni ambition, qui se préoccuperait avant tout d'assurer la survie culturelle des tribus (européennes) [35]. Entre elles, nul besoin de ciment intégrateur mais l'obligation de produire des règles de bon voisinage, des traités de non-agression entre groupements.

D'une certaine manière, cette Europe serait la plus facile à organiser et la plus difficile à penser. Il suffirait pour cela de laisser dériver en quelque sorte les processus de « déconstruction » nationale en Europe — qui stimuleraient les dynamiques identitaires et communautaristes — tout en développant « par le haut » les procédures juridiques et réglementaires capables d'organiser le lien entre ce relativisme culturel généralisé et la liberté de circulation des biens et des personnes. En d'autres termes, la liberté n'aurait nul besoin de s'adosser à un principe de vérité pour s'épanouir. L'Europe n'aurait aucune raison de se donner un sens surplombant cette liberté. L'Europe s'apparenterait à une galaxie de tribus marchandes [36] où la tribu donnerait du sens et la marchandise de la puissance. A cette aune, les formes institutionnelles ou les contours géographiques de l'Europe importeraient peu.

La perspective des partisans d'une refondation du sens, telle que l'envisage Charles Taylor par exemple, est fort différente. Pour lui, le fait que l'homme en vienne à se définir en relation avec lui-même (individualisme exacerbé) et non plus par rapport à un ordre de valeurs collectives génère une indéniable *perte de sens*. Celle-ci se trouve à son tour accentuée par ce qu'il appelle l'*éclipse des fins*, autrement dit l'abandon de toute perspective téléologique. Parce qu'il n'y aurait plus de fins, tout deviendrait affaire de moyens. C'est

l'« agir » qui deviendrait la justification ultime des choses, au
point de rendre incongrue la question du « pourquoi ». Mais
Taylor ne se limite pas à ce constat que nous faisons tous
aujourd'hui. Il poursuit son raisonnement en s'engageant
philosophiquement : la liberté de choix, dit-il, n'est pas
créatrice de valeur. Elle ne constituerait pas en soi un acte de
vérité, dans un monde où toutes les options, tous les modes
de vie déclarés égaux se vaudraient objectivement. Rapportée
à l'Europe, cette problématique est fondamentale, car elle
impose à celle-ci de se définir, d'assumer son identité de
manière positive et surtout de qualifier sa différence. Il lui
faut, au-delà de principes vagues, dire ce qu'elle souhaite, ce
qu'elle veut conserver, intensifier et amplifier le domaine de
ce qui fait sens pour elle et dégager le domaine des
justifications reconnues valides par tous [37]. Faute de quoi, les
spécificités de l'Europe (en matière de protection sociale, par
exemple) risquent fort d'être perçues comme des handicaps,
des anomalies ou des différences sans valeur au sens philosophique du terme. Pour se construire une identité, elle ne doit
ni chercher à exacerber sa particularité ni se fondre nécessairement dans une norme mondiale, mais fonder sa différence
en conférant à celle-ci une réelle valeur. Dans le cas
contraire, le sens de l'Europe risque fort soit de devenir
imperceptible, soit d'apparaître comme une différence sans
importance qui ne conduit pas nécessairement l'Autre (le
Japonais ou l'Américain) à discuter de la valeur respective
des modes de vie en présence. Pour que l'originalité se
perçoive comme telle, écrit Taylor, elle doit réunir une
double condition : que les autres perçoivent la valeur qu'elle
engage et que cette valeur se révèle différente de la leur [38].
L'interrogation philosophique de Taylor a pour cadre l'individualisme dans les sociétés modernes. Mais on voit bien
combien elle s'applique à la construction de l'Europe. D'un
côté, une démarche d'inspiration rawlsienne prônant le
recours au droit pour organiser un multiculturalisme marchand et où le sens serait garanti par le repli sur la tribu ou la
nation, tandis que la puissance serait « gérée » par l'instru-

mentalisation marchande froide et sans affects des liens avec autrui, que cet autrui soit une nation ou une multinationale. De l'autre, une démarche taylorienne plaidant pour la réhabilitation de la notion de communauté — au sens de communauté de destin et non de communautarisme — au sein de laquelle les liens entre les individus ou les nations s'enrichiraient d'un accord substantiel quant à la valeur et à la hiérarchie des choses. La raison instrumentale (la puissance) ne saurait dégager en soi un horizon de significations communes (sens).

Surgit alors une nouvelle interrogation : comment dégager précisément cet horizon de significations communes dont parle Taylor ? Comment imaginer des institutions qui ne se limiteraient pas à garantir les libertés ? Comment récuser le libéralisme relativiste et sans valeur sans retomber dans les impasses d'une utopie « pompière » ? Comment doter l'Europe d'une « idée régulatrice » sans rouvrir le débat sur *le* fondement ? Comment penser un projet sans succomber au piège de la finalité ?

C'est là qu'il faut peut-être introduire à nouveau la réflexion de Richard Rorty même si sa démarche présente l'inconvénient de vouloir faire l'économie de la représentation. Dans *Contingence, Ironie et Solidarité*[39], il s'efforce précisément de penser le sens en dehors de toute divinisation de la pensée. Il tente de reformuler les espoirs d'une société libre qui prendrait acte de l'épuisement du rationalisme des Lumières en abandonnant les notions de vérité, de rationalité ou d'obligation morale pour mettre en avant celles de métaphore et d'autocréation[40]. La reconquête du sens passerait ainsi par une sorte de désintoxication téléologique. Rorty dit qu'il faut nous guérir d'un profond besoin métaphysique sans pour autant entériner l'idée d'un relativisme libéral sans valeur[41]. Sur cette ligne de crête, il nous convie à nous déplacer en abandonnant la quête du fondement au profit d'une meilleure connaissance de soi, d'une description de soi. Pour lui, le sens se construit en rendant cohérentes des convictions, des orientations ou des distinctions[42]. Il faut, dit-il, trouver une description des choses de son temps, identifier celles que l'on est disposé à approuver ou dans lesquelles on peut se reconnaître. Il appelle ainsi la recherche d'un langage ou de métaphores plutôt que la définition d'une finalité. Rorty nous incite ainsi implicitement à donner une « épaisseur » aux mots qui fondent l'Europe (communauté, subsidiarité, convergence, union, etc.) et à nous situer au rebours d'une évolution qui tend au contraire à assécher ou à affadir ces termes par nécessité politique.

Dans ce débat essentiel, la réactivation politique du concept de subsidiarité n'est pas neutre. En posant que le principe de subsidiarité dénie à toute autorité le droit d'empêcher les personnes et les groupes sociaux de conduire leur action propre, de déployer leurs talents, leur créativité ou leur imagination, l'Europe reconnaît la primauté du bien sur le droit. Elle opte en apparence pour les « communautaires » contre les « libertaires ». A la sacralisation du droit, elle oppose la négociation permanente des responsabilités entre niveaux d'autorité. Politiquement, la signification de ce choix est à la fois forte et simple : le droit ne saurait être l'ennemi du bien ; l'Europe ne saurait se construire au détriment du citoyen.

Mais cette clarification apparente du sens de l'Europe porte aussi le risque d'un « affadissement » technocratique ou politicien. Face à des opinions publiques inquiètes, la subsidiarité s'apparenterait à la « redécouverte » d'un simple principe de « bon sens » un peu oublié. Elle se trouverait ainsi captée, instrumentalisée par les acteurs du jeu européen pour mieux partager leurs compétences, sans pour autant favoriser de manière décisive l'enracinement de ce principe dans les opinions. Pour échapper à ce glissement, pour que le débat sur la subsidiarité se hisse au rang d'enjeu de sens et ne soit pas ravalé à un jeu serré entre acteurs concurrents et jaloux de leurs prérogatives (les Etats contre la commission de Bruxelles), il faut le situer par rapport à ses fondements historiques et philosophiques. Mais peut-on valablement éclairer les opinions sur ce principe sans en généraliser l'application partout, à tous les échelons, et plus seulement dans la seule instance européenne[43] ? On le comprendra, trancher en faveur du bien commun ne constitue pas une percée décisive si celle-ci ne se double pas d'une définition plus précise du bien commun. Autrement dit, l'affirmation du primat du bien sur le droit risquerait fort de rester rhétorique si une clarification du bien commun venait à faire défaut.

Le sens de l'Europe au défi de la mondialisation

Cette exigence est au cœur du débat sur l'Europe. Mais cette Europe, à base de manières d'être et de faire, bute sur ce que l'on appellera ici le rétrécissement du champ de son expérience propre. Par rétrécissement de l'expérience, il faut entendre la réduction des sources et des formes d'identité disponibles et spécifiques dans une dynamique puissante de mondialisation. Il y a en effet désormais plus de « monde » dans l'Europe que d'Europe dans le monde. L'épuisement du besoin d'empire a pour solide contrepartie la dislocation identitaire des anciennes terres de conquête européennes. L'Australie en est une illustration lointaine mais patente.

Au terme d'un lent processus dans lequel sont entrés en ligne de compte la modification de l'origine ethnique des immigrants australiens, le relatif déclin de la présence européenne en Asie et la fin de la guerre froide, l'Australie se cherche une identité propre qui lui impose une rupture au moins symbolique avec l'Europe[44]. En proclamant la République, elle rompt le lien royal avec l'ancien Empire britannique. En reconnaissant officiellement les aborigènes comme les premiers habitants de l'Australie, elle détruit la fiction d'une nation européenne aux antipodes. Il est à cet égard intéressant de noter que ces deux nœuds symboliques ont été tranchés peu de temps après la fin de la guerre froide comme si celle-ci avait artificiellement retardé cette distanciation avec l'Europe.

En Amérique latine, les termes du rapport avec l'Europe obéissent à une histoire différente. Mais à la célébration du regain démocratique que l'on observe dans cette partie du monde depuis une dizaine d'années, l'Europe n'est pas ou peu conviée. Pourquoi ?

Parce qu'elle est vue davantage comme une voie d'accès à la mondialisation que comme une source de valeurs. Elle est au mieux un modèle d'organisation politique régionale, mais en aucun cas un modèle identitaire. C'est très clair sur ce continent où la renégociation de l'identité de cet espace passe par la réhabilitation des Indiens, par une sorte de distanciation vis-à-vis d'une lecture européenne de son passé ou de son devenir. La littérature mexicaine reflète bien ce « rééquilibrage » identitaire[45]. Mais ce qui est vrai pour l'Amérique latine l'est encore davantage pour le Maghreb proche. L'Europe y est avant tout perçue comme l'espoir d'un « projet occidental » dépourvu de toute attractivité identitaire. Sur ce registre, l'exemple japonais semble davantage faire sens, même si la faiblesse des liens culturels avec ce pays et la méconnaissance concrète de la société japonaise entraînent nécessairement une idéalisation de son « modèle ». L'Europe n'a plus aujourd'hui les moyens d'apaiser ses craintes à travers la projection de son image et de son identité dans le reste du monde.

L'élargissement de l'Europe : le confort avant le sens

Cette difficulté à se projeter comme source de valeurs et non pas seulement comme gisement de ressources matérielles tient probablement aux conditions historiques de mise en place de l'Europe communautaire. Mais ce tropisme semble si fort qu'il conduit beaucoup de nations à envisager leur insertion à l'Europe communautaire comme un moyen de maximiser leur puissance et non de réaffirmer leur identité propre. L'adhésion à l'Europe relève d'une « logique du confort » et non d'une « logique du sens ». On veut y adhérer par crainte d'être exclu d'une dynamique économique collective et non par souci d'adhérer à un projet. De manière très révélatrice, la candidature de la Suède à l'Union européenne fut annoncée par le gouvernement de Stockholm dans le cadre d'un plan économique « anti-crise », renforçant ainsi la construction d'une représentation de l'Europe fondée sur la seule rationalité instrumentale [46]. L'adhésion est vue comme un moyen de survivre dans un monde difficile, au risque d'altérer une identité nationale ou régionale jusque-là préservée. L'essayiste norvégien Erik Fosnes Hansen résume ce dilemme en ces termes : « Nous avons une peur panique de nous retrouver seuls en dehors, et c'est une peur compréhensible. Mais personne — ou presque — n'est spécialement enthousiasmé par la Communauté européenne en tant que telle [47]. »

La faiblesse du sentiment spontané d'adhésion est attribuée à des facteurs simples et relativement compréhensibles : crainte de prendre place dans un ensemble dominé par les grandes puissances de l'Europe, de renoncer à une identité neutraliste, de rompre la relation de proximité entre dirigeants et dirigés propre aux « petites sociétés ». Ce sentiment est mal vécu, car celles-ci ont l'impression de renégocier à la baisse les bases de leur identité au moment où, partout dans le monde, l'exigence identitaire s'accroît. L'adhésion à l'Europe se ferait ainsi à contretemps. La mise en phase économique s'accompagnerait d'un déphasage identitaire. L'adhésion se vit ainsi sur le mode nostalgique d'une perte.

Il faut pourtant dégager les lignes d'une réflexion plus poussée en se demandant si, pour l'Europe, l'enjeu n'est pas moins de combattre ce sentiment de perte — au demeurant inévitable — que de le compenser par un apport symbolique fort et inédit. Or la problématique de l'*acquis communautaire* que l'on soumet à tout impétrant relève davantage d'une sorte de normalisation technique que d'une invite au partage d'un projet. Elle s'apparente à un requis économique plutôt qu'à un bien commun. La seule convergence dont on puisse parler et sur laquelle on puisse se fonder reste la convergence monétaire, alors que l'idée même de convergence est philosophiquement assez riche pour se penser comme un consensus sur des prétentions à la vérité. Ainsi, contrairement à une idée reçue, les craintes associées à l'Europe résultent moins de ce que celle-ci énonce ou propose que du fait que, par manque de volonté collective ou par construction, elle se révèle incapable de proposer sur le plan identitaire ou symbolique. Quand les Scandinaves redoutent les conséquences de leur entrée dans l'Europe, c'est moins parce qu'à leur propre projet ils se voient opposer un schéma concurrent, clairement défini ou intangible, mais qu'à l'érosion inexorable de leur modèle historique (la social-démocratie est en crise en Europe du Nord) répond un projet européen incertain. On a affaire non pas à l'affrontement structuré de deux représentations du monde, de deux prétentions au vrai, mais à la confrontation informe de deux incertitudes, de deux propensions au doute[48]. Ainsi, l'Europe ne parvient pas à construire de nouvelles attentes post-nationales à partir de la remise en cause des expériences nationales. Elle ne parvient au mieux qu'à endiguer par des disciplines communes les périls d'un cheminement solitaire. Même dans les sociétés où, comme en Espagne, l'Europe a beaucoup contribué à la modernisation depuis la fin du franquisme et où le sentiment européen reste majoritairement positif, l'idée européenne ne parvient pas à proposer un modèle positif qu'on pourrait reproduire pour combler la distanciation vis-à-vis de la politique, le recul du civisme et le repli sur les affects.

Au travers de cet exemple européen, on se trouve en réalité en présence d'un problème plus général, au cœur même de la crise du sens : les lignes de partage de valeur, d'intérêts et de sens se vivent d'autant plus mal qu'elles mettent en présence des forces ou des acteurs privés de certitudes sur leur propre devenir et implicitement convaincus du déclin de leur modèle initial de référence. L'Europe en vient donc à être perçue comme l'instrument de conversion brutale des Européens à une mondialisation sans racine et sans visage, alors que le sens de l'Europe est précisément de favoriser la démarche inverse.

L'Europe du sens, riche de sa diversité et de son histoire, trouverait avantage à se doter, plutôt que d'une identité bornée, rigide et exclusive[49], d'une « identité de frontière » (au sens que donne Magris à ce terme en parlant de Trieste). Celle-ci reposerait sur une diversité qui refuserait de se laisser réduire à l'unité, sur un particularisme ressenti sans être nécessairement défini, sur un sens collectif intériorisé plutôt qu'exhibé[50]. L'identité de l'Europe se vivrait sans avoir à se décliner.

Mais, simultanément, toute la dynamique de l'économie mondiale, toutes les contraintes des jeux de pouvoir mondiaux conduisent l'Europe de la puissance à resserrer ses mailles et à se penser et à s'organiser comme totalité, à voir dans toute entrave à la convergence et à l'harmonisation une sorte de brèche insupportable, annonciatrice d'un déclassement planétaire. L'Europe du sens s'identifierait au « modèle de Trieste », l'Europe de la puissance à celui de Bruxelles. La première inciterait les Européens à se « laisser vivre », sans se prêter aux inconvénients d'une identification préalable, tandis que la seconde les condamnerait à se définir de la manière la plus resserrée possible pour pouvoir survivre. Il n'y a pas de meilleure illustration du divorce entre sens et puissance.

CHAPITRE VI

La perte du lien entre les nations

« Le conflit, nous dit Simmel, désigne le moment positif qui tisse avec son caractère de négation une unité[1]. » Il crée donc entre l'ami et l'ennemi des repères conjoints et partagés, dès lors que ceux-ci respectent certaines règles et s'en tiennent à certains codes : à l'image de tous les grands schismes, la guerre froide fut donc à la fois conflit et identité. Cette identité a joué un rôle considérable dans la vie des pays pendant quarante-cinq ans. Elle a mis aux prises des nations conduites par des acteurs identiques (les Etats), des moyens comparables (les armes nucléaires) et surtout des finalités concurrentes (l'idéologie).

L'effet d'unité a aujourd'hui disparu. Comme dans d'autres champs sociaux, une ligne de conflit forte cède la place à des lignes de conflit dispersées et instables. Quelle que soit leur intensité, ces conflits diffus ou ouverts ont pour caractéristique commune d'échapper de plus en plus à la logique des affrontements traditionnels entre Etats. Cette perte de sens dans les conflits n'est pas propre au monde des Etats. Elle se retrouve également dans le monde du travail, un monde où ouvriers et employés vivent dans des univers trop atomisés pour que leurs revendications ou leurs combats s'emboîtent dans une logique d'ensemble qui leur donnerait un sens fort et collectif[2]. La crise du lien entre les nations et la crise du lien social vont aujourd'hui de pair. En lançant l'idée de « nouvel ordre international », ses promoteurs négligèrent ce rapport sociologique essentiel entre le conflit et l'identité. A une identité construite sur un conflit on a cru pouvoir substituer rapidement une identité collective fondée sur la coopération et l'interdépendance. Implicitement, l'hypothèse du nouvel ordre mondial reposait sur l'existence d'une relation complémentaire entre le consensus planétaire, très superficiel, consécutif à l'effondrement du mur de Berlin, la mondialisation des problèmes et l'universalisation de la problématique de la « démocratie de marché ». La guerre froide était ainsi perçue comme un voile qui avait obscurci la réalité du monde, sa fin comme une vaste opération de dévoilement de la réalité éclairée par la Raison.

En mettant à bas les clivages idéologiques, l'après-guerre froide était censée restaurer une sorte de contrat naturel entre nations. Or cette démarche semble devoir se heurter à deux obstacles considérables. Le premier découle des « effets en chaîne » — politiques, sociaux et psychologiques — consécutifs à ce que l'on appelle la « privation d'ennemi ». La seconde résulte de la difficulté, paradoxale, à créer un lien social fort entre les nations au moment où celles-ci se trouvent de plus en plus interdépendantes.

La privation d'ennemi

Le rapport à l'Autre constitue l'un des problèmes fondamentaux de toute société humaine organisée. Pour se définir elle-même, elle a besoin de se construire ou de se trouver une extériorité, un étranger. Prolongeant l'analyse de Simmel sur le rapport entre conflit et identité, Carl Schmidt est allé jusqu'à dire que la discrimination entre l'ami et l'ennemi est à la base du politique et constitue la raison d'être des Etats, détenteurs du *jus belli* [3].

Le pouvoir de nommer l'ennemi serait ainsi l'acte politique par excellence et la condition même de l'existence d'un sens à l'organisation des rapports entre les hommes. Avec cet ennemi la relation ne sera pas systématiquement conflictuelle ; elle ne débouchera pas non plus sur la guerre ouverte. Mais il y aura en permanence avec lui un rapport d'extériorité qui exclut un accommodement durable et n'écarte pas l'éventualité d'une guerre :

« L'ennemi politique ne sera pas nécessairement mauvais dans l'ordre de la moralité ou laid dans l'ordre esthétique. Il ne jouera pas forcément le rôle d'un concurrent au niveau de l'économie ; il pourra même, à l'occasion, paraître avantageux de faire des affaires avec lui. [...]

« Il se trouve simplement qu'il est l'Autre, l'étranger et que les conflits avec lui ne sauraient être résolus ni par un ensemble de normes générales [...] ni par la sentence d'un tiers[4]. »

Il n'y a pour autant pas de fatalité ou de nécessité historique à se construire un nouvel ennemi. L'exemple historique de la Chine ancienne montre d'ailleurs que si l'ennemi est générateur d'identité, la privation d'ennemi peut conduire à l'exploitation d'autres sources de sens, d'autres mécanismes d'identité.

Le modèle historique de la Chine ancienne

Dans l'histoire de la Chine, on trouve deux grands modèles d'articulation du sens et de la puissance[5]. Le premier modèle se situe entre le IVe et le IIIe siècle avant J.-C. Au départ, la Chine ne constitue pas un ensemble unifié. Son empereur — le fils du Ciel — se trouve dépourvu de toute autorité politique. L'empire se compose d'une mosaïque de fiefs seigneuriaux se combattant en permanence et cherchant à s'imposer l'un à l'autre. Dans l'une de ces royautés — celle de Qin —, un ministre tente, au IVe siècle avant J.-C., une véritable percée idéologique en théorisant l'hégémonie du royaume de Qin sur les autres royautés.

Pour Shang Yang, le fondement de la domination doit reposer sur la manipulation. Mais, à l'encontre de ce que l'on pourrait penser, la manipulation ne se définit pas comme un exercice raffiné fondé sur la ruse, l'équivoque, l'incertitude ou l'opacité. Bien au contraire, elle tend à fonder la domination sur la brutalité de ses objectifs. Autrement dit, l'ambition politique du *légisme* — la théorie de Shang Yang — consiste à faire admettre aux peuples chinois que le pouvoir d'Etat est nécessaire, inéluctable, même s'il y a antagonisme absolu entre ses intérêts et ceux du peuple, même si le bien de l'Etat est un mal pour les autres, même si la domination de l'Etat transforme les sujets en esclaves. Il ne s'agit plus de dominer par la ruse, mais de dominer en tuant la ruse. Pour y parvenir, la domination doit être intériorisée par chaque famille plutôt qu'imposée par des agents de l'ordre public, car, selon Shang Yang, « quand l'ordre est assuré par chaque famille, le souverain règne sur l'univers [6] ».

Pour rendre implacable et prévisible l'application des lois, le système légiste s'appuie sur deux ressources fondamentales : l'agriculture et la guerre. La première doit « faire le plein dans les ventres pour mieux faire le vide dans les têtes », mais également permettre la constitution de surplus indispensables à tout effort de guerre. Ce qui fait la force de ce système, c'est le lien étroit qu'il établit entre la richesse et la guerre. La constitution de surplus agricoles comme la conduite de la guerre ont pour objectif de renforcer la puissance du royaume tout en contrôlant très étroitement la population. Le travail aux champs, comme la conscription, se trouvent être à peu près les seuls cadres sociaux dans lesquels vivent alors les Chinois du royaume de Qin. Dans cet édifice de la domination, tout ou presque semble avoir été prévu, y compris le risque de relâchement social consécutif à l'accumulation excessive de surplus agricoles.

Pour prévenir ce risque, le légisme envisage donc de détruire, au-delà d'un certain plafond, tous les surplus accumulés. Du même coup, on évacue le risque de voir apparaître des groupes marchands autonomes qui viendraient à contester le système de fer ainsi construit. La pérennité de l'ordre politique était ainsi théoriquement assurée par une destruction programmée et partielle de tous les surplus agricoles, de manière à permettre la reprise du cycle de production et de guerres avec les autres royaumes. La guerre est à la fois fin et moyen.

Tout, dans ce système, était donc prévu. Tout, sauf l'éventualité la plus lointaine : celle d'un succès complet de ce régime politique au point que tous les autres royaumes chinois soient soumis, que l'unité de la Chine soit réalisée et que disparaisse durablement le risque de guerre.

Et c'est précisément ce qui se produisit. En l'an 221 av. J.-C., un souverain Qin parvint à soumettre toute la Chine et à faire son unité. Mais, à peine la paix assurée, la puissance du royaume s'étiola, car le ciment qui faisait sa cohésion (l'existence d'un ennemi) avait disparu. Les surplus agricoles s'accumulèrent et cessèrent d'être détruits. La guerre n'avait plus de raison d'être puisque l'unité de la Chine était assurée.

Le système s'effondra alors, car l'empire ne parvenait plus à produire un sens. Certes, il continua à être confronté à des ennemis non chinois qu'il appelait Barbares. Mais ceux-ci se trouvent si éloignés du centre qu'ils finissent par devenir abstraits. Ils ne peuvent en aucun cas remplir la fonction mobilisatrice qui a été celle de la guerre contre les royaumes.

Cette privation d'ennemi traumatisa les élites. Confrontées à la brutalité de l'effondrement de l'empire qui venait de réaliser son unité, elles en vinrent à réfléchir collectivement aux moyens de redonner sens au système politique, pour lui permettre d'échapper aux inconvénients du système légiste. Bref, elles se penchèrent sur la même question que celle sur laquelle se penchent tous les grands Etats depuis la fin de l'après-guerre froide : comment se construire une identité en dehors de l'existence d'un ennemi ? Comment définir un lien entre nations en dehors de la guerre ?

A ces deux questions fondamentales, Jia-Yi tente de répondre dès la fin du IIe siècle av. J.-C., en « inventant » une politique du sens qui structurera la société chinoise jusqu'au XIXe siècle.

Il commence par tirer les leçons du volontarisme légiste et renoue avec la tradition confucéenne en privilégiant cette fois le rite par rapport à la loi. On reste toujours dans l'épure d'une adéquation entre société et nature. Mais la nature est synonyme de conventions plutôt que de brutalité. Au système légiste succède un système ritualiste qui propose une structure de sens collective construite sur un double niveau : celui de la société et celui de l'Etat. Au niveau de l'Etat, le système ritualiste construit une nouvelle symbolique qui s'exprime dans le *Mingtang*, le palais des Lumières. Ce dernier s'offre comme une représentation du monde avec son toit rond — comme le Ciel — supporté par une base carrée — la Terre — comportant quatre façades orientées selon quatre directions autour d'une salle centrale [...]. L'empereur se déplaçait dans cette demeure afin de correspondre à la saison convenable et de signifier, de par sa position, la configuration du moment [...]. La déambulation générale du souverain tissait la trame d'un temps saisonnier converti en norme liturgique [...]. Ainsi, le souverain, par ses pérégrinations dans un bâtiment qui se donne pour l'univers [...], diffuse et sécrète par réduction symbolique la configuration structurante de la nature. Il accomplit par là même un double acte d'éducation et de gouvernement »[7].

Le souverain devient ainsi le symbole d'une norme céleste diffusée non seulement dans toute la société chinoise, mais au-delà, chez les « Barbares ». Ce sont les gestes rituels du souverain, consignés dans les édits royaux et diffusés par les écoles, qui dégagent un sens. Celui-ci exprime le mouvement céleste à travers les rites. C'est le rite qui fonde la puissance en ce qu'il permet la cohésion de la société à partir de la famille, mais également la diffusion d'un message civilisateur pour les Barbares, qu'on appelle aussi les « crus », car ils vivent dans un monde où le Ciel ne recouvre plus la Terre. Il y a dans le ritualisme un sens pour soi et un sens pour les autres, un sens instrumentalisé mis au service d'une puissance. Le sens est pensé politiquement pour assurer la pérennité de l'empire, pour échapper à la définition identitaire fondée sur un rapport trop fort, voire exclusif avec l'ennemi. Le fait que ce système de sens a tenu du IIe siècle av. J.-C. au XIXe siècle (autrement dit jusqu'à la pénétration occidentale) alors que le système légiste ne dura pas plus de deux siècles, permet de tirer quatre leçons provisoires mais peut-être essentielles à la compréhension de l'après-guerre froide :

— de manière implicite ou explicite, les sociétés humaines et politiques ont toutes besoin de sens pour s'organiser et survivre face aux autres ;

— la construction de systèmes de sens fondés sur l'existence d'un ennemi total a des vertus mobilisatrices fortes, mais également très vulnérables sur la longue période ;

— il n'y a pas de fatalité à bâtir un système de sens fondé sur la seule existence d'un ennemi total. La construction d'une extériorité fondée sur des valeurs est préférable, car plus féconde, à la confusion hâtive facilement faite entre extériorité et ennemi, entre l'indispensable définition de soi et l'inévitable stigmatisation de l'Autre ;

— les systèmes de sens ont besoin, pour se construire, de reposer sur une combinaison d'actes volontaires et de valeurs politiques ou culturelles préexistantes.

L'avenir de la guerre

L'effondrement de l'Union soviétique a eu lieu à un rythme et dans des conditions exceptionnels qui ne sont pas sans rappeler les conditions d'effondrement du premier empire chinois. On a assisté non seulement à l'engloutissement d'un régime dont la légitimité reposait sur l'éventualité de la guerre ou en tout cas sur la permanence du conflit. Mais, de surcroît, cet engloutissement s'est effectué sans transition aucune, comme s'il n'y avait pas de situation intermédiaire possible entre sa posture agressive et son effondrement complet.

Cette perte de sens consécutive à la privation d'ennemi affecte en premier lieu l'instrument d'action le plus crucial de la guerre froide : l'outil militaire. Il y avait alors en Occident un consensus social assez large pour accepter un effort de guerre proportionnel à la perception de la menace. Mais il y avait de surcroît une relative unité quant aux buts ultimes de la guerre. On peut donc dire qu'il y avait cohésion, articulation entre la puissance militaire (moyens) et la politique militaire (objectifs), entre le sens et la puissance. Avec l'effondrement de l'« ennemi total », cette articulation vole en éclats. Les politiques militaires n'ont, ni à l'Ouest ni à l'Est, la possibilité de se recycler dans la définition d'un « nouvel ennemi » qui aurait les vertus de cohérence qu'avait pour les sociétés occidentales le modèle soviétique. En effet, il serait illusoire et superficiel de croire que la définition d'un nouvel ennemi — musulman ou japonais — redonnerait instantanément sens aux rapports internationaux, rétablirait un lien fort entre nations. Car, derrière l'effondrement de l'Union soviétique, deux interrogations essentielles sont posées : celle de l'avenir de la guerre et de la puissance militaire dans les relations entre grandes puissances, celle aussi de l'avenir des rapports entre Etats dans un système mondial qui ne se limite plus à eux.

La guerre impensable entre nations démocratiques

Avec la mort de l'URSS, il est désormais possible d'envisager une transformation des règles du jeu mondial sans que cette transformation soit nécessairement précédée par un affrontement militaire généralisé entre les puissances dominantes du monde. Certes, la décomposition de l'ancien empire soviétique et la montée du nationalisme russe rendent difficile la construction d'une perception collective fondée sur l'idée d'une pacification des rapports mondiaux. Pourtant, la somme des conflits en cours ou à venir est sans commune mesure avec les coûts potentiels d'un holocauste consécutif à l'affrontement nucléaire entre les deux grandes anciennes puissances.

C'est pourquoi, même si le monde de l'après-guerre froide semble fort éloigné du *Projet de paix perpétuelle* dont avait parlé Kant, la fin de l'Union soviétique confirme la propension historique des grandes nations développées à ne pas recourir à la guerre pour régler leurs différends[8] : on a, par exemple, aujourd'hui peine à imaginer l'éventualité d'un conflit militaire entre la France et l'Allemagne, entre la France et l'Angleterre ou entre les Etats-Unis et le Canada. Dans ce processus, trois éléments se combinent et s'entretiennent : la pertinence décroissante des gains territoriaux en tant que source de renforcement de la puissance d'une nation, le poids bien connu des interdépendances économiques, la convergence croissante des systèmes politiques. Pris séparément, aucun de ces facteurs ne garantit le non-recours à la force. Albert Hirschman a ainsi souligné que l'interdépendance économique pouvait être une source de guerre[9]. Par ailleurs, les phénomènes de mondialisation ou de dématérialisation économiques n'ont pas vocation à abolir, comme on le croit trop souvent, les conflits de territorialité symbolique (localisation du siège de la Banque Centrale Européenne et des différentes institutions créées par le traité de Maastricht...) [10]. Mais, dans ces conflits comme dans d'autres, le recours à la force paraît impensable pour des raisons de coût, d'efficacité et de valeurs [11].

Même si la Russie n'épouse pas les contours les plus achevés d'une « démocratie de marché », même si la tentation de recourir occasionnellement à la force militaire constitue pour ses dirigeants une ressource politique considérable, notamment pour « rassembler » les Russes vivant en dehors de la nouvelle Russie, il est exclu que celle-ci puisse se reconstruire et se repenser sur la base de la seule hostilité à l'Occident. Dans ce vaste pays, l'éclatement infini des représentations et des identités est trop fort, trop avancé pour que, par simple enchantement, un acteur politique ou religieux vienne prendre en charge la crise du sens [12]. Ce processus paraît d'autant plus difficile à gérer que c'est peut-être la première fois dans l'histoire moderne de la Russie que la construction d'une identité nationale ou politique ne peut plus s'adosser, pourrait-on dire, à l'existence d'une forte menace extérieure pour se reconstruire. Si menace il y a, elle vient avant tout des Russes eux-mêmes quand bien même les Etats occidentaux, et singulièrement les Etats-Unis — ont, dans les premières années de l'après-guerre froide, conduit une politique systématique d'humiliation politique de la Russie, politique dont on commence à peine à prendre conscience. Curieusement, peu de gens se sont à ce jour avisés de mesurer les responsabilités de l'Occident dans les crispations nationalistes russes.

Quoi qu'il en soit, avec l'effondrement de l'URSS, nous assistons probablement à l'élargissement du cercle des nations pour qui la guerre généralisée est devenue difficilement pensable. Dans ce cercle prennent place non seulement l'ensemble des Etats démocratiques occidentaux, mais peut-être aussi certains espaces démocratisés d'Amérique latine.

La renonciation simultanée de l'Argentine et du Brésil à l'arme nucléaire en témoigne. Dans cette partie du monde, la baisse tendancielle du recours à la force pour régler les rapports entre nations doit beaucoup à l'avènement de régimes politiques démocratiques qui, plus que partout ailleurs, se sont construits contre des régimes militaires.

Recourir à la force revient en effet à réintroduire les militaires dans l'arène politique et à mettre en péril un jeu démocratique toujours précaire. On constate d'ailleurs — au Brésil notamment — que les dérèglements économiques et sociaux recréent dans certains secteurs de la population une demande d'ordre et donc de retour des militaires au pouvoir[13]. L'acquis démocratique est trop fragile et trop récent pour rendre à lui seul impensable le recours à la guerre. Cela étant, on aurait tort d'en minimiser l'influence si l'on admet que ce facteur se conjugue avec d'autres qui vont dans le même sens. Il y a en effet une disparition des universaux auxquels les nations latino-américaines, par exemple, pourraient avoir recours pour légitimer un conflit armé. Même la ressource « nationaliste » se trouve aujourd'hui sérieusement ébranlée soit parce qu'elle est identifiée au pouvoir militaire, soit parce que, fondamentalement, personne ne peut croire qu'une politique nationale d'isolement puisse faire avancer la solution du moindre problème collectif[14]. De ce point de vue, les politiques de réformes économiques libérales ont fortement contribué à faire sauter les verrous nationalistes encore existants en Amérique latine[15]. De manière chaotique, mais probablement croissante, les Etats latino-américains semblent convenir de la nécessité d'atténuer non seulement leur fragmentation politique par la répudiation de la guerre, mais également de la transcender par la dynamique du regroupement économique. Mais, à la différence de ce qui prévalait dans les années soixante, la recherche d'une certaine unité ne se fonde plus sur une identité politique volontariste. Elle se définit et se construit sur la base d'une nécessité : s'unir pour prévenir un déclassement économique à l'échelle mondiale.

Sur tous ces facteurs s'en greffe un dernier, qui n'est pas le moindre : en Amérique latine comme dans le reste du monde, la plupart des enjeux tendent à se penser, à se poser et à se résoudre à des niveaux qui chevauchent le cadre national étatique. C'est le cas des grands problèmes sociaux — drogue, criminalité, environnement — ou des grands enjeux économiques — libéralisation économique, endettement. Face à ces défis, la mobilisation de certains moyens militaires et le recours à la force ne sont naturellement pas exclus. Le rôle croissant joué par les militaires dans la lutte contre les narco-trafiquants en témoigne. Mais, là encore, il existe, en termes de sens et de symbolique politique, une différence fondamentale entre des systèmes sociopolitiques qui font de l'éventualité du recours à la force armée contre un ennemi déclaré un élément central de leur identité politique (comme ce fut le cas pendant la guerre froide) et des régimes politiques qui l'utilisent de manière occasionnelle ou durable pour combattre des adversaires qui contestent leur autorité.

Partout où elle devient de plus en plus impensable, la guerre conduit nécessairement les nations à s'inventer d'autres modes d'identification que ceux de la « nation en armes ». Il est par exemple frappant de voir comment et combien la fin de la guerre froide remet en cause une partie de l'identité politique de la Suisse, fondée pourtant sur la neutralité. Les vifs débats en cours dans ce pays sur l'avenir de l'armée de conscription soulignent l'extrême difficulté à maintenir une tension collective forte dans un contexte d'affaiblissement de la menace de l'Est et de construction politique de l'Europe. La disparition de la menace est ainsi étroitement liée à l'impossibilité de poursuivre une politique de défense sur des bases strictement nationales.

Guerre et identité

Ce que sanctionne la fin de la guerre froide, ce n'est certainement pas la guerre en tant que modalité de recours à la force entre les hommes, mais l'épuisement de la valeur de la guerre en tant qu'instrument de construction d'une identité collective nationale portée par l'Etat. Ce qui tendanciellement recule, c'est moins la guerre en tant qu'instrument de recours à la violence armée que la guerre en tant qu'instrument de régulation entre nations. S'il est difficile de voir et de lire — sinon de manière très fragmentaire — l'après-guerre froide comme l'émergence d'un système kantien fondé sur l'élévation de la conscience universelle d'un bien commun, il semble acquis que le nom de l'après-guerre froide se lira de moins en moins comme un système rousseauiste où la guerre se définissait fondamentalement comme une « relation d'Etat à Etat [16] ». Il y aurait ainsi une relation étroite entre le déclin relatif de la violence interétatique et l'affaiblissement du rôle des Etats dans la dynamique mondiale. Cette réalité ne ferait que confirmer ce que la sociologie historique a toujours souligné : le rôle décisif de la guerre dans la création des Etats [17].

La résurgence de grands conflits régionaux interétatiques n'est pas pour autant à exclure. Paradoxalement, c'est d'ailleurs en Asie — où la prospérité économique s'accroît indiscutablement — que ce risque est le plus grand, en raison de l'absence d'identité régionale forte et de l'impossibilité pour un acteur de s'imposer naturellement aux autres (Japon, Inde, Chine, Corée). Mais il est désormais improbable de voir se construire des ordres régionaux dont la structure aurait été clarifiée ou simplifiée par un affrontement militaire classique entre Etats.

Encore une fois, ce recul des guerres interétatiques classiques n'est annonciateur ni d'un apaisement des conflits ni de leur recrudescence, mais plus fondamentalement d'une perte de sens. Autrement dit, les conflits armés dégageront de moins en moins de signification politique immédiate et traduisible par rapport à une représentation globale du monde. Au rebours de l'idée de nouvel ordre mondial, les conflits régionaux tendent à s'inscrire de plus en plus dans un rapport plus lâche avec les Etats et les catégories de l'universel. La désaffiliation vis-à-vis de l'universel signifie que les acteurs peuvent poursuivre leurs buts de guerre sans avoir à s'arrimer à une problématique universaliste, sans recourir à des discours nouveaux ou structurés, indispensables à la poursuite du combat. Les rebelles angolais de l'UNITA en Angola ou les Khmers rouges au Cambodge continuent la lutte contre les pouvoirs en place alors que le contexte mondial qui les portait précédemment s'est désintégré. La désidéologisation du monde les dispense désormais de produire un discours politique articulé pour les aider à mobiliser des soutiens internationaux de type politique ou militaire.

La contrepartie de cette perte de repères politiques et universalistes est une violation sans précédent des règles de la guerre, notamment l'association croissante des civils aux logiques de guerre. Dans la quasi-totalité des conflits régionaux qui survivent à la guerre froide mais dans des contextes radicalement modifiés (Angola, Cambodge, Afghanistan), on est passé d'une dynamique d'internationalisation balisée par les superpuissances à une internationalisation construite parfois sur le vide, d'une désaffiliation universaliste à une affiliation particulariste. La prédation économique, le pouvoir brut ou l'inertie de la guerre sont autant des moyens que des buts de guerre : on ne fait pas nécessairement la guerre pour atteindre des objectifs préalablement définis, et c'est en faisant la guerre que l'on trouve la motivation nécessaire à sa poursuite. Dans ces cas — particulièrement nombreux —, la guerre n'est plus la continuation de la politique par d'autres moyens — comme dans le schéma classique de Clausewitz — mais parfois l'expression première de formes d'action ou d'organisation en quête de sens. Elle n'est plus — ou en tout cas de moins en moins — une institution soigneusement contrôlée ou manipulée par les Etats[18]. Elle est plutôt un processus qui révèle le dérèglement interne de certaines sociétés et les pertes de sens qui en découlent[19]. La guerre devient ainsi non pas le moyen ultime d'atteindre des objectifs, mais la manière la plus « efficace » de s'en trouver un. La capacité de mobiliser des soutiens de type ethnique ou régional est beaucoup plus imposante que la recherche de parrainages politiques extérieurs. C'est pourquoi la fin du soutien sud-africain à l'UNITA ou du soutien chinois aux Khmers rouges n'a pas radicalement modifié la force respective de ces mouvements[20].

Cette désaffiliation idéologique des conflits est cependant étroitement liée à un autre processus, tout aussi fondamental : la désaffiliation étatique. Pour poursuivre la guerre et conquérir le pouvoir, il importe avant tout d'entrer et de se maintenir sur le marché de la guerre, compris au sens du lieu où s'échangent des armes contre des ressources plus ou moins rares.

Dans le conflit cambodgien, le facteur externe reste essentiel à la survie politique des Khmers rouges. Mais les considérations géopolitiques traditionnelles ou idéologiques sont supplantées par des facteurs économiques et les acteurs étatiques par une association complexe d'acteurs sociaux, de factions politiques ou militaires. C'est cette désaffiliation étatique et universaliste où logiques publiques et privées se mêlent, où considérations économiques et calculs politiques s'entrecroisent qui nous conduit à parler, de manière croissante et approximative, des « mafias », pour désigner des processus et des acteurs avec lesquels nous commençons à peine à nous familiariser. L'alliance des militaires et d'hommes d'affaires thaïlandais se manifeste aussi non seulement au Cambodge, mais également au Laos, en Birmanie et demain peut-être au Vietnam[21].

Pour autant, la désaffiliation étatique des conflits ne doit pas nous conduire à enterrer trop rapidement le jeu toujours complexe des Etats. La logique de prédation à laquelle se livrent les acteurs thaïlandais dans la région est bel et bien compatible avec un projet hégémonique classique dans la région : la reconstruction d'une grande Thaïlande[22].

De surcroît, les Etats jouent paradoxalement un rôle croissant dans cette désaffiliation étatique des conflits. Dans certains cas, comme celui du Cambodge, la privatisation de la guerre sert d'écran à l'enrichissement des dirigeants thaïlandais mais également à leur projet hégémonique. Dans d'autres, ce sont les Etats, avides de ressources financières, qui alimentent sans retenue ni principes politiques les marchés privés de la guerre. La Russie, les anciennes républiques soviétiques ou les anciens pays d'Europe de l'Est contribuent grandement à cette dynamique de dérégulation de la guerre à l'échelle internationale. Là encore, sens et puissance se trouvent très fortement disjoints.

On comprendra donc aisément que, dans le monde de l'après-guerre froide, le problème central de la guerre se posera moins en termes *d'intensité que d'identité*. Autrement dit, l'enjeu est moins de se demander si nous allons vers un monde plus pacifié ou plus conflictuel que de pouvoir donner une signification, un sens à l'enchevêtrement d'espaces de guerre et d'espaces pacifiés.

CHAPITRE VII

Le lien social mondial (I)
Des conflits sans identité

Si, avec la fin du grand schisme Est-Ouest, la guerre semble devoir changer d'identité, c'est bien parce que nous affrontons une mutation profonde du jeu mondial. D'un système très largement pris en charge et régulé par les seuls Etats, nous glissons vers un système social mondial où il n'y a désormais plus de frontière entre l'interne et l'externe, et ce pour les Etats qui ont perdu leur ennemi, pour les entreprises qui doivent faire face à la mondialisation du marché autant que pour les individus qui ne peuvent plus se soustraire au processus de mondialisation. Mais ce système social mondial paraît loin d'être pleinement constitué et organisé. Les dynamiques économiques ou sociales qui le traversent éprouvent des difficultés à faire système. Autrement dit, les multiples acteurs et enjeux qui se manifestent dans le monde n'entretiennent pas toujours entre eux des relations stables, identifiables, régulières ou complémentaires [1]. En se mondialisant, le lien social se dérègle.

Au sein de ce système social mondial, la question traditionnelle de la paix et de la guerre entre nations demeure bien présente. Pourtant, elle ne permettra plus de conférer un sens à la réalité du monde, et la paix ne garantira plus à elle seule la sécurité de ce monde. Des slogans tels que « le monde vit en paix » seront par exemple de plus en plus difficiles à exprimer, même sur un plan régional, non seulement parce que les réalités de ce monde seront de plus en plus contrastées, mais aussi et surtout parce que l'état de paix — techniquement la non-belligérance — s'identifiera de moins en moins à la sécurité d'une nation. L'Europe communautaire vit par exemple de manière forte et simultanée avec l'idée que la guerre est désormais impensable entre nations de l'Union europénne et que la guerre gronde en Europe (Yougoslavie). Le caractère extrêmement contrasté et simultané de ces deux perceptions complique à l'évidence la construction de représentations stables et amplifie le sentiment d'insécurité : on pourra vivre en paix tout en se sentant en insécurité.

C'est pourquoi ce qui entre en jeu, c'est peut-être moins l'équilibre stratégique classique entre unités étatiques concurrentes que l'équilibre de systèmes sociaux mondialisés, désireux de trouver des articulations nouvelles entre sens (identité) et puissance (ressources). Ainsi verra-t-on émerger un nombre considérable d'enjeux, de problèmes et de crises qui affecteront durablement l'équilibre du système social mondial, sans pour autant bouleverser le traditionnel rapport de paix et de guerre entre nations. Un désastre écologique, une pandémie, un piratage informatique mondialisé, des manipulations financières ou génétiques, des opérations de désinformation ou des délocalisations économiques massives sont autant de sources potentielles de déséquilibres qui s'accommoderont parfaitement d'un état de paix entre nations. On peut pousser le raisonnement encore plus loin et dire que la manifestation de certains de ces déséquilibres implique nécessairement l'existence d'un espace interétatique pacifié et réglementé. Les trafiquants de drogue et les mafias ont besoin de la stabilité du monde occidental pour faire fructifier leurs bénéfices. Raymond Aron avait pu définir la guerre froide comme une relation dialectique entre « paix impossible et guerre improbable ». L'après-guerre froide pourrait se définir comme un rapport entre une « pacification imparfaite et une sécurité introuvable ».

Au début du précédent chapitre, nous disions que la crise du lien entre les nations ressemblait à la crise du lien social à l'intérieur de chaque nation. Il nous faut désormais pousser plus loin cette remarque et montrer que cette coïncidence n'est pas fortuite, que la crise du lien entre les nations n'est en fait rien d'autre que l'expression de la crise du lien social mondial. Il est désormais impossible de dissocier les champs sociaux, de vivre dans la fiction d'un « espace international » détaché de l'« espace social ». Il en découle non seulement une interaction croissante entre acteurs sociaux (Etats, entreprises, associations, etc.) — ce que l'on sait d'ailleurs depuis fort longtemps — mais une analogie croissante dans leurs modes d'action — ce qui est plus nouveau. Cette analogie n'est pas fortuite, mais plutôt l'expression de la naissance d'un système social mondial.

Il est en effet frappant de voir aujourd'hui que la difficulté qu'ont les nations à établir un lien entre elles après la guerre froide se double d'une difficulté parallèle des acteurs sociaux (ouvriers, syndicats, patronat) à penser de nouveaux rapports au-delà de l'imaginaire de la lutte des classes et donc au-delà de la guerre froide. Comme les Etats qui doivent repenser totalement leur rapport à la sécurité par-delà le binôme « paix/guerre », les acteurs sociaux se doivent de penser la sécurité du monde du travail par-delà le binôme « travail/chômage ». Il y a au cœur de chaque nation comme dans les relations entre nations une remise en cause du fondement et de la finalité du lien social, si l'on admet que le rapport à la guerre symbolisait en termes génériques le rapport à l'Autre dans un système interétatique et que le rapport au travail symbolisait en termes tout aussi génériques le rapport aux autres dans le monde du travail. En soi, ni la guerre ni le travail ne disparaissent naturellement du champ du pensable. Mais le rapport à la guerre comme le rapport au travail n'ont plus la fonction identitaire explicite qu'ils avaient entre nations et dans les sociétés. Ils n'ont plus les vertus « englobantes » qu'ils exerçaient dans la vie collective des sociétés et des nations.

Cette évolution s'exprime et se manifeste sur au moins deux plans :

— par un découplage entre conflit et identité ;
— par la recherche prioritaire d'une identité qui relègue au second plan l'idée de projet collectif.

Les conflits sont privés d'identité

Dans le découplage entre conflit et identité, la décrue idéologique joue un rôle essentiel. Mais cette explication ne suffit guère. L'ébranlement des identités de conflit affecte aussi les systèmes sociaux-démocrates fondés sur le compromis, confirmant bien ainsi que la perte de sens des conflits sociaux (comme, du reste, des conflits militaires) est moins affaire d'intensité que d'identité. Les conflits sont plus que jamais présents, mais on ne parvient pas à les lire clairement.

Deux facteurs se conjuguent et se nourrissent l'un l'autre : la mondialisation des activités et le progrès technologique.

La mondialisation tend en effet à détruire de plus en plus l'unité de lieu, le foyer identitaire, le cadre spatial commun dans lesquels les acteurs sociaux se connaissent et se reconnaissent. Les activités de production, de recherche, de comptabilité ou de formation se trouvent dispersées, accentuant la désaffiliation territoriale des entreprises. Cet éclatement est avivé par le déracinement de la compétition économique qui exacerbe la concurrence entre les territoires (délocalisation) et de plus en plus entre centres de profit au sein d'une même entreprise. La révolution de l'information aidant, les coûts de démantèlement ou de transfert des activités d'une région à une autre ou d'un pays à un autre tendent à diminuer[2]. Par exemple, une entreprise parvient désormais à organiser son activité de production sur la base d'une journée de vingt-quatre heures sans recourir pour autant au travail de nuit : il lui suffit de transférer électroniquement ses données de production vers un pays appartenant à une autre zone horaire[3]. En termes de sens, la conséquence la plus fondamentale de cette évolution est de placer la relation entre mondialisation et universalité sur une base de plus en plus antagonique sans pour autant créer une nouvelle identité de conflit, stable et englobante. Le sentiment d'appartenir à un monde commun n'entraîne pas le partage d'un sens commun[4].

Alors que les conflits sociaux pouvaient trouver leur prolongement dans l'imaginaire de la lutte des classes à l'échelle mondiale, la mondialisation installe le sentiment de vulnérabilité professionnelle ainsi que la perception d'un choix inéluctable entre la préservation de son intérêt et celui d'un Autre, indéfinissable ou fluctuant. Pour autant, la recomposition du conflit social sur des bases identitaires nouvelles fondées sur un clivage entre le national et le mondial semble bien improbable. D'une part parce que, au fur et à mesure que le rapport à la mondialisation se vit en termes plus conflictuels par les nations, la tension et les arbitrages liés à celle-ci tendent à se répercuter sur le plan national, sous la forme d'une opposition — ou tout au moins d'une tension — entre « secteur protégé » (fonctionnaires) et « secteur exposé » (secteur privé). En dépit d'une croissance du sentiment général d'insécurité économique, celui-ci reste d'ailleurs très inégalement ressenti selon précisément son appartenance au secteur exposé ou protégé[5].

D'autre part, à supposer que cette reconstruction de l'identité par le conflit puisse s'opérer par le biais de la mondialisation — comme l'a suggéré le débat sur le GATT et la culture en 1993 —, elle ne pourra guère se faire sur la base d'un clivage entre métiers ou entre acteurs sociaux, car l'émiettement du monde du travail provoqué par le progrès technologique est considérable. La révolution de l'intelligence et les progrès de la robotisation ont entraîné le déclassement d'un grand nombre de métiers auxquels s'attachait une forte identité (le mineur ou le sidérurgiste, etc.). Ils provoquent ainsi une refonte profonde et globale du salariat et des métiers et, par là, la progression des métiers de services au détriment des emplois industriels. Simultanément, le rapport qui liait l'homme à la machine a disparu au profit de l'hyperspécialisation des métiers qui gêne leur unification symbolique, accélère la transformation des systèmes classiques de production de masse en renforçant les formes de travail partiel ou intérimaire. Parce que le travail s'identifie de plus en plus à un service et de moins en moins à une machine, il tend à devenir abstrait. On parle d'ailleurs de plus en plus d'emploi et de moins en moins de métier, comme s'il s'agissait plus d'acquérir une position dans une hiérarchie plutôt que d'avoir une compétence ou une qualification pourvoyeuse — en tant que telle — d'identité[6]. Ce déficit de sens a une conséquence paradoxale, socialement déstabilisante : il conduit à voir le travail, l'emploi comme un dû que la société n'est pas capable de satisfaire, au moment où l'Etat tend à dégager sa responsabilité et à limiter ses engagements[7]. Dans ce domaine comme dans d'autres, l'acuité économique et sociale d'un problème (l'emploi) est indéniablement amplifiée par la difficulté qu'ont les acteurs à se représenter leur réalité, à symboliser leur présent et leur avenir.

La crise du sens
ou la difficulté de penser l'unité

Les acteurs sociaux se trouvent ainsi confrontés à cette manifestation de la crise du sens : ils ressentent les différences qui les séparent les uns des autres pour se forger une identité, mais ils ont de la peine à formaliser cette différence, à la systématiser. En même temps, le besoin profond qu'ils éprouvent parfois de s'unir, de reconstituer des identités collectives face à tant de changements et de défis se heurte à la difficulté de penser leur unité.

Cette difficulté simultanée à penser la différence et l'unité se manifeste dans d'autres champs sociaux, et singulièrement dans le champ religieux où la question du sens est essentielle. Dans le monde chrétien par exemple, les démarches œcuméniques mesurent la réalité de cet obstacle. Catholiques et orthodoxes conviennent assez naturellement du caractère mineur de leurs divergences théologiques, mais ce constat commun conduit paradoxalement à une certaine désillusion. « Entre catholiques romains et orthodoxes par exemple, note Christian Duquoc, les divergences théologiques sont mineures. Mais on n'arrête pas d'y revenir sans comprendre qu'elles sont des métaphores de la séparation de fait [8]. » Par ailleurs, l'idée de clôture ou de totalité qu'implique parfois l'« unité » est de nature à accentuer le décalage réel entre institutions ecclésiastiques soucieuses de cohérence et pratiques religieuses dispersées. Il est à cet égard intéressant de constater que le Conseil œcuménique des Eglises admet que la fin de la guerre froide a modifié la représentation qu'il pouvait avoir de l'œcuménisme. « L'œcuménisme, déclarait ainsi récemment le pasteur Kaiser, était lié à une vision globale du monde où les particularismes constitueraient autant d'obstacles à surmonter. En 1993, ils sont revendiqués [9]. » D'autant que si les Eglises cherchent parfois à s'unir, les croyants ne pensent qu'à diversifier leurs pratiques et leurs affiliations.

Ainsi, quel que soit le domaine ou le champ social considéré, dès que l'on tente de recomposer des conflits éclatés ou des comportements autour d'un axe central et mobilisateur, celui-ci semble se dérober. D'autant que les conflits ne se résument plus à des jeux d'acteurs clairement identifiables. Ils s'inscrivent dans des processus, des enchaînements difficiles à décoder. La difficulté à penser et à combattre l'exclusion résulte du fait que les exclus présentent des profils hétérogènes, qu'ils sont davantage les victimes de logiques de situations que de logiques historiques ou sociales déterminées [10]. C'est la raison pour laquelle l'exclusion est identitairement déstructurante alors que l'exploitation était identitairement structurante [11]. On revendiquait le fait d'être exploité ; on assume difficilement sa situation d'exclu.

L'exploitation n'excluait pas l'espérance, car l' « exploité » était intégré. L'exclu, lui lutte contre la déchéance.

Ce qui est frappant, c'est de voir combien cette problématique se retrouve dans les relations internationales, dans les rapports entre Etats riches du Nord et Etats pauvres du Sud. Jamais, par exemple, l'existence d'un conflit Nord-Sud n'a semblé aussi naturellement s'imposer aux acteurs du système international. Mais, dès que l'on en vient à « formaliser » cette opposition, on bute sur la relativité des termes de Nord et de Sud, car il y a déjà beaucoup de Sud dans le Nord et de Nord dans le Sud. L'idée de conflit Nord-Sud renvoie d'ailleurs simultanément à celle d'un gouffre entre riches et pauvres — reflété par la pression migratoire — et à celle d'une capacité de rattrapage économique — traduite par la concurrence. Il y a également plusieurs Nord et plusieurs Sud. Et si entre le Nord et le Sud, les zones de frottement sont considérables, il existe également des zones de passage fort nombreuses dont les migrations, le commerce ou la diffusion des médias sont l'illustration quotidienne. Là encore, la logique de situation prime le déterminisme socio-historique des acteurs. Ainsi, si le conflit Nord-Sud est, tant au Nord qu'au Sud, vécu comme préoccupant, il ne parvient, ni au Nord ni au Sud, à recomposer de manière décisive les identités politiques des Etats. Et si le succès économique de l'Asie a définitivement ruiné les théories du « blocage » économique du Sud par le Nord, tout le monde admet que les modèles asiatiques ne sont que très imparfaitement reproductibles sous d'autres cieux. Dans ce domaine, comme dans d'autres d'ailleurs, le débat a gagné en maturité intellectuelle mais probablement perdu en efficacité politique. Autrement dit, le fait d'admettre la complexité des choses et des solutions entraîne une faible propension à rechercher des solutions nouvelles. Dans le domaine de l'aide au développement, par exemple, l'échec des processus de transfert de ressources du Nord vers le Sud conduit à la disqualification de l'idée même d'aide plutôt qu'à sa redéfinition. Les appels à l'augmentation de l'aide publique au développement résonnent dans le vide. Il faut dire que la fin de la guerre froide s'accompagne d'une dévalorisation préoccupante de l'idée même de redistribution, que celle-ci s'exprime sur un plan social (riches et pauvres), régional (régions intégrées, régions déclassées) ou international (pays riches, pays pauvres). Il est à cet égard frappant de voir combien l'idée de sécession gagne du terrain en Italie (comme on l'a vu), mais également au Brésil où le Sud développé ne voit pas pourquoi il continuerait à partager son appartenance avec un Nord miséreux [12].

Au sein des pays du Nord, le concept de « triade » — ensemble Etats-Unis-Europe-Japon — semble singulièrement pauvre au regard de ce que l'on appelait la « solidarité » atlantique. C'est un ensemble qui, de l'extérieur, apparaît intégré, mais qui en réalité ne fait nullement système. L'expression « monde occidental » sonne aujourd'hui presque faux, car l'accumulation de divergences d'intérêts dans les domaines de l'économie, de la défense et de la culture conduit à se demander si le socle intangible de valeurs communes n'est pas lui aussi en train de se fissurer. Mais, simultanément, Européens et Américains auraient bien du mal à formaliser leurs différences ou à réinterpréter leurs conflits d'intérêts dans la perspective plus large, et peut-être plus mobilisatrice, d'un conflit de valeurs. Rien de fondamental n'oppose Européens et Américains. Mais la définition de ce qui est fondamentalement commun reste précisément introuvable. Par moments, les Etats soucieux de leur légitimité semblent tentés d'enjoliver leurs conflits d'intérêts en les assimilant à des conflits de valeurs. Mais, simultanément, ils redoutent de voir qu'une telle remise en cause n'en vienne à fragiliser les réseaux existants d'une interdépendance forte et largement acquise. Tous les acteurs du système social mondial se trouvent ainsi confrontés à la nécessité de se différencier les uns des autres tout en se situant dans un jeu de contraintes communes.

A cette première disjonction s'ajoute une seconde, tout aussi paradoxale. Pour exister et survivre identitairement, il importe de trouver ses marques, de cultiver sa différence, de

construire son extériorité. Mais on sait également que toute
construction identitaire passe de plus en plus par l'interaction
avec l'Autre plutôt que par la sanctuarisation. Elle transite
par l'interdépendance plutôt que par l'introspection. Les
sociologues du travail ont par exemple bien souligné que
l'identité du travail était de plus en plus tributaire de facteurs
extérieurs. La qualification professionnelle ne suffit plus ; il
convient de la doubler d'une sorte de qualification sociale que
l'on peut définir par une capacité de communiquer avec les
autres, de se mettre en valeur en dehors du cadre strict de son
travail. « Le travail se différencie de moins en moins des
autres jeux de pouvoir et d'influence auxquels participe tout
individu en tant qu'être social [13]. » Il ne suffit donc plus de
vivre ses rapports sociaux sur un mode conflictuel pour
espérer dégager de cette relation une identité mieux définie
ou plus claire.

Les Etats se trouvent confrontés à une problématique à
peu près identique. Ils pourront occasionnellement trouver
dans l'apparition d'un adversaire politique une nouvelle
figure de l'ennemi. Mais la « rentabilité identitaire » de cette
démarche sera nécessairement limitée, et ce pour plusieurs
raisons. La première est d'ordre pratique. La montée de la
nippophobie, par exemple, restera toujours très relative tant
que le « consommateur nippophile » contredira par son
comportement le « citoyen nippophobe ». La diabolisation
du Japon ou du monde musulman ne permettra pas aux
sociétés occidentales de retrouver facilement une identité
après la guerre froide.

La seconde raison est plus fondamentale encore. Avec la
fin de la guerre froide, nous assistons à un bouleversement
profond du rapport à l'Autre, qui se situe bien au-delà de la
question de la privation d'ennemi. L'enjeu réside dans la
transformation de ce que Marcel Gauchet appelle l' « économie générale de l'altérité ». Dans la logique de guerre froide
comme dans toutes les logiques téléologiques qui l'ont
précédée, il y avait à la fois un Autre et un Au-delà [14].
Aujourd'hui, la réalité est singulièrement plus complexe, car

nous avons simultanément perdu le sens de la finalité et la figure de l'ennemi qui légitimait l'effort collectif tendu vers l'accès à cette finalité. Du coup, le champ de l'altérité se déplace du « dehors » vers le « dedans ». Il passe désormais à l'intérieur des sociétés et à l'intérieur même des individus [15]. Privées de repères stables, les sociétés deviennent « disponibles » pour des dislocations intérieures, dislocations résumées par l'expression brutale : « L'ennemi est en nous. » C'est cette thématique qui travaille l'Europe de l'Est sous l'expression générique et très approximative de « retour au nationalisme ». Et c'est son extension possible à l'Europe occidentale qui fait problème ». Ce basculement est fondamental, car il est au cœur de la crise du sens. Il sera en effet toujours plus difficile pour un individu ou une collectivité d'admettre que la source d'un problème est à chercher en soi plutôt que chez l'Autre. Il lui sera par là même toujours plus difficile d'accepter que la frontière entre soi-même et l'Autre, entre le bien et le mal, présente un caractère de plus en plus relatif.

Cela explique très largement pourquoi la disparition d'une menace clairement identifiable s'accompagne d'un sentiment de vulnérabilité très fort dans les sociétés occidentales sorties victorieuses de la fin de la guerre froide.

CHAPITRE VIII

Le lien social mondial (II)
Des acteurs sans projet

Ainsi, tout acteur social se trouve désormais privé de la possibilité de voir son espace de référence naturel lui garantir de manière stable et sereine les sources de son identité. Celle-ci doit se renégocier, car elle a cessé d'être naturellement disponible. Cette « construction » de l'identité vaut, comme on l'a vu, aussi bien pour les acteurs du monde du travail en quête de qualification sociale que pour les acteurs étatiques sommés de se penser dans un système social mondial plutôt que dans un seul système d'Etats.

Naguère, l'entrée dans un monde professionnel équivalait à l'entrée dans un ordre social. On en acceptait les rites, les codes et les contraintes. Les contestations syndicales les plus radicales n'étaient pas les moins attachées au respect des règles de cet ordre. En échange, on se voyait conférer un statut, une affiliation à un monde riche de promesses, de « réalisations » et de ressources. Le monde des Etats n'a pas fonctionné autrement. Le fait d'accéder à la souveraineté politique était presque une fin en soi (adhésion symbolique aux Nations unies). Il conférait non seulement une identité (« Je suis un pays du Tiers monde, du camp socialiste ou du monde libre »), mais un moyen de réemployer localement les ressources d'une identité fournie en quelque sorte par le système international lui-même. Les Etats n'avaient pas à se poser la « question du sens », car l'offre de sens était pléthorique. C'est la raison pour laquelle une ressource comme le tiers-mondisme a exercé des effets puissants sur des sociétés politiques désarticulées par l'histoire (Algérie) ou fragilisées par leur hétérogénéité culturelle et politique (Inde, Yougoslavie). C'est ce qui explique la fascination qu'a exercée pendant longtemps la « politique internationale » sur les pays du Tiers monde. Dès lors que l'identité se trouvait conférée à un acteur en échange, pourrait-on dire, de son « affiliation à un monde » (du travail ou des Etats), celui-ci pouvait naturellement se projeter dans l'avenir, dégager les voies et les moyens de maximiser ses ressources matérielles (salaires plus élevés pour les salariés, aide économique croissante pour les Etats) ou symboliques (quête d'un statut social ou international). Pour l'acteur social ou international, il importait moins de se demander ce que l'on était que de s'interroger sur la meilleure façon de concrétiser ses attentes. La valorisation de l'idée de projet n'était, dans ces conditions, que la projection vers l'avenir d'une identité apparemment maîtrisée.

Paradoxalement, l'emboîtement naturel des concepts de projet individuel, social ou national était d'autant plus réussi et naturel que les « différents mondes » (ceux du travail ou des Etats, par exemple) se trouvaient pris dans un réseau d'interdépendance beaucoup plus lâche qu'aujourd'hui. Un conflit social pouvait d'autant mieux s'affilier symboliquement à un conflit international de nature idéologique (la lutte des classes à l'échelle mondiale) que son règlement n'en dépendait que marginalement. Les grandes négociations commerciales sont restées longtemps « socialement abstraites », car les enjeux en étaient singulièrement limités. Il s'agissait pour l'essentiel du démantèlement des obstacles tarifaires à la libre circulation des produits, alors que l'enjeu actuel des négociations commerciales touche à des domaines beaucoup plus fondamentaux : l'harmonisation des conditions sociales et culturelles de la production marchande à travers le monde[1].

Aujourd'hui, l'emploi national, par exemple, dépend très directement du contexte mondial. Mais cette dépendance n'est pensée que comme un point de vulnérabilité. L'interdépendance économique et sociale du monde du travail et du monde des Etats se trouve ainsi renforcée économiquement mais symboliquement disloquée. Il y a en quelque sorte affiliation croissante au monde mais désaffiliation au sens collectif.

La demande identitaire forte que tous les acteurs du système social mondial expriment après la guerre froide est précisément destinée à combler cet écart. Mais ce comblement se paie au prix fort : celui d'un considérable rétrécissement utopique. Car la mondialisation est en soi pauvre en réserve de sens. Elle impose à tous les acteurs du système social mondial la nécessité de se *projeter* en laissant en jachère la question du *projet*.

En effet, dans le monde de l'après-guerre froide, le divorce du sens et de la puissance s'exprime à travers le décalage entre l'impératif de *projection* et l'absence de *projet*. Par projection, il faut entendre la nécessité pour des acteurs individuels ou collectifs d'inscrire de plus en plus fortement leur présent dans un avenir rendu temporellement plus proche par la compression du temps et spatialement plus large par la mondialisation des espaces de références. Pour un individu, l'impératif de projection se traduira par la nécessité de penser de plus en plus tôt et en termes de plus en plus personnalisés à son avenir professionnel (formation) ou social (protection). Cette projection lui imposera de renégocier son rapport à l'espace en intégrant la mondialisation au choix de son métier et de ses qualifications (apprentissage des langues, mobilité à l'étranger).

La logique de projet s'apparente à un construit. Elle implique un effort de problématisation de l'avenir, de symbolisation du devenir, d'arrachement d'une collectivité humaine sociale, politique, à la réalité non pour la nier, mais pour la transcender. Or il y a aujourd'hui non seulement écart entre logique de projection et logique de projet, mais perception de ces deux dynamiques en termes contradictoires. Sur le plan international, les grands Etats voient dans l'urgence des problèmes une contrainte telle qu'elle ne leur offre plus la possibilité de dégager une perspective globale, un véritable projet alors que c'est la logique de l'immédiateté et l'urgence qui asphyxient chaque jour davantage leur imagination politique, leur capacité de dégager un chemin, une voie, un projet. Ils ont perdu ce que l'on pourrait appeler le « langage des priorités », comme si celui-ci était trop identifié à l'ère de l'utopie : l'urgence est le symétrique de l'utopie. Ils se comportent plutôt comme des acteurs pris dans des séquences successives et amenés à mobiliser des compétences pour réaliser, au fur et à mesure des rencontres avec les circonstances, une sorte d'adéquation à une situation donnée[2].

Les Etats ont non seulement perdu le monopole du sens, mais sont contraints de s'en trouver un au même titre que les autres acteurs sociaux et dans des conditions à peu près identiques. La projection s'est ainsi substituée au projet. D'où le sentiment qu'ont très largement les Etats d'inscrire leur action dans l'avenir sans être capables d'assigner à celui-ci une signification. Si beaucoup de plans gouvernementaux pour l'emploi, par exemple, manquent de souffle et de crédibilité, c'est bien parce qu'ils se livrent à des projections sans les situer dans une perspective. Ils pensent parfois *à* l'avenir, mais ne parviennent nullement à *penser l'avenir*. Il existe par exemple une différence essentielle entre le fait de procéder à une réduction plus ou moins planifiée du temps de travail afin de contenir la montée du chômage et celui d'inscrire cette démarche dans un projet qui s'efforcerait de penser et de symboliser la place des individus dans une société où le travail ne serait plus un « absolu ». Dans le premier cas, il y a projection — imposée par la contrainte du chômage — et dans le second projet, car la prise en compte de la contrainte se trouve doublée d'une représentation de l'avenir, les acteurs sociaux — et notamment les salariés — vivent une contradiction identique. La montée du chômage place le souci de l'avenir au centre de leur vie quotidienne. Leur projection dans le futur est permanente, voire indispensable. Mais, simultanément, aucun syndicat, aucun acteur ne songe à parler de projet social. Il s'agit désormais au mieux de conserver et non plus de conquérir.

La puissance militaire en quête de sens

Prenons un autre exemple, celui de la puissance militaire : le hiatus entre projection et projet est tout aussi flagrant. En 1994, la France n'avait jamais autant projeté de forces militaires hors de son territoire. Pourtant, personne ne se hasarderait à parler d'un véritable projet français, d'une politique militaire française. Certes, les états-majors sont pleinement qualifiés pour penser aux systèmes d'armes de demain, pour intégrer les concepts de flexibilité opération-nelle, de coopération interarmes et de « logique floue », pour prendre en compte le rôle croissant du renseignement dans l'exercice de la guerre[3]. Ils ne sauraient pour autant se substituer à l'acteur politique pour dégager un projet, une politique militaire. La logique de projection, c'est l'adapta-tion des forces armées aux scénarios opérationnels de la puissance militaire dans le monde de l'après-guerre froide. La logique de projet, c'est la subordination des forces militaires à la définition d'objectifs dans le cadre d'une doctrine politique d'emploi des forces[4]. En France, la force et la crédibilité de la politique nucléaire ne tenaient pas seulement aux dégâts qu'elle était susceptible d'occasionner à un adversaire sur la base du principe de la dissuasion du « fort au faible » ; elle résultait aussi des conditions politiques dans lesquelles l'usage de l'arme atomique se trouvait potentiellement prescrit. C'était donc bien le sens qui conférait à l'arme nucléaire le statut d'instrument de puis-sance politique et non son pouvoir destructeur en soi. Dans le monde actuel, il n'y a plus guère de véritable politique nucléaire, car les conditions dans lesquelles l'arme nucléaire pourrait être utilisée sont plus évasives que jamais. Du coup, si l'arme nucléaire demeure un instrument de protection ou de sanctuarisation, il est beaucoup plus délicat de l'assimiler à un vecteur de puissance politico-militaire, au vaisseau amiral d'une puissance identifiable par tous ses adversaires potentiels.

Si tous les grands pays disposent de moyens de projeter leurs forces au-delà de leurs frontières et dans des conditions nouvelles, cela ne signifie nullement qu'ils se montrent prêts à agir selon, en vertu d'une vision, d'un projet ou d'une ambition. Ils disposent d'instruments de puissance mais manquent de politique militaire. En réalité, si les puissances militaires ont du mal à se trouver un sens alors que, paradoxalement, le sentiment d'insécurité tend à s'amplifier, c'est bien parce que, là encore, elles auront de plus en plus à gérer des situations de « crise sans ennemi », alors que l'élaboration d'une stratégie présuppose traditionnellement l'existence d'un ennemi préalablement identifiable[5]. Ce sera en effet de moins en moins l'existence d'un ennemi qui déclenchera une action militaire, mais le développement d'une logique de situation dans laquelle on sera amené à s'engager qui fera surgir ici ou là un adversaire ou un ennemi. L'action humanitaire entre très clairement dans ce nouveau cas de figure. Pourtant et en dépit des apparences, la prise en charge par les Etats de l'action humanitaire n'est pas de nature à combler le hiatus entre projection et projet, entre sens et puissance. Au fil des opérations, la politique humanitaire devient un instrument de puissance et cesse d'être une ressource de sens.

Quelle que soit l'appréciation rétrospective que l'on porte sur la guerre du Golfe, on peut constater que la résolution 688 organisant l'intervention humanitaire dans le Kurdistan reposait sur une articulation à peu près cohérente de l'humanitaire et du politique : l'intervention humanitaire était explicitement chargée de frayer le chemin à une opération politique claire, la protection des Kurdes contre la répression et la garantie militaire de l'autonomie du Kurdistan et la crainte d'un déversement de réfugiés Kurdes susceptibles de déstabiliser la Turquie voisine. Ce que l'on constate depuis cette crise, c'est l'autonomisation croissante de la politique humanitaire par rapport aux objectifs politiques qu'elle était censée servir — les cas yougoslave et somalien illustrent ce glissement. Dans l'affaire yougoslave, l'action humanitaire fut, dans un premier temps, l'instrument implicite de correction d'une erreur politique majeure : la reconnaissance, sans projet véritable, des anciennes républiques yougoslaves par la communauté internationale. Au fil des mois, l'humanitaire occupa une place prépondérante dans la politique occidentale, car la communauté internationale se trouva dans l'impossibilité de dégager une solution politique aux problèmes posés : la politique humanitaire cessa d'être un préalable pour devenir une fin en soi. Avec la crise somalienne, le découplage entre stratégie politique et politique humanitaire prit une forme caricaturale. Là, non seulement on a déclenché une opération humanitaire après une période de désintérêt total pour le problème, mais, de surcroît, on a attendu de l'opération humanitaire qu'elle dégage une dynamique politique de réconciliation.

A travers trois crises — Kurdistan, Bosnie, Somalie —, on a donc assisté à un glissement : d'instrument d'action politique, l'humanitaire est devenu l'action politique elle-même avant d'incarner le stade terminal de l'inaction politique. L'action humanitaire, qui se prétendait nouvelle ressource de sens dans un monde déboussolé, tend elle-même à accuser une forte perte de sens au fur et à mesure qu'elle prend son autonomie par rapport au politique. Elle tend paradoxalement à devenir une source fugitive de puissance plus qu'une source de sens. L'intervention des Etats-Unis en Somalie a démontré, une fois encore, leur ascendant sur les Européens mais non leur capacité de régler la crise. En intervenant au Rwanda, la France « tient son rang » de puissance africaine. Mais jamais son incapacité à agir seule sur ce continent ne s'est révélée aussi grande. Cette « catastrophe humanitaire » a par ailleurs confirmé l'inadaptation profonde des politiques humanitaires tant au plan de la prévention que du règlement au fond des conflits. L'humanitaire s'est à travers cette crise trouvé « débordé » pourrait-on dire sur son propre terrain.

Pour comprendre ce hiatus entre projection et projet et le placer au-delà des contingences du débat politique, il faut retrouver la problématique de Koselleck sur le rapport décisif entre l'attente et l'expérience. La fin de la guerre froide a fait disparaître l'horizon d'attente. Il ne nous reste donc comme espace disponible que le champ de l'expérience, de l'immédiateté quotidienne, un champ où s'entremêlent dans la plus grande confusion ce que l'on est (identité), ce que l'on fait (action), ce que l'on veut (projet). Il en découle un inévitable dérèglement entre fins et moyens que la politique humanitaire reflète aujourd'hui. On a assisté ainsi en Somalie à l'intervention d'organismes humanitaires dont la principale mission consistait à soigner les victimes de la « guerre humanitaire » livrée par les forces onusiennes.

Dans cette confusion, le politique ne disparaît pas. Sans lui, l'humanitaire n'aurait pas acquis la place qu'il occupe dans le champ de la politique internationale. Il change plutôt de sens. Il contribue à décentrer les enjeux du champ du projet, de la finalité, de la perspective vers celui du moyen, de l'immédiateté, de l'urgence. L'humanitaire devient un champ d'action très largement construit par les Etats et nourri par eux. Ils s'y projettent tout en étant dépourvus de projet. De ce fait, le moindre acte humanitaire devient un acte politique, le moindre ébranlement de convoi un acte diplomatique. On a pu envisager l'envoi de 50 000 casques bleus en Bosnie pour garantir non plus l'existence politique de ce pays, mais son démembrement officiel. L'ampleur des moyens mis en œuvre (logique de projection) est d'autant plus grande qu'elle n'est mise au service d'aucune finalité précise ou convaincante. En l'occurrence, c'est l'incapacité de la communauté internationale de dégager une solution qui lui impose une telle débauche de moyens. Cela explique largement pourquoi, dans la crise des Balkans, plus les gouvernants assurent leurs opinions de leurs engagements et de leur activisme humanitaire, plus celles-ci vivent dans la résignation ou l'indignation la passivité desdits gouvernants. On ne saurait mieux illustrer le décalage entre l'action et le sens de l'action, entre la projection et le projet.

Le temps d'arrêt symbolique des nations

La conséquence la plus fondamentale de tout cet enchaînement est de faire de la *dynamique de l'évitement* la logique prépondérante du système mondial de demain. Les Etats chercheront moins à coopérer — comme la rhétorique du nouvel ordre mondial le suggérait — qu'à éviter tout engagement excessif guidé par des impératifs de puissance préalablement établis. La dynamique de l'évitement est avant tout une représentation. Elle n'est ni théorisée ni théorisable. Elle est ressentie de manière confuse et contradictoire avant d'être pensée. Dans ses ressorts et ses modalités, elle se différencie des notions de « retrait du monde », de sanctuarisation ou d' « isolationnisme » pour au moins une raison : les dynamiques de l'intervention et du retrait ne sont désormais plus pensables dans le système social mondial. Aucun acteur ne peut plus désormais « sortir » du jeu mondial ou y « entrer ». Celui-ci s'impose à lui. Pour les Etats, la mondialisation se traduit avant tout par la disparition de l'*opting-out*, la possibilité symbolique de changer de système, de sortir du jeu, de se réclamer d'une « autre politique » pour reprendre une expression familière du débat public français. La dynamique de l'évitement est donc nécessairement plus complexe. Elle répond au besoin des sociétés occidentales de marquer un *temps d'arrêt symbolique* au moment où elles ont, après la guerre froide, le sentiment de se trouver engagées dans un profond processus de renégociation de leur rapport au temps (accélération) et à l'espace (mondialisation).

Parce qu'ils savent désormais qu'ils ne sont plus les maîtres du système international mais plus modestement les acteurs privilégiés d'un système social mondial, les Etats ont besoin de retrouver leurs marques. Ils doivent, selon la métaphore de Clifford Geertz, voir le monde non plus comme un paysage modelable à leur image à partir d'une position hiérarchique clairement et préalablement définie (bâtir le monde à l'image de l'Amérique, par exemple), mais d'un « énorme collage » dont ils seraient une pièce centrale, mais une pièce parmi d'autres[7]. Les « Etats concepteurs » ont cédé la place aux « Etats adaptateurs ». C'est ce changement fondamental qui condamne désormais toute conception « architecturale » du monde, toute définition *ex cathedra* par les Etats d'un nouvel ordre mondial. L'enjeu n'est plus la construction d'un nouvel ordre mondial reposant sur les seuls Etats mais la régulation du système social mondial naissant.

Parce qu'ils ont quitté le monde exclusif des Etats pour se fondre dans le système social mondial, les Etats n'ont plus à chercher à se projeter. La projection s'impose à eux par la configuration même du système mondial. Mais, du même coup, cette dynamique déclenche chez eux un réflexe identitaire qui leur impose de se *situer* dans ce système social mondial. C'est ce besoin de se situer que nous qualifions de *temps d'arrêt symbolique*.

La recherche d' « espaces de fuite »

La première forme d'évitement est de nature économique. Elle se manifeste par la tentation des grandes économies de se soustraire aux disciplines économiques et financières imposées par la mondialisation. Face aux impératifs de convergence économique, qui tolèrent de moins en moins de « déviance », qui produisent chaque jour davantage de normes pour égaliser les conditions de la compétition, les

Etats occidentaux cherchent des « espaces de fuite », explorent et occupent les espaces résiduels de souveraineté non encore partagés. La mondialisation tend à se vivre politiquement par les Etats comme un processus d'étouffement contre lequel la lutte n'est plus possible, mais duquel on peut tenter de se distancier, au moins symboliquement [8].

Cette quête de marges d'action face à la dynamique de la mondialisation répond à plusieurs considérations. La première tient à l'orgueil résiduel des Etats qui veulent réaffirmer leur souveraineté symbolique. Rien n'est plus humiliant pour eux que de voir leur autonomie érodée par des mouvements de capitaux beaucoup plus puissants que leurs dispositifs de lutte contre la spéculation. Rien n'est plus difficile pour eux que d'intégrer la perte de sens relative des grands agrégats nationaux, comme celui de solde commercial [9].

Prendre acte de ce fait est une chose ; l'énoncer politiquement en est une autre, car c'est s'exposer à affronter une érosion accentuée de l'idée de nation. Toute leur démarche consistera donc à gérer symboliquement le décalage entre une réalité économique mondialisée et complexe et une représentation politique territorialisée et simplifiée (« la nation »). Au fur et à mesure que s'accentueront les facteurs de convergence économique entre les sociétés avancées, la gestion de ce décalage symbolique entre sens (la nation à laquelle tout est rapporté) et puissance prendra de plus en plus d'ampleur. Or, aujourd'hui, les Etats se trouvent confrontés à une double difficulté. Ils ont non seulement de plus en plus de mal à évaluer — même dans le domaine des industries militaires — leur degré de dépendance vis-à-vis d'industries d'autres pays, mais, de surcroît ils ont des difficultés à penser la souveraineté en termes autres que ceux de propriété juridique des entreprises, alors que le contrôle étranger peut s'exercer sans propriété directe sur le capital [10].

A cette première raison de vouloir échapper symboliquement aux contraintes économiques globales, s'en ajoute une seconde plus concrète : répondre à des demandes sociales ou à des impératifs politiques appelant la recherche de solutions rapides, politiquement peu coûteuses. Les conditions dans lesquelles s'opéra la réunification économique de l'Allemagne sont à cet égard exemplaires. Elles soulignent que la pratique du « chacun pour soi » (l'Allemagne fait payer au prix fort au reste de l'Europe les conditions de sa réunification) ne résulte nullement de divergences doctrinales avec ses partenaires, mais bien plutôt d'une sorte d'uniformisation des stratégies économiques. En choisissant de financer sa réunification par l'emprunt plutôt que par l'impôt, l'Allemagne s'est pour ainsi dire comportée comme l'Amérique. Elle a eu recours à la facilité et a préféré ponctionner l'épargne mondiale plutôt que le revenu de ses habitants. L'un des grands problèmes de la coordination et de la régulation mondiales vient du fait que désormais la plupart des économies ont recours aux mêmes politiques pour assurer leur autonomie, ce qui, dans un monde interdépendant, revient à perturber les autres en cherchant à s'isoler [11].

C'est très clairement dans le domaine budgétaire que les Etats cherchent un espace de fuite — il est d'ailleurs le seul dernier grand secteur d'autonomie de la puissance publique. De 1,2 % en 1989 — l'année de la chute du mur de Berlin —, le niveau moyen des déficits publics des pays du G-7 est passé à 4,2 % à la fin de 1993 [12]. La correspondance entre la fin de la guerre froide et la croissance des déficits publics n'est pas fortuite. Elle tient en partie aux « effets en chaîne » de la réunification allemande. Elle s'explique aussi par la récession et par les charges croissantes imposées sur les systèmes sociaux par le vieillissement des populations. Mais il faut prendre en compte un facteur plus essentiel encore : la délégitimation politique de la plupart des gouvernements occidentaux, elle-même consécutive à la chute du communisme. Elle conduit très logiquement la plupart d'entre eux à trouver dans la dépense publique l'instrument privilégié de leur survie politique. Sur tous ces facteurs se greffe une demande d'Etat croissante générée par deux modalités de la mondialisation : le besoin de protection sociale lié à la destruction des métiers à faible qualification (et à la montée du chômage) et l'extension croissante de la sphère marchande au détriment de la sphère non marchande. Il y a, avec la fin de la guerre froide, une exceptionnelle croissance de la demande d'Etat qui, là encore, ne parvient pas à trouver de support politique pour s'exprimer et se légitimer. Ce hiatus est d'autant plus fortement ressenti que cette pression intervient dans un contexte global de « retrait de l'Etat », même si les excès de ce désengagement sont désormais bien admis.

La fin des superpuissances

Si la crise de la coopération internationale prend sa source dans ces différents facteurs, elle ne saurait pleinement se comprendre sans la prise en compte de cet autre facteur central de l'après-guerre froide : l'absence d'acteur surpuissant capable d'imposer une discipline collective aux autres. La difficulté qu'éprouve un organisme comme le FMI à imposer une discipline collective aux pays du G-7 découle très clairement de cette incertitude des rapports de force, de la disparition d'un acteur capable de produire de l'hégémonie. Au lendemain de la guerre froide et surtout après la guerre du Golfe, les Etats-Unis ont cru que leur puissance politico-militaire pouvait être convertie en termes économiques. Autrement dit, ils ont cru que leur autorité politique les aiderait à imposer au Japon et à l'Allemagne les termes d'une relance économique — sans sacrifice pour eux sur le plan budgétaire par exemple. Aujourd'hui, ce pouvoir de lier l'économique au politique est plus ténu pour au moins deux raisons. La première tient au processus de rattrapage économique des Etats-Unis par l'Europe et le Japon : ces trois ensembles représentent désormais des forces à peu près équivalentes. La seconde tient à la nature de moins en moins *fongible* des attributs de la puissance. C'est-à-dire qu'il est de plus en plus difficile de monnayer sa puissance politique ou militaire pour arracher à ses partenaires des concessions commerciales ou technologiques. Si l'économique et le politique ont plus que jamais partie liée, les armes diplomatico-stratégiques ont trop perdu de terrain par rapport aux autres réalités du champ international pour permettre à un Etat d'en retirer des avantages décisifs dans d'autres domaines [13].

La fin de la guerre froide consacre l'affaiblissement des facteurs diplomatico-stratégiques classiques dans le champ international et, partant de là, le dépérissement probable du concept de *grande puissance*. A cet égard, la thématique du « monde unipolaire » énoncée par les Etats-Unis relevait du contresens [14]. Certes, la crise du GATT a permis de souligner la dureté des jeux de pouvoir entre Européens et Américains, mais ces derniers n'ont probablement jamais eu l'idée ou la possibilité de mettre en balance des concessions commerciales des Européens et le maintien de leur garantie militaire en Europe.

Si l'idée de superpuissance est probablement amenée à dépérir avec la fin de la guerre froide, c'est parce que le coût de la suprématie tend à devenir prohibitif. Mais la prise en considération des coûts exponentiels de la puissance ne saurait pleinement s'apprécier sans référence au clivage croissant entre la puissance militaire et la puissance économique. La recherche de la force militaire est gênée par la recherche de la force économique.

Pendant la guerre froide, la recherche militaire entraînait la recherche civile. Il y avait un schéma linéaire relativement simple qui permettait de passer de la recherche fondamentale à la recherche appliquée vers le secteur militaire, puis vers le secteur civil. Les retombées des grands programmes militaires sur l'économie civile étaient telles que l'accaparement des budgets de recherche et de développement par le secteur militaire ne présentait pas de caractère négatif. Les Etats-Unis ont ainsi réussi à être simultanément une grande puissance économique et militaire, à construire une « économie de guerre froide » non dépourvue de rationalité. A présent, cette articulation est de moins en moins facile à assurer. Non seulement parce que la légitimité populaire de la puissance militaire dans les pays occidentaux semble s'éroder, mais aussi et surtout parce que l'évolution technologique impose un clivage croissant entre le civil et le militaire. Dans ce domaine aussi, on assiste à la fin d'une époque, celle qui commença avec la révolution industrielle et durant laquelle la puissance militaire alla de pair avec la puissance économique [15]. Si la base technologique de la recherche civile et militaire est commune, les spécifications des produits militaires sont de plus en plus marquées en amont. Autrement dit, il faut très vite définir la finalité civile ou militaire d'un programme de recherche, alors qu'auparavant la distinction s'effectuait en aval. Il en résulte un arbitrage entre recherche civile et militaire, car la corrélation entre recherche militaire et compétitivité économique semble désormais négative. De manière simplifiée, on peut dire que la technologie militaire présente des particularités dont certaines sont en contradiction avec les règles d'organisation du marché technologique mondial : elle privilégie les performances avant les coûts et la fiabilité, elle est soumise à des cycles de développement de plus en plus longs (alors que, partout dans le « civil », on cherche à réduire ces cycles), elle s'appuie sur des procédés de production inefficaces, elle empêche, pour des raisons de sécurité, les transferts de technologie [16]. La construction d'une puissance militaire ne permet plus en soi le développement d'une puissance technologique, ce qui n'est pas sans conséquence sur la représentation collective que les sociétés peuvent avoir de l'utilité de la puissance militaire. Dans certains cas comme celui de l'Allemagne, ces considérations de pure rationalité économique tendent, en tout cas provisoirement, à se superposer à des représentations historiques et culturelles valorisant le repli ou bien ce que Hans Peter Schwartz appelle la *Machtvergessenheit*, c'est-à-dire l'oubli de la puissance [17] : en 1991, la Suisse venait très largement en tête des nations auxquelles les Allemands souhaitaient pouvoir s'identifier [18]. Le culte de l'intériorité prend dans ce contexte une signification forte, car l'Allemagne s'intéresse d'abord à elle-même.

Ce sentiment d'avoir à choisir entre la force brute et la prospérité matérielle trouve son prolongement dans le rendement décroissant de la puissance militaire. Pour faire face à de nouvelles menaces et se projeter, les grandes puissances militaires doivent développer des systèmes de défense de plus en plus coûteux et de plus en plus complexes. Mais pour cela il leur faut trouver de plus en plus de partenaires dans la recherche militaire [19]. Or cette démarche, désormais indispensable, soulève le problème essentiel de savoir comment des puissances militaires développées pourront mettre en place des programmes conjoints de financement de la recherche sans avoir à partager la maîtrise technologique. C'est tout l'enjeu du dosage entre coopération et compétition, que même les entreprises, engagées bien avant les Etats dans cette voie, ont souvent du mal à résoudre. Ce schéma serait relativement facile à bâtir dans un monde où la menace serait très fortement partagée et où l'un des partenaires déciderait de compenser son engagement technologique par la protection militaire d'un partenaire. Ce fut précisément le sens de l'alliance nippo-américaine pendant la guerre froide. Ce schéma n'a pas totalement disparu. Mais son érosion est d'ores et déjà entamée. Les Etats-Unis et le Japon ne sont plus soudés par l'existence d'une menace conjointe. De façon plus générale, la crise de la coopération au sein des pays riches tient à l'érosion simultanée des trois grandes sources de régulation des rapports internationaux : une menace partagée qui permettait de relativiser les conflits, la présence d'un acteur dominant (les Etats-Unis), le contrôle des Etats sur les économies. Il faut donc tenter d'organiser une régulation internationale qui serait fondée sur l'identification d'intérêts communs plutôt que sur des menaces communes, qui reposerait sur la collaboration entre associés-rivaux plutôt que sur une relation hiérarchique entre dominants et dominés, qui tiendrait compte de la perte de contrôle des Etats sur certains pans de la réalité internationale. Autant de changements fondamentaux particulièrement difficiles à mettre en œuvre, mais non moins indispensables.

Le second problème découle du décalage entre le coût économique d'une politique crédible de sécurité militaire (mise en place d'un réseau de missiles antimissiles) et la capacité d'un nombre croissant d'acteurs politico-militaires de se doter d'armes de destruction peu sophistiquées (missiles balistiques peu précis, armes chimiques) constituant ce que l'on a appelé le « nucléaire du pauvre ». Le coût d'une dissuasion du « fort au fou » est colossal. Par dissuasion du fort au fou, il faut entendre la difficulté à interpréter la stratégie de « nouvelles puissances nucléaires », le risque de voir un tyran utiliser l'arme nucléaire sans en mesurer les conséquences pour son pays ou pour son peuple.

Ainsi, la possession d'un outil militaire de toute première grandeur présenterait le risque de faciliter l'accès à la maîtrise technologique à des concurrents avec lesquels la coopération deviendrait indispensable et l'inconvénient d'être de plus en plus coûteuse au regard de son efficacité politique déclinante.

Même s'il n'est pas imaginable de voir les anciennes grandes puissances de la guerre froide renoncer purement et simplement à la puissance militaire, il est d'ores et déjà acquis que la possession d'un outil militaire se posera de moins en moins en termes de suprématie totale. Il s'agira moins de pouvoir tout faire tout seul, d'envisager les moyens d'annihiler totalement son adversaire que d'agir avant l'autre en cumulant les informations indispensables à la décision politique. Dans un monde structuré par la vitesse, l'arme absolue n'existe plus. L'avenir est aux *armes d'exclusivité*, dont les plus décisives seront l'observation et le renseignement [20].

Ce changement n'induira pas en soi la mise en œuvre de politiques plus « réfléchies ». Mais les informations qu'il conférera aux Etats aideront ces derniers à mieux conduire des stratégies à responsabilité limitée fondées sur la distanciation, l'évitement et la précaution. Cette distanciation sera à la fois technique (recours aux armes de précision guidées à distance), médiatique (l'émotion vécue par la seule télévision) et politique (le refus d'un engagement politique sur la base de principes préétablis)[21].

La logique de précaution

La troisième source d'évitement est à rechercher dans la place désormais envahissante qu'occupe tant sur le plan matériel que symbolique, la *logique des coûts*. C'est à travers son prisme que s'apprécie désormais toute action publique, que celle-ci s'inscrive dans le champ interne ou se prolonge dans l'espace international. En d'autres termes, on se trouve amené à juger de l'efficacité d'une politique étrangère dans des termes comparables à ceux que l'on utiliserait pour évaluer l'efficacité d'une prestation, d'un service. Cette évolution tient à la progression constante de la logique marchande dans la vie sociale et à l'absence de symbolique collective capable de la contenir ou de la transcender. La montée en force de l'impératif de rentabilité a pour conséquence de soumettre toutes les institutions sociales et politiques à « l'obligation de résultat[22] ». Face à cette logique, les acteurs sociaux réagissent en deux temps. Ils essaient de prendre en charge cette contrainte, tout en veillant à ce qu'elle ne les fragilise pas davantage. Dans un rapport qui fait autorité, François Ewald a bien montré combien « l'impératif de résultat » développait dans le domaine médical ce qu'il appelle une « logique de précaution[23] ». Plutôt que de prendre le risque d'une action dont on ne parviendrait pas à justifier le résultat à court terme, on préférera ne pas agir, décliner toute responsabilité nouvelle. L'inaction devient paradoxalement la meilleure façon de remplir ses obligations de résultats. Du coup, c'est le sens même de l'action collective qui s'en trouve modifié. On cherchera moins à protéger les autres qu'à se protéger soi-même ; on tentera moins d'agir que de prendre ses précautions afin de ne pas encourir une sanction collective imposée par l'obligation d'un résultat immédiat. Il en découle une transformation en profondeur de la finalité de l'action collective. Celle-ci n'est plus définie ou assignée préalablement. Elle est d'emblée bornée et contenue par la logique des coûts. D'où une dévalorisation en chaîne de l'action collective, du projet commun dès lors que celui-ci se trouve assimilé à une prise de risque.

Les traductions internationales de cette logique sont évidentes, car les opinions publiques évaluent de plus en plus l'action extérieure de leurs Etats respectifs à l'aune de cette logique des coûts. Une fois les feux de la chute du mur de Berlin éteints, l'après-guerre froide a changé de sens. Ce qui apparaissait comme l'aube d'une ère nouvelle marquée par un regain de coopération entre les Etats s'est transformé en une somme de charges infinies dont l'importance avait été initialement sous-évaluée. Qui oserait parler aujourd'hui des « dividendes de la paix » ? Avant d'organiser l'après-guerre froide, il faut donc préalablement démanteler les structures héritées de la guerre froide. Ce démantèlement paraît difficile à opérer non seulement parce qu'il se heurte à des résistances bien connues, mais surtout parce que personne ne parvient à orienter, à donner un sens au changement. Ce démantèlement s'exprime à travers quatre grands enjeux : l'unification allemande ; la transition vers le marché des économies de l'Europe de l'Est et de la Russie ; le règlement des différents conflits régionaux directement ou indirectement liés à la fin du conflit Est-Ouest (Moyen-Orient, Cambodge, Salvador, Afrique du Sud) ; la reconversion des potentiels militaires des pays occidentaux.

Ces problèmes constituent objectivement une source de difficultés et de contraintes financières considérables pour les pays les plus développés du monde. La réunification coûte à l'Allemagne l'équivalent annuel de 5 % de son PIB [24]. Le démantèlement de l'économie militaire américaine est pour sa part extrêmement difficile à organiser, car il met en cause plus d'un million et demi d'emplois[25]. Le coût du maintien de la paix dans le monde par l'entremise des Nations unies est lui aussi très élevé.

Pourtant, on s'exposerait à commettre un énorme contresens si l'on venait à voir dans la contrainte des coûts une sorte d'absolu indépassable. Un coût n'aura jamais qu'une importance relative ; il ne prend son sens que par rapport à la finalité qu'on lui assigne. Si les Nations unies traversent une grave crise financière, ce n'est pas parce que les opérations qu'elle conduit de par le monde sont nombreuses, mais plus simplement parce que les grandes nations qui la contrôlent ne se montrent nullement disposées à financer des actions multilatérales qu'elles ne maîtriseraient pas totalement. Il faut par exemple se rappeler que les coûts cumulés du budget et des opérations de l'ONU équivalent au financement d'une journée et demie d'opérations américaines dans la guerre du Golfe ou au prix de deux « avions furtifs » américains. La léthargie de l'ONU, que l'on expliquait jadis par le veto soviétique et aujourd'hui par le poids des « contraintes financières », révèle en réalité la crise du système interétatique, la difficulté simultanée des Etats aussi bien à s'entendre qu'à déléguer leur autorité à un pouvoir un tant soit peu « supranational ». Le coût prétendument élevé de maintien d'un ordre mondial n'est donc qu'un alibi à l'absence de projet collectif de la communauté internationale, à la dévalorisation sans précédent de l'idée même de communauté internationale[26].

Si, à la différence de ce que fut le plan Marshall, l'aide à la Russie pose problème, ce n'est pas à cause de la charge financière qu'elle occasionne aux économies occidentales, mais de l'incertitude profonde que l'on nourrit quant à ses chances d'aider à la conversion rapide au marché des anciennes économies socialistes[27]. Paradoxalement, ce scepticisme semble croître au fur et à mesure que s'apaise le débat idéologico-économique entre partisans du « gradualisme » et de la « thérapie de choc »[28]. Il existe en effet aujourd'hui un assez large consensus pour admettre que la conjugaison de la stabilisation macro-économique, de la libéralisation des marchés, de la privatisation des entreprises et du développement des infrastructures publiques servira de support à l'économie de marché[29]. Mais l'articulation de ces quatre processus n'est réductible à aucun modèle particulier. Le poids des conditions internes du succès est tel (cohésion sociale, volonté politique des dirigeants, existence d'un consensus national) que, de proche en proche, se répandent l'idée d'une utilité décroissante de l'aide extérieure et, par voie de conséquence, une perception croissante de son coût prohibitif. Parce que l'obligation de résultats tangibles et immédiats est devenue centrale, les gouvernements occidentaux pourront de moins en moins justifier des engagements stables sur le long terme.

Dans ces conditions, il y a fort à parier que les appels au combat pour l'élargissement de la démocratie qui succéderait au *containment* du communisme resteront largement rhétoriques. En effet, pour l'heure, c'est la logique du « moins disant » démocratique qui semble désormais triompher, même si cette logique de précaution paraît devoir être freinée par l'existence et le renforcement de fragments de « solidarité mondiale ». Cette solidarité, Pierre Hassner la voit reposer sur une articulation imparfaite et aléatoire entre ce qu'il appelle « le concert, la conscience et l'expert[30] ». L'idée de concert renverrait à celle de communauté internationale, celle de conscience au développement de grands mouvements transnationaux de solidarité (Amnesty par exemple), et celle d'expert à la profusion d'institutions chargées d'éclairer les décideurs sur des enjeux de plus en plus complexes et difficiles à trancher politiquement. Mais la difficulté vient du fait que ces trois dynamiques mondiales, qui lient en quelque sorte l'Intérêt (des Etats), la Raison (des peuples) et le Savoir (des experts), ont aujourd'hui du mal à faire système, à faire sens. En effet, l'idée d'un monde organisé par un « concert des nations » est ambivalente. L'interdépendance croissante entre les Etats fait qu'ils sont tenus de s'entendre sur un nombre infini de sujets et de problèmes. Le « concert des nations » est de ce point de vue indispensable à la régulation mondiale. Pourtant, sa légitimité reste bien mal assise. Quand les grandes nations parviennent à se mettre d'accord sur un certain nombre de règles ou de conduites à tenir (guerre du Golfe par exemple) elles n'échappent pas au reproche de vouloir s'entendre sur le dos des plus faibles ou des plus défavorisés. D'où les résistances politiques manifestes que rencontre dans les pays du Sud la problématique du nouvel ordre mondial. Mais dès que les grands Etats étalent au grand jour leurs divergences, c'est l'idée même de communauté internationale qui se trouve discréditée. Entre ces deux hypothèses s'en trouve une troisième : celle de l'inaction concertée des grandes nations. C'est ce que l'on pourrait appeler la *coalition passive*. Depuis la fin de la guerre du Golfe elle constitue la modalité dominante de l'action internationale. Elle démontre l'extrême fragilité du consensus mondial. Pourquoi donc ce qui paraissait acquis pendant la guerre du Golfe s'est trouvé frappé de caducité dans les trois grandes crises internationales de l'après-guerre froide : en Bosnie, en Somalie et au Rwanda ? Au-delà du fait que le Koweit recèle des richesses qui font cruellement défaut à la Bosnie, on ne peut manquer de noter la coïncidence entre le caractère inédit de ces nouveaux conflits — leur caractère non interétatique — et la difficulté des grands Etats à dégager une ligne de conduite claire. A partir de là surgit une question essentielle : si les Etats ne parviennent ni à comprendre ces conflits ni à les régler est-ce parce qu'ils ne se sentent pas concernés par ces conflits ou bien plus sérieusement parce qu'ils se trouveraient condamnés à ne pas comprendre des conflits qui n'obéiraient plus aux vieilles classifications des conflits entre Etats ? Si cette hypothèse était la bonne elle conduirait à se montrer particulièrement pessimiste quant à l'avenir de la régulation mondiale car il est acquis que les conflits classiques de type interétatique sont tendanciellement voués à s'atténuer au profit de nouvelles formes de conflictualité internationale (guerres civiles, conflits tribaux, etc.).

En réalité et depuis la guerre du Golfe, les négociations commerciales du GATT sont à peu près les seules à avoir démontré l'efficacité de la concertation entre nations, ce qui tendrait à prouver que la dynamique marchande est bel et bien la seule dynamique sur laquelle les Etats parviendraient à s'entendre car se serait aussi la seule où le prix d'un désaccord durable serait le plus préjudiciable à leurs intérêts directs.

Si l'on aborde maintenant la seconde dimension du problème, c'est-à-dire l'existence d'une « conscience universelle » qui comblerait en quelque sorte l'angle mort de la raison des Etats on constate là encore que l'ambiguïté l'emporte sur la clarification. A l'actif de ce que l'on appellerait la conscience universelle trois évolutions positives pourraient être portées. La première tient tout d'abord à la densification du réseau mondial des solidarités qui fait qu'aujourd'hui des mobilisations internationales peuvent véritablement s'organiser au-delà de la logique des intérêts des Etats ou des grandes organisations mondiales. Cela va des comités contre la purification ethnique à la mobilisation internationale contre le projet de barrage de Narmada en Inde. Cette solidarité sociale mondiale n'est pas seulement quantitative. Sur le plan qualitatif, elle permet aux principes d'universalité de prendre un contenu plus concret, de prendre en charge aussi bien les droits collectifs que les droits individuels. Ce faisant deux percées seraient réalisées : le passage de l'universalisme abstrait à un universalisme plus concret ou pluriel (la déclaration de la conférence de Vienne sur les droits de l'Homme de 1993 par opposition à la Déclaration universelle des droits de l'Homme de 1948 serait la meilleure illustration de cette mutation) et la « perméabilité juridique nouvelle » qui ferait qu'aujourd'hui la distinction traditionnelle entre ordre interne et ordre externe serait non pas abolie mais brouillée. La seconde évolution est à rechercher dans la sophistication juridique croissante qui caractérise le monde d'aujourd'hui et qui fait que sur chaque problème ou situation donnée on dispose d'un arsenal juridique impressionnant. D'une acception générale des droits de l'Homme on tend à aller vers une prise en charge des droits de la femme, de l'enfant ou des minorités. Enfin, il apparaît indéniable que sur l'ensemble des problèmes du monde notre connaissance tend à croître et à devenir accessible au plus grand nombre même si cet accès passe de plus en plus à travers le prisme de l'émotion et de la simplification médiatique. Mais on aurait tort de déduire de ces différents éléments une progression de la conscience universelle rendant prohibitive le recours à la barbarie.

Le génocide des Tutsis au Rwanda tendrait à monter que la « mobilisation de la conscience universelle » a du mal à s'exprimer de manière préventive. Il conduit également à douter très fortement de l'idée selon laquelle la conjonction des pressions internationales de l'opinion publique et des médias rendraient désormais difficile la conduite d'actions en contradiction flagrante avec le respect élémentaire des droits de l'Homme. De surcroît, la sophistication juridique est également trompeuse. D'une part parce que très souvent les nouveaux textes ne font que se sédimenter à des textes plus anciens restés jusque-là sans effet : ceci est manifeste par exemple dans le domaine du droit humanitaire [31]. D'autre part parce que la sophistication juridique des textes et des définitions ne constitue pas un bonheur sans mélange. Elle est par exemple clairement utilisée par les États pour freiner les demandes de droit d'asile par exemple ou plus grave encore pour justifier leur non-engagement [32]. Ainsi a-t-on vu les responsables américains refuser de parler de génocide à propos du Rwanda de crainte de se trouver dans l'obligation juridique d'y intervenir. Les Etats occidentaux qui prétendent fonder leur action internationale sur un certain universalisme en sont donc réduits aujourd'hui à rechercher des formes d'action et de légitimité qui leur permettraient de faciliter la mondialisation de leurs valeurs sans devoir prendre en charge les coûts que cette logique de situation leur impose en termes politiques (pertes en vies humaines) économiques (transfert de ressources massives) ou sociaux (risque migratoire). La vogue de la politique humanitaire semble bien s'inscrire dans cette perspective dans la mesure où elle permet de concilier trois impératifs : celui d'une légitimation spontanée difficilement récusable (« défendre des vies humaines »), celui d'une action limitée dans le temps permettant de parer au risque d'enlisement redouté des opinions publiques, celui enfin d'une esquive de solutions de fond à apporter aux problèmes posés, soient parce que celles-ci mettraient en cause les responsabilités passées de certains Etats dans la genèse d'un conflit (exemple de la France au Rwanda ou de l'Europe en Bosnie) soit parce qu'elles appelleraient la mobilisation de moyens économiques ou militaires incompatibles avec la logique de précaution.

Depuis la fin de la guerre froide, on constate donc un divorce mal vécu entre une mobilisation des consciences plus grande, une sophistication juridique de plus en plus poussée et une incapacité à agir tout aussi forte. La seule évolution probablement difficilement réversible est à rechercher dans l'ébrèchement de la souveraineté étatique. Du Kurdistan au Rwanda en passant par la Somalie la mutation paraît indiscutable. Mais on voit bien que cette mutation importante n'est pas exempte de graves dangers.

Reste enfin la logique de l'expertise. Elle aussi n'échappe pas ou mal à l'ambiguïté ou à l'ambivalence interprétative. Face à des problèmes de sens ou des questions de fondement l'expert est tout aussi démuni que l'Etat ou le citoyen. L'expertise prétend ainsi fonder des choix qui ont en quelque sorte perdu leur fondement.

CHAPITRE IX

Le Japon peut-il faire sens ?

Il y a aujourd'hui, pour le monde et singulièrement pour l'Occident, un problème japonais. Parce qu'il est le seul Etat non occidental du monde à avoir pleinement réussi sa modernisation, parce qu'il parvient à concurrencer l'Occident dans la quasi-totalité des champs de la compétition économique sans avoir à renoncer à son identité propre, le Japon trouble l'ordonnancement du monde occidental. Par sa capacité de s'occidentaliser sans se renier, le Japon triomphant consacre d'une certaine manière la fin de l'occidentalisation du monde.

Par fin de l'occidentalisation, il ne faut pas entendre le début du déclin spenglérien de l'Occident, tant de fois annoncé ou redouté et tant de fois démenti. Il ne faut pas non plus y voir *a contrario* une sorte d'asiatisation du monde, qui se préparerait à prendre une hypothétique relève de l'Occident. L'Asie n'a jamais été aussi intégrée à la modernité occidentale qu'aujourd'hui. La fin de l'occidentalisation consacre en réalité le triomphe de l'Occident. Car, à partir du moment où l'Occident devient partout synonyme de modernité, c'est la modernité qui s'érige en référence et non plus l'Occident en tant que tel. S'il fallait donner un sens à l'émergence de l'Asie, c'est dans cette ambivalence qu'il faudrait le trouver plutôt que dans une distinction tranchée, rapide et bien commode entre le « monde occidental » et le « monde asiatique ». L'occidentalisation du monde est si forte, si prégnante qu'elle constitue non plus une référence dont on cherche à se prévaloir, mais un socle à partir duquel chacun s'efforce désormais de penser sa différence sans inhibition ni tuteur extérieur. L'occidentalisation est donc aujourd'hui trop présente pour être revendiquée par le seul Occident.

Partir de ce constat à peine paradoxal nous semble plus judicieux pour comprendre les processus de régionalisation du monde et du sens, au-delà des dichotomisations faciles et cyclothymiques sur la fin de la guerre froide, vue tantôt sous l'angle de la consécration de l'Occident, tantôt sous celui de la « renaissance des cultures » non occidentales.

Partir de ce même constat nous semble plus approprié pour penser le Japon dans le monde de l'après-guerre froide non pas seulement comme un acteur diplomatique ou stratégique, mais éventuellement comme un porteur de sens dans un monde en quête de repères symboliques.

Domination et hégémonie

Pour bien comprendre l'enjeu que représente la question du sens pour le Japon, il faut peut-être partir de la différence entre domination et hégémonie, termes pris à tort dans le langage commun pour synonymes. La domination constitue d'une certaine manière l'expression mécanique de la puissance. Dans sa forme la plus brutale ou la plus exacerbée, elle peut se traduire par la recherche d'avantages unilatéraux en recourant à tous les moyens, y compris la coercition. Elle s'apparente alors à une sorte de jeu à somme nulle entre le renforcement de ses propres intérêts et la préservation de ceux des autres : « C'est eux ou moi. » L'hégémonie est certes inhérente à la logique de la domination, mais son inspiration est différente : il s'agit moins d'imposer brutalement ses vues ou ses intérêts que de rendre sa domination légitime aux yeux des autres. Elle repose sur la production de valeurs étayant la domination[1]. Dans un tel système, la puissance dominante est considérée par les autres acteurs comme celle qui apportera sécurité et stabilité à l'ensemble des acteurs du jeu mondial. A des degrés différents, les Etats-Unis et l'Union soviétique ont été des puissances hégémoniques, car leur pouvoir de domination n'a jamais reposé sur la seule coercition politique ou militaire. Les Etats-Unis comme l'Union soviétique ont été porteurs de valeurs, porteurs de sens.

Or, si l'on regarde le Japon d'aujourd'hui, force est de constater l'existence d'un indéniable décalage entre le pouvoir matériel grandissant dont il dispose et la difficulté réelle qu'il a à convertir sa puissance en pouvoir de persuasion. Il y a dans son cas un indiscutable divorce entre sa puissance et son sens. La puissance japonaise apparaît clairement ascendante. Mais sa capacité hégémonique reste à démontrer à la fois parce que l'on ne parvient pas à dégager les finalités du Japon, les objectifs qu'il poursuit à long terme, mais également parce que sa puissance ne parvient pas à être acceptée naturellement par les autres. Cela vaut aussi bien pour l'Occident que pour l'Asie. Seul le monde arabo-musulman semble fasciné par cette puissance qui a réussi à se moderniser radicalement sans renoncer à son authenticité. Il est, à cet égard, intéressant de noter le succès remporté en Iran ou en Egypte par la série japonaise *Ochine*. Celle-ci a pour héroïne une femme issue d'un milieu populaire, qui se hissera dans la hiérarchie sociale en s'enrichissant mais sans pour autant renoncer à son passé, à ses valeurs et à sa culture. *Ochine* est programmée en Iran où il serait impensable de voir programmée *Dallas,* par exemple[2]. A la différence des séries américaines qui symbolisent le rêve inaccessible, les séries japonaises suscitent spontanément une réaction de proximité, de similitude : l'articulation entre « modernité » et « tradition » y est constante et en fin de compte réussie.

« En suivant Ochine, le spectateur ne rêve plus mais médite sur son propre sort écrit Dina El Khawaga.

« Pour lui, Ochine n'est que la *Zeinab* du village égyptien des années trente. Son dévouement au travail ressuscite le symbole de la servante opprimée. Sa vénération du mariage et surtout de son mari réveille des chers souvenirs de " femme soumise ", ou du moins docile, qu'il ne rencontre plus. Ses vêtements longs, son chignon traditionnel et sa timidité font d'elle presque une femme voilée. L'Egypte et le Japon semblent partager les mêmes valeurs.

« Loin de mettre à l'écran un milieu social " de rêve " à l'américaine, ce feuilleton permet au spectateur de comprendre une société aussi pauvre que la sienne mais qui s'est arrachée à sa misère en restant attachée à ses traditions. Il y a là un effet de miroir qui incite à réhabiliter de " vieilles valeurs " refoulées. La fidélité d'Ochine à sa famille rurale, l'aide constante apportée à son père (alcoolique) et à son frère (machiste) ; l'attachement des Japonais à la terre et à la culture du riz ; le mariage traditionnel ; la résistance de certains personnages féminins à l'occidentalisation de leur coiffure sont autant d'éléments que les Egyptiens retrouvent dans leur rapport avec les valeurs de l'Occident.

« Toutefois, le feuilleton s'inscrit dans la bonne vieille tradition du mélodrame " universel ". Remettant en avant le thème du combat perpétuel entre le bien et le mal, il permet aux Egyptiens de renouer avec un " langage dramatique " qu'ils ont intériorisé, produit et vénéré tout au long des années quarante-soixante. Ochine ne combat pas ses adversaires, ne se méfie pas des étrangers, ni ne se venge contre les méchants. Elle ne fait que travailler, maintenir ses valeurs et aimer ses proches. C'est toujours une force extra-humaine, une volonté divine, voire le destin qui la font triompher, sans que la moindre pensée négative lui traverse l'esprit. Cette docilité patiente mais payante réconforte les spectateurs égyptiens, las des nouveaux produits autochtones ou importés, évoquant la solitude, l'individuation ou au contraire le volontarisme excessif, auxquels ils n'arrivent pas encore à s'identifier. Le monde est construit selon des règles claires, justes où le bien finit toujours par triompher. Que peut-on attendre de mieux pour continuer à espérer, surtout face aux problèmes socio-économiques, ou face aux brouillages que suscite la mondialisation de l'économie et des médias dans la définition du soi, de l'autre et de l'avenir [3] ? »

Le Japon joue le rôle non pas tant d'une référence que d'un exemple analogique. Cette fascination culturelle très superficielle se double parfois d'un espoir fou : le voir faire contrepoids à l'Amérique comme naguère l'URSS à l'Occident. Une image idéalisée du Japon fait donc sens aux yeux du monde arabo-musulman. Mais la survie de cette image n'est forte qu'en raison de l'absence de proximité historique, culturelle et politique avec ce même Japon [4] : on idéalise toujours ce que l'on ne connaît pas.

A cette problématique du sens de la puissance japonaise, il faut essayer d'apporter des réponses en explorant l'hypothèse culturelle. Le recours à l'explication culturelle des phénomènes internationaux est toujours périlleux. Les sociétés comme les systèmes culturels ne sont ni stables ni fermés. Leur identité est en permanente renégociation. Les japonologues ont fait un sort aux explications purement culturelles du Japon et de ses succès [5]. Il constitue l'exemple même d'une société dont la capacité d'absorber, ingérer et filtrer les apports extérieurs est considérable depuis plus d'un siècle. A ce jour, la société japonaise a du monde occidental une connaissance incomparablement supérieure à celle que les sociétés occidentales ont du Japon, alors que plus rien ne justifie cette asymétrie des savoirs. C'est d'ailleurs au moment où le thème du Japon société fermée et protectionniste gagne du terrain en Occident que les Japonais se montrent incomparablement sensibles au monde extérieur et aux impératifs de la mondialisation. L'internationalisation est aujourd'hui au Japon un mot d'ordre socialement généralisé. Dans un monde postidéologique, la culture tend à devenir le sanctuaire naturel de toutes les simplifications

essentialistes et le prélude intellectuel à la construction
d'idéologies fondées sur la différence radicale. On veut
culturaliser l'adversaire après l'avoir idéologisé[6].

Cette dérive culturaliste guette l'Occident. Mais elle
n'épargne nullement le Japon lui-même. A plusieurs
moments de son histoire, il s'est efforcé de systématiser sa
différence avec l'Autre, que celui-ci soit occidental ou
asiatique. Il existe là-bas toute une tradition historique — les
fameux *nihhonji-ron* — qui valorise à l'excès le particularisme
nippon et son altérité radicale avec le reste du monde[7].
Aujourd'hui encore, tout en se plaignant d'être stigmatisées
pour leur différence, les autorités japonaises n'hésitent pas à
revendiquer leur spécificité dès que des pressions trop fortes
s'exercent sur elles pour ouvrir leurs marchés. Ainsi ont-elles
récemment été amenées à évoquer la singularité de la formule
sanguine et de la forme des intestins japonais, ainsi que celle
de la terre et de la neige[8]. Dans un monde post-idéologique
où la compétition, notamment économique, devient extrêmement rude, il y a tentation réciproque et presque naturelle
des acteurs internationaux à instrumentaliser les différences
culturelles à des fins politiques.

Cela étant posé, convenons néanmoins d'une réalité peu
contestable : la difficulté récurrente du Japon à produire des
valeurs capables de rendre sa puissance acceptable pour les
autres.

Le déficit universaliste du Japon

Le premier et le plus fondamental de ces handicaps tient à
ce que l'on pourrait appeler le déficit universaliste du Japon.
Il faut entendre par là la difficulté à produire des valeurs
généralisables à tout ou partie du monde. La prétention
universaliste repose sur la volonté, le désir ou l'ambition de
réduire l'écart entre les valeurs pour soi et les valeurs pour les

autres. Historiquement, la domination de l'Occident sur le monde a reposé sur la combinaison entre puissance matérielle et prétention à faire sens. Même si elle tend à s'estomper, cette propension à l'universalité n'a pas disparu du champ politique occidental. Des puissances historiques comme les Etats-Unis, la Grande-Bretagne et la France situent toujours une partie de leur action par rapport à cette prétention à faire sens. Les fêtes du bicentenaire de la Révolution française ont été l'occasion pour la France non seulement de revendiquer l'héritage universaliste des Lumières, mais également de révéler la « concurrence » subtile que ne manquent pas de se livrer les puissances occidentales sur ce terrain symbolique.

Invitée en juillet 1989 à participer au Sommet de l'Arche et aux cérémonies parisiennes du bicentenaire de 1789, Margaret Thatcher n'hésitait pas à rabaisser notre caquet national en déclarant au *Monde* :

« Non, les droits de l'homme n'ont pas commencé en France. La Révolution a été un tournant fantastique, mais aussi une période de terreur. Quand on relit les livres d'histoire, on est horrifié. »

Les droits de l'homme, pour Thatcher, étaient à l'évidence une invention anglaise, inaugurée par la *Magna Carta* de 1215, les *writs of Habeas Corpus* de 1679, le *Bill of Rights* de 1689... Joignant le geste à la parole, Margaret Thatcher offrit à François Mitterrand une édition rare et somptueusement reliée d'un livre fort cruel pour les héritiers des Jacobins, *A Tale of Two Cities* de Dickens. Beau joueur, Mitterrand reconnut qu'en France « on a toujours un peu tendance, par orgueil national assez légitime, à s'attribuer tous les mérites. J'essaie d'échapper à ce travers très ordinaire et, il faut le dire, les Anglais ont montré le chemin il y a plusieurs siècles ». Il ajouta curieusement, oubliant la Déclaration d'indépendance de 1776 et sept autres *Bills of Rights* américains : « De même les Américains nous ont montré le chemin. La constitution du Massachusetts, trois ans avant 1789 [en réalité 9 ans avant] a été une définition admirable des droits. » Mais, à l'évidence, les Français ont surpassé l'Amérique. Si importante et remarquable qu'ait été cette constitution, « elle n'a pas fait le tour du monde » alors que les « événements qui se sont déroulés en France [...] ont fait, eux, le tour du monde. C'est aujourd'hui universel, tout le monde s'y reconnaît. A chacun son universalisme... [9] »

Quand le président Reagan définissait le rôle des Etats-Unis comme une mission destinée « à préserver et à répandre le feu sacré de la liberté », il rejoignait le général de Gaulle pour qui la France avait scellé un pacte séculaire avec la liberté.

Même si cette ambition universaliste s'est inscrite dans des contextes historiques différents, même si elle a pris des formes très variables et donné lieu à de multiples interprétations à travers le monde, il n'en demeure pas moins qu'elle prend sa source dans des contextes historiques précis qui interdisent d'y voir un pur et simple habillage formel destiné à justifier sa propre domination. Quand les Etats-Unis sermonnent la Chine sur la question des droits de l'homme, ils ne perdent jamais de vue leurs intérêts économiques. Mais il serait absurde de penser que la question des droits de l'homme est un pur et simple habillage destiné à masquer des préoccupations d'ordre économique ou stratégique. Dans le cas américain et peut-être encore plus dans celui de la France, le message universaliste est d'une certaine manière devenu indissociable de l'existence politique de ces deux nations. L'universalisme a dès le départ été la condition de survie de la Révolution française — avant de devenir d'ailleurs, dans des conditions comparables, celui de la révolution soviétique. Ce ne fut pas le cas dans l'histoire américaine. Mais l'affirmation d'une prétention universaliste pétrie de références divines fut très vite associée à la structure même des institutions américaines [10]. Il est difficile de ne pas retenir la filiation profonde entre le message de George Bush sur le nouvel ordre mondial et celui tenu plus de soixante-dix ans plus tôt par Woodrow Wilson, l'année de la révolution russe.

A Woodrow Wilson, qui proclame emphatiquement que,

« si Dieu le veut, l'Amérique aura encore une fois la chance de montrer au monde qu'elle est née pour servir l'humanité », répond un George Bush messianique pour qui « nous sommes américaines : nous avons pour unique responsabilité de faire le travail de la liberté [11] ».

Cette prétention à l'universalité ne peut fonctionner dans le système international que si son promoteur se montre capable de convertir son propre discours, sa propre réalité en termes accessibles et compréhensibles par les autres. Pour ce faire, le recours à une symbolique, à une certaine conceptualisation de la réalité vécue ou espérée est indispensable. La prétention à l'universalité passe nécessairement par une disposition à la conceptualisation.

Or, si nous nous sommes livré à ce détour, c'est précisément parce que, dans ce domaine, le Japon se trouve en position d'extrême faiblesse. D'une part il ne sait pas spontanément aller vers les autres. D'autre part il est incapable de conceptualiser la réalité, de l'objectiver. Pour comprendre cette difficulté récurrente à produire un sens à prétention universaliste, il faut l'illustrer par deux exemples que les japonologues ont bien mis en évidence : le registre linguistique et le registre écologique.

La langue japonaise absorbe mais ne donne pas

Ce qui surprend dans la langue japonaise, c'est le contraste entre son pouvoir d'absorber et celui de donner. Le japonais regorge d'emprunts de mots d'origine étrangère, mais l'inverse n'est pas vrai. La langue japonaise est absorbante mais guère « mégalomane ». Même dans les pays comme Taiwan ou la Corée, où la présence japonaise a été longue, l'imprégnation linguistique d'origine japonaise est très faible [12]. Elle reflète en cela parfaitement ce qu'un auteur disait de ce pays : un pays affligé d'une atrophie de l'appareil émetteur et d'une sorte d'hypertrophie de l'appareil récepteur [13]. Le Japon sait capter mais parvient moins naturellement à donner. Ce pouvoir d'absorption considérable n'en obéit pas moins à une codification rigoureuse. Il y a dans la langue japonaise quatre alphabets (ou plus exactement trois syllabaires et un alphabet) : les idéogrammes chinois, dans lesquels se retrouvent — et ce n'est pas un hasard — toutes les notions abstraites ; le *hiragana*, qui assure en somme l'articulation morphologique et syntaxique des caractères chinois au parler japonais ; les *katagana*, qui permettent une transcription des mots d'origine étrangère, et enfin des caractères latins que l'on emploie tels quels dans des textes pour des mots étrangers, généralement récents [14]. Tout se passe symboliquement comme si la langue — et à travers elle la société — empruntait beaucoup à l'étranger sans jamais totalement effacer l'écart entre elle et les autres. Dans cette langue, le recours au concept abstrait est rare. En revanche, l'usage des onomatopées qui, à nos yeux, s'oppose à la conceptualisation, est à la fois courant et valorisé. « Quand je dis 'boum !' écrit Augustin Berque, je n'effectue pas le même genre d'opération mentale que quand je dis 'explosion' : je conceptualise moins. » Or, chaque fois que nous recourons au concept, dont l'usage est généralement plus valorisé que le terme concret, le japonais procède à la démarche inverse. Il privilégie toujours la perception immédiate, la sensation la plus proche du fait brut. La langue populaire préfère l'expérience du concret aux conceptualisations générales ou abstraites [15].

Politiquement, ce déterminisme culturel se reflète dans ce que l'on appelle en termes vagues le « pragmatisme » japonais. Par rapport à la problématique de l'hégémonie, cette singularité constitue un indiscutable handicap dans la mesure où il empêche le Japon d'affirmer sur la scène internationale de « grands principes » susceptibles de trouver un écho outre-mer. Dans cet ordre d'idées, il aurait difficilement pu s'ériger en promoteur d'une thématique comme celle du « nouvel ordre mondial » par exemple, thématique par définition générale, abstraite et universaliste. Son poids dans le monde, comme celui de n'importe quelle puissance, ne pourra jamais se réduire à sa seule force matérielle. C'est pourquoi tout débat sur le rôle du Japon qui négligerait ces facteurs s'exposerait à d'inévitables contresens ou à une vision trop mécaniste des rapports internationaux. Dire cela ne revient pas à dire que le Japon en restera à une gestion purement économique de ses intérêts. Dans un monde où le politique est déterminé par l'économie, cette dichotomie n'a plus de sens. En revanche, il demeure un écart qui reste essentiel : affirmation d'une puissance autonome et pouvoir hégémonique. Autrement dit, affirmer ? la puissance japonaise sera de plus en plus autonome n'est pas contradictoire avec le fait qu'elle n'est pas hégémonique. Etre autonome, c'est définir sa conduite en fonction de ses intérêts. Etre hégémonique, c'est faire de sa conduite un exemple à suivre pour les autres.

Le déséquilibre entre la faculté d'absorption de la langue japonaise et son faible pouvoir d'expansion, ainsi que sa propension limitée à conceptualiser sont à mettre en rapport avec une troisième propriété : son caractère résolument contextuel [16]. Alors qu'en français, *moi* ou *je* seront utilisés dans n'importe quelle situation, en japonais, le *moi* ne transcendera jamais le rapport avec l'interlocuteur. Tant que l'interlocuteur n'est pas là, présent, le *moi* japonais reste indéfini. « C'est le contexte, les circonstances qui donnent sens au moi [17]. » Là encore, l'analogie avec le champ international est indiscutable. Car elle confirme très largement ce que l'on dit du discours international du Japon : celui-ci n'affirme rien et ne prétend à rien. Il se borne plutôt à se réapproprier les thèmes dominants du moment. Ainsi, quand le Japon parle de la défense des droits de l'homme, c'est moins à partir de principes qu'il aura définis, objectivés ou formalisés, que par nécessité de s'adapter au discours tenu par les autres puissances. D'où la perception par l'Occident d'un pays opportuniste et sans principes dont l'absence de « projet transcendantal » exacerberait encore davantage l'agressivité économique. Tant que l'on se situe sur le plan de l'affirmation de principes généraux, le Japon reste en position de suiviste, et ce indépendamment du renforcement de son poids sur la scène internationale. Au Moyen-Orient, par exemple, les Japonais ont compris, depuis l'embargo de 1973, l'intérêt qu'ils avaient à être présents et à ne pas se couper du monde arabe et ont cherché à avoir un jeu propre compatible avec la recherche d'une certaine sécurité énergétique. Dans cette région, le Japon a une politique autonome. Mais cette conduite, il n'a pas cherché à la traduire en termes politiques ou diplomatiques. La définition d'une conduite autonome dans cette région n'était nullement incompatible avec la prééminence des Etats-Unis. C'est en cela que l'autonomie japonaise ne conduit pas nécessairement à l'hégémonie. C'est également pour cette raison que l'autonomisation de la politique extérieure japonaise ne passe pas nécessairement par un affrontement ou une rivalité avec les Etats-Unis.

Des auteurs japonais notent par ailleurs que, en matière de droits de l'homme et d'exportation de la démocratie, leur pays souffre d'un handicap supplémentaire. Si, dans les autres Etats occidentaux, la problématique des droits de l'homme fait, comme on l'a vu, partie de la culture politique, il en va différemment au Japon. La démocratie est fondamentalement perçue en termes endogènes. Imposée au départ par les Américains après la guerre, elle apparaît aujourd'hui comme un mode de régulation politique qui prémunira le pays contre tout nouvel aventurisme politique extérieur. La défense de la démocratie est donc d'une certaine manière perçue au Japon comme un principe antithétique de toute idée de prosélytisme politique. La défense de la démocratie n'est pas un acte de foi universaliste. C'est presque une garantie contre soi [18].

Le registre linguistique est propice à l'interprétation du déficit conceptuel du Japon. Mais ce site d'observation n'est évidemment pas le seul. Le rapport des Japonais à l'espace et singulièrement à la nature confirme cette faiblesse réelle à objectiver la réalité.

Une architecture sans principe directeur

Dans l'urbanisme nippon, on relève une absence de principe directeur autour duquel la réalité s'ordonnerait de manière implacable. La ville japonaise est à l'image de la langue japonaise. Elle procède de collages, de juxtapositions où la différenciation et l'harmonie sont censées aller de pair. Livrée à notre regard, la ville japonaise nous semble désordonnée, rassemblant collages « anciens » et « modernes » où l'impératif de cohérence n'est guère présent : pour les Japonais, la forme extérieure de la ville, le rôle joué par la façade, par l'enceinte pour symboliser un centre, pour en cerner les contours n'est pas pertinent. La ville japonaise est à voir de près et non de loin. Elle ne cherche pas à dégager un sens, à donner une image d'elle-même avant d'avoir été pleinement découverte. D'où la fameuse remarque de Barthes sur Tokyo, sur son « centre-ville, centre vide ».

« La ville dont je parle [Tokyo] présente ce paradoxe précieux : elle possède bien un centre, mais ce centre est vide. Toute la ville tourne autour d'un lieu à la fois interdit et indifférent, demeure masquée sous la verdure, défendue par des fossés d'eau, habitée par un empereur qu'on ne voit jamais, c'est-à-dire, à la lettre, par on ne sait qui. [...] L'une des deux villes les plus puissantes de la modernité est donc construite autour d'un anneau opaque de murailles, d'eaux, de toits et d'arbres, dont le centre lui-même n'est plus qu'une idée évaporée, subsistant là *non pour irradier quelque pouvoir* *, mais pour donner à tout le mouvement urbain l'appui de son vide central [19]. »

Augustin Berque explique ce vide d'une double façon. D'une part en soulignant que toute la problématique urbaine cherche à abolir les frontières entre ville et banlieue, centre et

* C'est nous qui soulignons.

périphérie, entre nature et culture. Le centre se fond dans l'ensemble. D'autre part parce que l'urbanisme nippon répugne à se développer à partir d'un monument central qui éclairerait le monde. La ville japonaise est à l'opposé de la « cité radieuse » de Le Corbusier. On aura peine à voir un monument, une place, un site et déduire qu'il symbolise le Japon. Les Japonais se soucient moins de conceptions monumentales donnant un sens global et total à la réalité que d'accomplissements partiels. Dans ce domaine, ils se distinguent non seulement des Européens mais aussi des Chinois. Aux symétries grandioses, ils opposent l'incomplétude et l'asymétrie [20].

Parce qu'ils privilégient ce qui est directement perceptible, les Japonais répugnent à valoriser ce qui pourrait sembler exagérément expressif, inutilement visible, excessivement voyant. Parce que la réalité procède à leurs yeux d'une émission discontinue et infinie de signes presque équivalents, il sera toujours délicat pour eux de poser un sens comme on érige un monument, de décréter un ordre des significations, de tracer une ligne de partage entre ce qui ferait et ce qui ne ferait pas sens. Les signes sont trop diffractés pour s'ordonner autour d'un « maître-sens [21] ». A l'image de la communication d'aujourd'hui, où la prolifération des images et des informations nous gêne dans notre propension naturelle à vouloir les hiérarchiser, la société japonaise se caractérise par ce que l'on pourrait appeler une *hypertrophie maîtrisée des signes* qui, d'une certaine façon, gêne ou rend sans objet la recherche d'un sens, porteur implicite d'une certaine transcendance.

Comment le Japon réussit-il à faire sens ?

Cela étant posé, il ne nous semble guère pensable d'en rester là. D'en déduire faussement que le vide de la puissance nippone est décidément trop grand pour ne pas laisser reposer sur les épaules de l'Occident le fardeau du sens. Il faut se demander si la montée en puissance du Japon n'est pas porteuse d'une transformation réelle des conditions de production et d'exportation du sens ; si, loin d'apparaître comme l'exemple aberrant d'une puissance privée de sens, le Japon n'initierait pas malgré lui une nouvelle problématique du sens dont l'attractivité reposerait précisément sur sa prétention non affichée ou affirmée à l'universalité [22].

Dans cette hypothèse, plusieurs plans seraient alors à explorer. Le premier est celui de la mondialisation marchande. Par le jeu de sa puissance marchande et financière, le Japon s'est hissé au sommet de la puissance. Les firmes japonaises sont de toutes les firmes mondiales les mieux « multinationalisées » dans leur implantation. L'accumulation d'excédents financiers fait qu'aujourd'hui, sur les dix premières banques du monde, huit sont japonaises. Le caractère massif et rapide de cette montée en puissance nippone est désormais trop bien établi pour qu'on s'y attarde. L'important est de noter ici que, par sa puissance matérielle et financière, le Japon est devenu le plus grand exportateur de modernité. Cette capacité de répandre la modernité est aujourd'hui le sens le plus fort de ce pays, même s'il devient difficile et presque inutile de distinguer ce qui relèverait de la modernité japonaise ou de la modernité occidentale. La vogue du baladeur est de ce point de vue emblématique. Ce symbole extrême de l'individualisation occidentale a été conçu par le Japon, généralement défini comme une société incapable de penser l'individu en dehors du groupe. Or le baladeur est l'exemple même du bien culturel par lequel l'individu s'extrait du groupe. Il y a d'ailleurs au Japon une longue tradition de conception de produits dont l'usage ne s'impose pas spontanément ou naturellement dans le pays. Par sa faculté d'adaptation aux besoins des autres, par son absence totale de messianisme universaliste, par son indifférence au besoin de voir les autres lui ressembler, le Japon crée du sens en répondant aux besoins nés de la modernité.

L'absence de point de vue propre et préconçu sur le monde constitue un atout, car il facilite la conception de produits adaptés aux besoins des autres. Quand des constructeurs automobiles japonais envoient des représentants s'immerger de longs mois dans des familles américaines pour mieux comprendre leurs besoins, leur rapport à l'espace, leur relation intime à la voiture, ils inscrivent leur démarche dans une perspective radicalement différente de celle des constructeurs occidentaux dont la tentation est de concevoir un « bon produit » qu'ils espèrent ultérieurement vendre à leurs utilisateurs potentiels. Derrière cette différence, il n'y a pas seulement le contraste entre des acteurs japonais soucieux des préférences de leur clientèle et des acteurs occidentaux désireux avant tout de vendre des produits préalablement conçus, il y a fondamentalement une topographie différente du sens. Celui-ci ne peut plus découler d'une relation hiérarchisée entre un pôle porteur qui dégagerait un maître sens irradiant les autres de son savoir. La production de sens repose sur la base d'un principe plus interactif où l'écart entre « celui qui sait » (producteur) et « celui qui ne sait pas » (consommateur) est beaucoup moins tranché. D'où la réduction du temps nécessaire pour combler cet écart, cette distance. Si les entreprises japonaises ont fait de la compression du temps l'un de leurs atouts stratégiques dans la compétition mondiale, ce n'est pas uniquement le résultat d'un effort technique. C'est aussi parce que l'écart qui sépare le concepteur de l'utilisateur est plus mince, parce que l'effet de distance — symbole de l'autorité — entre eux est dès le départ beaucoup plus faible.

Ce rapport négocié et interactif au sens se retrouve au cœur de ce que l'on appelle dans le domaine industriel le modèle japonais du « juste à temps »[23]. On peut également en trouver une expression dans la vogue mondiale du *karaoké*, le seul grand produit culturel japonais réellement exporté. Il s'agit d'un dispositif vidéo permettant au consommateur, dans un bar, de chanter en prenant le micro tout en s'appuyant sur un accompagnement vidéo. Il y a dans le *karaoké* une symbolique du sens. C'est un support grâce auquel on exprimera la nostalgie du passé, d'un temps où la proximité entre les gens était plus grande, la convivialité plus forte. Le *karaoké* n'est pas un tuteur, il n'est pas là pour nous guider, nous donner le ton, pour nous imprimer un rythme à suivre, mais pour nous permettre d'agir de concert en créant de l'émotion collective. C'est dans l'alliance de l'image proposée et de sa propre expression que se forge une signification. Il n'est pas indifférent de penser que le mot *karaoké* résulte d'un collage entre *okesutora* (orchestre) et le mot décisif de *kara* qui veut dire « vide »[24]. Le *karaoké* est donc à l'image de cette nouvelle problématique du sens, qui se construit moins à partir d'un centre plein que d'un support vide sur lequel on viendra greffer ses propres significations, exprimer ses propres préférences.

La capacité du Japon de diffuser des signes de la modernité en s'adaptant aux besoins du reste du monde plutôt qu'en irriguant celui-ci de significations préétablies constitue ainsi une modalité forte de diffusion du sens japonais. Sur cette capacité vient se greffer une seconde, qui en découle presque naturellement. Dans un monde où l'universalisme des Lumières s'essouffle, la réticence du Japon à problématiser le devenir du monde apparaîtrait presque comme un atout. Dans un contexte mondial où les grandes constructions intellectuelles et politiques buteraient sur la complexité, la diversité ainsi que sur une distanciation à l'égard des modes clefs en main, la logique nippone des réalisations partielles, du collage prendrait un relief singulier. Le Japon permettrait ainsi d'apporter des réponses pratiques à des problèmes concrets. Il serait source d'inspiration et éventuellement de conseil dans des domaines où ses performances sont indubitablement supérieures à celles des autres pays. L'influence nippone serait ainsi politiquement dédramatisée, car elle ne reposerait pas sur une « mise en facteur commun » des champs dans lesquels elle s'inscrirait. On ne peut pas dire, par exemple, que la pénétration économique du Japon en Asie s'accompagne d'un projet culturel de nipponisation de l'Asie[26]. Politiquement, cette absence d'enjeu idéologique derrière le sens du Japon est ambivalente. Elle peut renforcer la présence japonaise en la rendant plus tolérable car, d'une certaine manière, moins contraignante. Mais en même temps, le caractère purement « instrumental » de l'influence nippone rend la puissance japonaise vulnérable à une prétention réellement politique.

CHAPITRE X

La régionalisation du sens

Réconcilier sens et puissance

Selon toute vraisemblance, c'est la région qui s'imposera demain comme le référentiel majeur du système mondial, l'unité de compte décisive de la compétition internationale. C'est probablement à l'échelle régionale que surgiront de nouveaux *itinéraires collectifs du sens* capables de prendre en compte les trois demandes du système social mondial : la demande de sécurité, le besoin d'identité, la quête de légitimité[1]. C'est dans l'espace régional que le sens et la puissance ont les meilleures chances de se réconcilier. C'est donc aux modalités de ce recouplage qu'il nous faut ici réfléchir.

Selon les régions, et dans des proportions très variables, ce grand mouvement reflétera et amplifiera trois dynamiques : la décentralisation de la puissance, la volonté des Etats de trouver un nouvel espace de régulation et de légitimation de leur action face au « rétrécissement » national, les *demandes de sens* confuses et contradictoires émanant de sociétés soucieuses de conjuguer mondialisation et proximité. La régionalisation est donc à la fois état du monde, volonté et attente collective.

La régionalisation
ou la décentralisation de la puissance

La régionalisation reflète avant toute chose un fait simple : les foyers de richesse tendent à se démultiplier à travers le monde. Elle est l'expression économique de la fin d'une certaine centralité euro-américaine. Les Etats-Unis, qui, au sortir de la Seconde Guerre mondiale, représentaient à eux seuls plus de 40 % du produit mondial, ne sont plus qu'à 23 %, à parité avec l'Europe communautaire. Le Japon, qui produit aujourd'hui 17 % de la richesse mondiale, n'y contribuait que pour 5 % en 1965.

Cette diffusion régionalisée de la puissance est encore plus sensible sur le plan financier où l'on assiste d'ailleurs moins à une diffusion à proprement parler de la puissance qu'à son basculement des Etats-Unis vers le Japon. En 1970, les six premières banques du monde, classées sur la base de leurs actifs financiers, étaient américaines ; en 1993, sur les dix premières banques, aucune n'est américaine et les sept premières sont japonaises. La première banque américaine vient au 20e rang, et la Bank of America qui, en 1970, se situait au premier rang mondial, se trouve reléguée au 47e rang[2]. En termes de flux d'investissements, l'évolution est comparable. Au début des années 60, les entreprises multinationales américaines réalisaient les trois quarts des investissements mondiaux à l'étranger. Cette proportion est passée à 50 % au début des années 70 et à 25 % au début des années 80.

Sur le plan des échanges, les changements sont tout aussi marquants. En moins de dix ans (1980-1990), la part de l'Asie dans les échanges mondiaux s'est hissée de 14,4 à 21,4 %. Et si celle des Etats-Unis et de l'Europe est restée stable, cette stabilité ne saurait masquer la multiplication des foyers d'exportation des produits à haute technologie par exemple. Entre 1968 et 1988, la part des Etats-Unis dans l'exportation mondiale de ces produits est tombée de 29,2 à 18,5 %, et celle du Japon est passée de 8,5 à 17,5 %[3]. A cette plus large diffusion des foyers de puissance technologique, certains pays du Sud sont désormais partie prenante. En 1968, le Mexique, le Brésil, la Chine, la Malaisie et la Corée du Sud ne réalisaient que 0,8 % du volume des exportations de produits à haute technologie ; au milieu des années 90, cette proportion frôle les 10 %[4]. Dans le domaine de la recherche fondamentale, qui structure en « amont » la compétition mondiale, la diffusion de la puissance est également manifeste, en tout cas au sein de l'ensemble occidental (Etats-Unis, Europe, Japon). Sur les treize technologies d'avenir faisant aujourd'hui l'objet d'une concurrence mondiale exacerbée, le rapport des forces entre les trois grandes régions se présente ainsi : l'Europe est en avance sur les Etats-Unis et le Japon dans deux secteurs ; elle est à égalité avec eux dans six secteurs et en retard sur cinq autres[5]. Chaque région détient des atouts et se trouve pénalisée par certains handicaps. Mais aucune ne dispose d'un avantage absolu irrattrapable par les deux autres pôles. Ainsi, le secteur automobile, qui symbolisa pendant toutes les années quatre-vingt la vitalité économique irrépressible du Japon et sa montée en puissance face à l'Europe et à l'Amérique, offre aujourd'hui une image beaucoup plus nuancée des rapports de forces[6] : l'écart entre le Japon d'une part, l'Europe et l'Amérique d'autre part s'est considérablement atténué.

Tout en se durcissant, la compétition internationale tend à devenir de plus en plus fluide. La puissance se résume de moins en moins à la gestion d'un acquis que l'on cherche à protéger qu'à des prises de « gages technologiques » successives où la vitesse joue un rôle fondamental. Parce que la clef de la compétition est celle de l'innovation technologique et que le marché de l'innovation est désormais mondial, les bénéfices n'augmentent pas avec le nombre des participants. C'est le « premier arrivé » qui gagne, de sorte que même ceux qui souhaitent l'imiter n'y parviendront pas : l'innovation sera déjà diffusée et les dépenses effectuées pour rattraper le concurrent ne généreront aucun revenu[7]. C'est la raison pour laquelle, malgré le développement de l'interdépendance économique, le jeu classique de la hiérarchie (être le premier) reste fondamental. Autrement dit, la transformation des conditions de la compétition ne modifie nullement la pertinence de l'idée de puissance. Simplement, cette dernière se définit en des termes plus fluides que statiques, qui avantagent les nations ou espaces souples (Amérique, Asie) au détriment des nations ou espaces rigides (Europe).

Cette dilatation de la puissance mondiale s'est trouvée « statistiquement » amplifiée par les récentes méthodes d'évaluation de la richesse mondiale. De manière simplifiée, celle-ci consiste à prendre en compte la parité des pouvoirs d'achat. Elle évalue ainsi la richesse à l'aune du pouvoir d'achat dont chacun dispose à l'intérieur de chaque pays plutôt qu'à celle de ce qu'elle permet d'acheter dans le reste du monde. Ainsi, dans la mesure où les monnaies des pays pauvres sont beaucoup plus faibles que celles des pays riches, la mesure de la puissance en de tels termes conduit mécaniquement à une réévaluation de la richesse produite. Autrement dit, de manière très concrète, une tonne de riz produite en Corée vaut plus que cette même tonne de riz échangée sur le marché mondial. Selon ce mode de calcul, la part des pays développés dans la production mondiale se trouve ramenée à 54 % tandis que celle des pays en développement passe à 34 %[8]. L'effet de décentralisation de la puissance s'en trouve ainsi renforcé. Au sein de ce dernier ensemble, c'est la Chine qui, compte tenu de sa morphologie, y gagne le plus : elle devient la troisième puissance du monde derrière les Etats-Unis et le Japon.

Cette réévaluation des mesures de la puissance économique pourrait être lue comme une simple querelle d'experts. En réalité, sa signification semble plus profonde. Elle exerce en premier lieu un effet d'amplification sur les représentations internationales de la puissance. Ainsi, pour les patrons français et britanniques, la Chine se présente comme le compétiteur à long terme le plus sérieux de l'Europe[9]. Cette perception est probablement exagérée, mais elle semble particulièrement révélatrice de la manière dont de plus en plus la puissance et la compétition mondiale se perçoivent. La « menace » n'émane pas seulement du « fort ». Elle résulte du jeu du « faible » qui transforme certaines faiblesses en force (bas salaires, par exemple) tout en poursuivant une stratégie de rattrapage technologique classique. Le jeu de la mondialisation permettrait ainsi un rattrapage technologique sans rattrapage social équivalent. Toute la question est donc de savoir si cet écart est purement transitoire (comme les exemples historiques du Japon et de la Corée le suggèrent) ou si la vitesse à laquelle les technologies pénètrent désormais les pays du Sud rend le rattrapage social paradoxalement moins rapide. Si cette hypothèse se vérifiait, le Sud pourrait dans certains cas rattraper le Nord sans égaliser les conditions sociales de son développement. Cette hypothèse paraît d'autant plus vraisemblable que la mondialisation ne cesse d'étendre aux pays du Sud la logique, bien connue au Nord, de la croissance économique sans création d'emplois. La richesse augmenterait, mais la création d'emplois ne serait pas proportionnelle à cet accroissement en raison précisément de l'extension au Sud de la dynamique technologique peu créatrice d'emplois[10].

Cette détérioration structurelle de la création et de la sécurité de l'emploi retardera le « rattrapage social » du Sud auquel le Nord aspire pour garantir sa sécurité dans la mesure où l'existence d'une « armée de réserve industrielle croissante » réduira fatalement la pression à la hausse des salaires qui pèse sur les employeurs du Sud. Ainsi, l'évolution à laquelle la mondialisation nous soumet bouleverserait désormais les règles traditionnelles du rattrapage économique des nations riches par les nations prolétaires. Elle accentuerait d'une certaine façon la délégitimation d'un modèle occidental où la prospérité collective débouche nécessairement sur un accroissement proportionnel de la consommation et du bien-être individuel. Pour autant, le spectre d'une délocalisation économique massive des pays du Nord vers le sud est parfaitement erroné. A moyen terme, la dynamique de la délocalisation rencontrera deux séries de limites, déjà à l'œuvre. La première tient au fait que les coûts salariaux ont tendance à occuper une place décroissante dans la structure générale des coûts de production. La seconde résulte du développement de la transformation des structures de production et notamment du développement des « systèmes de flux tendus » qui impliquent une proximité croissante entre ateliers de production et fournisseurs.

Ces deux tendances du système flexible — diminution de la part des coûts variables de main-d'œuvre peu qualifiée dans le total des coûts de production et importance accrue de la proximité — s'opposent par conséquent à l'extension de la production « délocalisée » dans les pays en développement. Elles ne suppriment pas complètement, bien entendu, l'attrait éventuel des sites de production à bas salaires pour les entreprises des pays du Nord. Mais on tend plutôt à s'orienter vers la constitution de réseaux d'approvisionnement *régionaux*, et non mondiaux, comme en témoignent les données globales sur la destination géographique des exportations des filiales américaines à l'étranger. La délocalisation, pour autant qu'elle se poursuit, intervient de plus en plus à l'intérieur des grandes régions — des Etats-Unis au Mexique, des pays à salaires élevés de l'Europe vers l'Irlande, l'Europe méridionale, l'Europe orientale ou le Maghreb — et non plus entre ces régions [11].

La régionalisation comme demande

Produit de la mondialisation, la régionalisation est également une résultante de la fin de la guerre froide. Partout à travers le monde, les solidarités héritées du passé s'érodent. Aucune n'échappe à un besoin de redéfinition. Le déclin des alliances géostratégiques impose aux nations le besoin de se repérer dans l'espace mondial, de repenser leur rapport à la région, tout simplement parce qu'il n'existe guère d'autre médiation disponible entre le national et le mondial. Ce retour à la région se pense et s'organise de différentes façons, y compris au sein d'un même ensemble comme l'Europe. Pour l'Europe centrale, retrouver l'Europe, c'est renouer non seulement avec le passé mais également avec la modernité occidentale. Une modernité que le soviétisme avait en quelque sorte bloquée, comme le note justement Milan Kundera dans *Destins trahis*. Pour les pays d'Europe du Nord, le mouvement est comparable, mais son sens ne l'est guère. La régionalisation ne relève ici d'aucune positivité. Elle paraît purement instrumentale, guidée par la peur de l'exclusion économique et de l'isolement politique. Même potentiellement menacée par l'URSS, la Finlande se sentait paradoxalement moins isolée qu'aujourd'hui. La Norvège connaît probablement une situation comparable. En matière de sécurité collective, force est de constater que la mondialisation des enjeux restera inopérante ou abstraite au-delà de la définition de principes généraux. Quels que soient les développements de l'interdépendance économique, sociale ou culturelle de par le monde, on ne pourra jamais accroître de manière décisive l'intérêt de la Chine pour le Rwanda ou celui de l'Europe pour Haïti. La crise yougoslave a d'ailleurs montré de manière éloquente le caractère extrêmement divisible de la sécurité internationale. Non seulement parce que les Etats-Unis ne s'y intéressent que modérément mais également parce que les Etats européens sont parvenus à théoriser leur inaction. Comment, dans de telles conditions, pourra-t-on « globaliser » les solutions — à travers l'ONU par exemple — quand, même à l'échelon régional, la perception des problèmes paraît très fragmentée.

Cette régionalisation n'impliquera que très rarement une sorte de répudiation des liens du passé au profit de solidarités de l'avenir. Elle exprime plus simplement l'affirmation d'une certaine prépondérance de la région, l'intériorisation de la contrainte régionale dans toute action.

Ainsi, si la Grande-Bretagne ne songe nullement à distendre ses liens avec l'Amérique, elle pourra de moins en moins penser ses rapports transatlantiques en dehors de l'Europe, avec laquelle elle entretient des liens de plus en plus forts[12]. Le Japon ne songe nullement à défaire ses rapports avec l'Amérique. Mais la poursuite de cette démarche ne peut plus se faire au prix d'une occultation politique, culturelle ou économique de l'Asie[13]. L'Australie ne cherche nullement à rompre avec l'Europe. Mais, pour survivre, il lui faudra se penser en termes asiatiques. La France, enfin, n'a pas de raisons d'abandonner l'Afrique. Mais la politique clientéliste qu'elle poursuit là-bas depuis plusieurs décennies ne lui permet plus d'ignorer les impératifs européens. La récente et symbolique dévaluation du franc CFA en témoigne[14] : elle marque la première étape dans la décomposition de ce que Jean-François Bayart appelle le « bloc historique franco-africain[15] ».

Parallèlement à ce besoin de se repenser, la régionalisation devient pour les Etats la ressource privilégiée de revitalisation de leur rôle dans un contexte de mondialisation marchande et sociale. La mondialisation, avec ce qu'elle implique sur le plan de l'extension de la sphère marchande dans les rapports sociaux et de concurrence internationale, crée des *demandes d'Etat* soit pour protéger les « secteurs exposés » au marché, soit pour accroître les chances d'affronter cette compétition : ainsi, en Europe, la mise à niveau compétitive du continent face aux Etats-Unis et à l'Asie passe par une dynamisation essentielle du jeu des Etats dans le domaine des infrastructures routières, énergétiques et éducatives[16]. Un processus comparable est engagé aux Etats-Unis par le biais du retour au mercantilisme dans la régulation commerciale mondiale. En Asie, enfin, les dynamiques de l'ASEAN (Association of South East Asia Nations) et de l'APEC (Asia Pacific Economic Conference) conduisent à une implication croissante des Etats. Les pressions commerciales américaines sur le Japon conduisent également à une réintroduction de l'Etat dans le jeu marchand, dans la mesure où c'est l'Etat japonais qui est comptable aux yeux de Washington de sa capacité de forcer les entreprises japonaises à importer davantage de produits américains [17].

Ce regain d'activisme étatique à l'échelle régionale ne s'effectue nullement à l'encontre des actions privées de nature non étatique. Bien au contraire, la régionalisation devient une source potentielle de relégitimation de l'Etat non pas pour regagner le terrain perdu sur les acteurs privés, mais en redéployant son action dans un sens qui rendrait caduque l'opposition entre logique publique et logique privée. La reconstruction du sens passe par la redéfinition du rôle de l'Etat et la prise en charge par celui-ci des nouvelles demandes qui s'expriment sur le plan régional. La régionalisation est la chance des Etats nationaux, la dernière peut-être.

La régionalisation comme attente

Pour les sociétés, enfin, la régionalisation obéit, de manière confuse, variable et contradictoire, à deux aspirations. La première exprime le besoin de se soustraire à la tutelle de l'Etat-nation, de vivre la pluralité de ses identités sans choix mutilant, d'élargir la gamme de ses préférences, de ses goûts et de ses attaches. L'une des modalités les plus fortes de cette demande identitaire pluraliste et transnationale passera probablement par l'*ethnicité*. En Amérique du Nord, par exemple, l'intégration du Mexique à l'espace américain sera sans aucun doute facilitée par une certaine « hispanisation » de l'Amérique. En Asie, les jeux de l'ethnicité et du marché renforcent l'identité chinoise par le biais des diasporas. La fin de la guerre froide aidant, les Chinois d'outre-mer sont de moins en moins contraints de choisir entre l'allégeance à Pékin et l'allégeance à Taipeh, entre l'allégeance à la Chine et l'allégeance à leur patrie d'adoption[18].

La seconde aspiration exprime le besoin de vivre de manière concrète un besoin latent d'universalité. L'Europe constitue aujourd'hui le seul « horizon de sens » disponible pour les jeunesses du continent. Elle est la seule ressource de sens capable de concilier proximité et universalité, même si cette quête reste bien problématique.

En Asie, la fragmentation des espaces nationaux est telle que la région apparaît comme une modalité de puissance plutôt que comme une modalité de sens. Si le citoyen japonais ou chinois aspire à plus de liberté, recherche davantage de commodité, c'est à travers la mondialisation qu'il les recherchera — en fait en Occident — plutôt que dans la région. On a vu dans le chapitre précédent que les Japonais étaient encore très loin de se penser comme des Asiatiques. De leur côté, les Chinois ne semblent véritablement fascinés que par l'Occident et singulièrement par l'Amérique, comme l'a montré leur adhésion presque infantile aux prouesses technologiques de l'Amérique pendant la guerre du Golfe. « En Chine, les montres sont japonaises, taiwanaises ou coréennes, mais dans les têtes, elles marquent en fait l'heure de San Francisco. Toute la Chine cultivée est, plus fortement encore qu'il y a dix ans, et de façon presque brutale, convaincue de la victoire de la démocratie de marché. Elle éprouve même une sorte de haine ricanante pour ceux qui de par le monde persistent à ignorer cette évidence quasi sportive[19]. » Mais cette réalité n'est pas immuable. Les élites asiatiques occidentalisées ou intégrées au monde (hommes d'affaires, hauts fonctionnaires, universitaires) sont, de manière à peine paradoxale, les partisans d'une asiatisation de l'Asie, d'une régionalisation du continent sur la base d'une identité propre. Ce sont elles qui sont derrière le développement de toutes les nouvelles formules de régionalisation en Asie.

Pourtant, si la région s'impose spontanément comme

l'espace intermédiaire naturel entre l'Etat-nation essoufflé et une mondialisation informe, son érection en espace légitime sera lente et contradictoire. Quand bien même il apparaîtrait comme une sorte de point moyen raisonnable entre le trop petit et le trop grand, l'espace régional devra surmonter l'immense décalage que l'on retrouve dans la plupart des champs sociaux entre la reconnaissance vague et générale de la validité d'un principe ou d'un fait — en l'occurrence la région — et son émergence en tant que référentiel légitime. La crise du sens, c'est aussi cette difficulté que nous avons à donner corps à des concepts ou à des réalités que nous croyons désormais inévitables ou indispensables. Autrement dit, il ne suffit pas que la régionalisation apparaisse comme l'espace « naturel » d'exercice de la puissance pour que celui-ci s'érige rapidement en espace de sens.

Si l'on admet que les espaces régionaux ont moins vocation à combattre la mondialisation qu'à l'organiser en leur faveur, les espaces régionaux dominants seront ceux qui parviendront le plus rapidement à réduire les coûts de constitution d'une identité régionale, qu'il s'agisse de coûts politiques (faire émerger une définition du « bien commun régional » au-delà des nations qui le constituent), des coûts économiques (faire en sorte que la construction de l'espace régional ne conduise pas à un repli économiquement régressif) ou des coûts identitaires (s'assurer que la revendication d'une identité régionale soit identitairement vécue comme apaisante plutôt que mutilante). Ces enjeux, il faut les analyser et les comprendre dans les trois grands espaces de sens émergeant de l'après-guerre froide : l'espace européen, l'espace asiatique et l'espace américain.

CHAPITRE XI

L'Europe-sens

Il n'y a guère pour l'Europe de voie moyenne ou de choix intermédiaire entre le sens et la puissance : l'Europe du sens débouchera naturellement sur l'Europe de la puissance. Mais une Europe puissante ne verra jamais le jour si elle ne parvient pas au préalable à faire sens pour ses habitants et pour le reste du monde. Cette liaison dialectique forte entre sens et puissance est source de vulnérabilité extrême, car la moindre perte de sens est ressentie comme affaiblissement de la puissance. Le sens amplifie ainsi la représentation de la puissance, positivement quand un « sens » est proposé, négativement quand celui-ci semble se dérober.

Aujourd'hui, la perception dominante en Europe est celle d'un espace amoindri sur le triple plan de la sécurité, de l'identité et de la légitimité. Cette perception est sans nul doute excessive quand on sait à quel point l'Europe reste un espace extraordinairement privilégié : sur 1,3 % de la surface du globe et avec 6 % de la population mondiale, elle réalise 22 % du PNB mondial. Mais le fait que la perte de sens affecte aussi fortement la représentation de la puissance est, comme on l'a déjà dit, un trait distinctif de ce continent. Mieux vaut donc prendre acte de cette réalité pour mieux la surmonter, plutôt que de l'éluder. En Asie, par exemple, l'intégration économique est infiniment moins avancée qu'en Europe ; quant à l'unité politique, elle n'est tout simplement pas à l'ordre du jour. Et pourtant l'Asie apparaît comme un espace puissant et ascendant, car elle n'a nullement besoin de faire sens pour s'organiser et progresser. L'espace nord-américain se trouve dans une situation fort différente. La question du sens y est centrale, mais, dans la mesure où le poids des Etats-Unis est surdéterminant dans toute construction régionale, l'équation du sens s'en trouve relativement simplifiée. L'Europe a donc besoin de surmonter deux contraintes qui lui sont propres : un besoin de sens pour fonder sa puissance, mais aussi une segmentation de son espace en espaces nationaux de sens qui, pour être tous en crise, n'en demeurent pas moins incapables de transcender collectivement cette représentation. Ce besoin de sens, qui devra d'une façon ou d'une autre se traduire en termes politiques, est d'autant plus indispensable que l'Europe n'a pas, à la différence de l'Amérique ou de l'Asie, l'« histoire qu'il faut » pour penser son devenir en d'autres termes que politiques. Si, pour l'Amérique ou l'Asie, l'ethnicité peut devenir un ressort potentiel de puissance, elle pourra plus difficilement servir de réserve de sens à l'Europe.

Si l'on veut bien admettre que sens et puissance sont étroitement imbriqués l'un à l'autre, si l'on veut également reconnaître que la segmentation en espaces nationaux est une réalité tangible, l'Europe ne fera sens qu'au prix de démarches concomitantes sur deux plans : celui de la mobilisation conceptuelle et celui de l'action politique. Une mobilisation conceptuelle non relayée sur le plan politique s'apparenterait à une réflexion intellectuelle vaine. Une action politique collective qui ne serait pas inspirée par de nouveaux principes de réflexion et d'action ne renforcerait aucunement la lisibilité sociale de l'Europe.

La mobilisation du capital conceptuel européen

Sur le plan conceptuel, on a coutume d'opposer une tradition anglo-saxonne pragmatique à une tradition continentale plus conceptuelle. En réalité, la configuration de l'Europe est à la fois plus complexe et plus simple. Plus complexe, car, face à la tradition anglo-saxonne, il y a des traditions continentales très différentes et passablement contradictoires. Plus simple, car le rapport des forces entre « Anglo-Saxons » et « continentaux » est singulièrement inégal. Dans la construction du marché unique européen, il n'y a pas affrontement de deux logiques ; il y a prévalence d'une logique libérale hégémonique amendée par à-coups par des conceptions nationales qui s'efforcent soit de contenir cette hégémonie (France), soit de la contourner et de l'adapter (Allemagne). La dichotomie entre pragmatisme et conceptualisation est également insatisfaisante. La tradition anglo-saxonne a pour avantage d'être construite sur de l'idéologie, des concepts et des pratiques. Sur l'idéologie, tout d'abord, quand elle affirme clairement la suprématie du marché comme mode optimal d'organisation. Ce faisant, elle tend non seulement à accueillir avec méfiance toute construction politique qui viendrait à surplomber la construction du marché, mais surtout à voir dans la construction de l'Europe non pas une finalité politique, mais une modalité économique d'adaptation au marché mondial.

Dans cette perspective, l'Europe devrait disparaître à mesure qu'elle s'intégrerait au marché mondial. Dans le meilleur des cas, elle s'apparenterait à un « observatoire de la dérégulation » comparable à ceux que la Grande-Bretagne a mis en place au lendemain des privatisations thatchériennes. L'Europe serait ainsi une « institution de services », et son sens serait le sens du marché.

La force de ce point de vue idéologique c'est qu'il est soustendu par un potentiel conceptuel considérable dont le point commun est de penser l'extension de la sphère marchande au détriment de la sphère politique. Parmi mille autres exemples, celui de la privatisation du contrôle de la criminalité est le plus révélateur. Dans ce domaine extrêmement sensible de la souveraineté de l'Etat, c'est la réflexion anglo-saxonne qui est la plus inventive. C'est elle aussi qui est la mieux disposée à admettre que les transferts des tâches de protection de l'ordre public et de lutte contre la délinquance du secteur public vers le secteur privé (prisons privées, polices privées) se posent plus en termes d'efficacité que de souveraineté[1].

Face au déploiement de cette logique, les résistances ne manquent pas. Mais il s'agit d'une résistance négative et non d'un projet positif et alternatif. Le paradoxe de la situation veut que le néolibéralisme ait gagné en Europe la bataille de l'intérêt général, alors que, paradoxalement, il s'est toujours méfié de cette notion. Idéologique et conceptuelle, la logique anglo-saxonne manifeste une grande vitalité sur le terrain empirique chaque fois que de nouveaux problèmes concrets surgissent en Europe. La « force d'appel » de cette référence libérale tient bien sûr à l'état des rapports de forces mondiaux. Sans l'existence des Etats-Unis, le néolibéralisme britannique n'aurait pas en Europe le pouvoir attractif qu'il détient actuellement. Elle s'explique aussi par l'hégémonie culturelle du marché sur l'ensemble du champ social.

Les tribus n'ont pas peur du marché

Mais pour être essentielle, cette explication n'en demeure pas moins insuffisante. Sa force vient du fait qu'elle parvient à faire croire et admettre que, si « le marché est au-dessus de tout », il ne prétend nullement tout régenter. Autrement dit, la logique libérale propose de toucher à l'organisation de la puissance sans toucher au sens. Son hégémonie idéologique repose sur le fait qu'elle récuse paradoxalement toute idée d'hégémonie totale sur la société. Le libéralisme se présente comme un état naturel et non comme une idéologie, rendant ainsi difficile la contestation terme à terme de ses principes. Certes, cette dichotomisation paraîtra illusoire aux non-libéraux : comment prétendre que le marché n'est pas tout quand il pénètre en force tous les champs du social ? Mais cet effet d'illusion reste attractif dans une phase de déclin des utopies, car il ne prétend pas porter atteinte aux symboles identitaires. En Angleterre, le néolibéralisme n'apparaît pas comme destructeur du point de vue identitaire.

Dans cette même Angleterre, les communautés ethniques ne se sentent pas concernées par le débat sur les bienfaits ou les méfaits du libéralisme. Elles constatent que la logique libérale respecte la logique communautaire, et ce pour le plus grand bien des islamistes du monde entier. Pour ces derniers, qui ont fait de Londres leur place forte intellectuelle, que le néolibéralisme soit idéologique ou doctrinaire n'a au fond pas grande importance, dès lors qu'il ne porte pas atteinte au communautarisme. Ce dernier n'a pas de raison de récuser le marché et sa logique, puisqu'il n'intervient pas dans l'organisation communautaire et n'avance pas de définition étatique de l'identité. Les tribus n'ont pas peur du marché. Dans cet ordre d'idées, le modèle français apparaît plus « autoritaire », plus totalisant, car, tout en récusant le « tout marché », il récuse également le « tout communautaire ». A lui seul, cet exemple souligne la plasticité politique du libéralisme qui propose au fond une articulation de fait entre sens (l'identité communautaire) et puissance (l'organisation par le marché). Ainsi, le néolibéralisme peut sans contradiction aucune réunir sous sa bannière les tenants d'une souveraineté nationale tatillonne et très largement symbolique, les adeptes du communautarisme ethnique ou religieux, les partisans sécularisés et radicalisés du marché à tout prix. Sa force politique dépasse donc aujourd'hui très largement les limites du champ économique.

A sa façon, cette démarche peut faire sens, et son principal atout politique dans le débat européen actuel est de ne reposer sur aucun volontarisme ou activisme : le marché aveugle comme le communautarisme existent déjà un peu partout en Europe. En laissant faire, ils s'imposeront sans combat. C'est donc à ceux qui récusent cette évolution que revient la charge de la preuve. Comment l'assumer ?

En réactivant le potentiel conceptuel de l'Europe autour de ses trois grandes traditions : la tradition britannique, la tradition allemande et la tradition française. Car, si ces trois traditions intellectuelles existent, elles sont aujourd'hui peu disposées à converger.

Si l'on prend le premier cas, on aura spontanément tendance à identifier la réflexion britannique à la réflexion néolibérale. Or, il existe aujourd'hui en Grande-Bretagne une tradition féconde qui pense le marché non comme un absolu mais au contraire comme une somme d'institutions histori-ques reflétant des trajectoires particulières. De ce postulat, elle tire une conclusion politique forte concernant l'Europe de l'Est : l'application de la logique néolibérale ne peut conduire qu'à une impasse. La Social Market Foundation qui est à la pointe de ce combat, dit du marché qu'il est un construit et non un modèle et que, dans ces conditions, on peut emprunter aux autres des fragments d'expérience, mais non importer la totalité de ce construit[2]. De façon fort intéressante, cette démarche britannique est très proche de celle de l'école allemande de l'*Ordoliberalismus* qui généra en Allemagne, au lendemain de la guerre, l'économie sociale de marché. Avec ces deux traditions, la tradition française sur l'Etat peut aisément dialoguer. Sur cette base, un socle conceptuel européen pourrait naître, associant la tradition britannique sur le marché, la tradition française sur l'Etat et la tradition allemande sur la subsidiarité. Pour s'assurer d'une convergence effective de ces trois traditions, il faudra chercher non pas à trouver entre elles un hypothétique point médian abstrait ou consensuel, mais à dégager une *probléma-tique de la convergence*. Pour ce faire, il faut inciter chaque grande tradition à approfondir ce qu'elle connaît le mieux, ce qui véritablement conduira d'une certaine manière chacune d'entre elles à prendre la mesure des limites inhérentes à sa propre réflexion. Autrement dit, il ne s'agit pas d'exiger des Anglais qu'ils pensent moins au marché et les Français moins à l'Etat, mais d'inciter les Anglais à réfléchir aux limites du marché et les Français aux limites de l'Etat. Chacune des grandes traditions doit se penser et se renouveler dans ce qu'elle connaît le mieux tout en admettant que son apport au débat européen se mesurera à travers sa capacité de se penser davantage en termes de *passerelle* que *d'hégémonie*. C'est pour cela que la méthode de la convergence consensuelle sera aussi importante que son contenu.

Grâce à la tradition anglaise sur le marché, à la tradition française sur l'Etat et à la tradition allemande sur la subsidiarité, l'Europe bénéficie d'un potentiel considérable dont la mise en mouvement est freinée par trois facteurs fondamentaux : la segmentation des réflexions nationales, l'étatisation du débat européen, le doute profond que nourrit chacune de ces traditions sur son propre devenir. La tradition non libérale britannique souffre de l'hégémonie néolibérale et des excès du keynésianisme. La tradition allemande est confrontée au doute collectif des Allemands sur leur devenir ainsi que sur la pérennité de leur propre modèle dans un univers compétitif mondialisé[3]. La tradition française, enfin, se heurte à la délégitimation massive de l'Etat que l'accroissement paradoxal des demandes d'Etat — non satisfaites — semble accentuer. Il faut profiter du moment historique présent où aucun modèle national européen ne se veut ou ne se pense comme *triomphant* pour faire émerger en souplesse un *modèle européen convergent*. Cette démarche permettra non seulement de donner sens à l'Europe, mais d'éviter que le débat européen ne se recristalise autour de la question de l'hégémonie allemande[4].

C'est sur la mobilisation du potentiel conceptuel européen autour des thèmes centraux de l'Etat, du marché et de la subsidiarité que l'Europe du sens peut renaître à la fin du XXᵉ siècle. Cette convergence conceptuelle ne pourra naître et se développer qu'en dehors du champ étatique non pas pour construire une chimérique Europe sans Etats, mais pour se placer dans une perspective à long terme capable de résister aux aléas du jeu interétatique — dans cette perspective, la place des fondations et des centres de recherche peut devenir centrale. L'Europe ne souffre pas d'un déficit conceptuel, mais d'un manque de mise en œuvre de ce potentiel-là. Goethe disait que l'incapacité de s'arrêter était ce qui faisait la grandeur de l'Allemagne. Aujourd'hui, c'est l'incapacité des Européens de se mettre en mouvement qui constitue leur handicap majeur.

Le dépassement du dilemme « dilution-exclusion »

Parallèlement à la mobilisation de son potentiel conceptuel, l'Europe a besoin d'une mobilisation politique concomitante reposant sur un impératif simple mais fondamental : se penser en tant qu'espace géopolitique capable de délimiter ses frontières [5].

L'Union européenne n'est pas une organisation régionale. C'est une communauté politique, fondée sur une histoire et des valeurs proches ou communes. De cette définition simple et générale découlent certains principes d'action requérant une rupture partielle avec les pratiques communautaires mises en œuvre ces dernières années par l'Union européenne.

Parce que l'Union européenne constitue une communauté politique mais également historique et culturelle, les Etats non européens ne sauraient en être membres. Sur la base de ce principe, ni la Russie ni la Turquie — qui ne sont pas totalement européennes — ne pourraient y adhérer. Cette coïncidence entre valeurs et histoire communes permettrait d'ailleurs d'expliquer simplement pourquoi des Etats partageant les valeurs de l'Europe communautaire ne pourraient pas y trouver leur place. L'adhésion de la Russie à l'Europe serait un non-sens absolu, sauf à renoncer définitivement à toute construction politique du continent. On voit mal en effet quel contenu symbolique, ou politique, pourrait avoir une Europe allant de Brest à Vladivostok.

Le cas de la Turquie soulève des questions du même ordre. Comment admettre en Europe une nation qui ne l'est que marginalement sur le plan géographique ? En Turquie, le choix de l'Europe est tout d'abord le choix des élites, qui ont toujours eu des difficultés à trouver à leur pays une place dans la région. Non sans raisons, elles trouvent dans la réticence de l'Europe à lui ouvrir ses portes une explication purement culturelle : le peuple turc est un peuple musulman. Avec l'effondrement de l'URSS, cette analyse n'a guère changé. Les Turcs voient dans le soutien de l'Occident à leur engagement en Asie centrale un moyen de les détourner de l'Europe. Là encore cette analyse est probablement fondée. Pourtant, la fin de la guerre froide conduit bel et bien à une reformulation du rapport de la Turquie avec l'Europe, et ce pour des raisons d'ordre plus identitaire que géopolitique. Comme beaucoup d'autres nations du monde, la Turquie aspire aujourd'hui à renouer avec son histoire sans pour autant annuler les bénéfices politiques et économiques du kémalisme. Cette renégociation conduit à voir dans l'islam non plus un obstacle systématique à la modernisation et à l'occidentalisation, mais une source valorisante d'identité politique, indépendamment même des résultats électoraux des islamistes dans le pays. Dans le monde musulman, la Turquie est la seule nation susceptible de faire avancer de manière concrète le débat, politiquement réducteur et mutilant, entre ceux qui voient dans l'islam un obstacle à la modernité occidentale et ceux qui disent que celle-ci entrave le « règne de l'islam ». Au contraire, l'adhésion à l'Europe peut renforcer la perception de ce clivage au sein d'une large fraction de l'opinion turque pour qui l'affaire bosniaque révèle et réveille la complexité du rapport entre l'Occident et l'islam à travers la Turquie, au sein du monde musulman pour qui l'adhésion à l'Europe serait perçue comme un symbole de « trahison » de la *Umma,* au sein de l'Europe enfin où l'adhésion de la Turquie renforcera l'islamophobie ambiante. Dans de telles conditions, l'enjeu pour l'Europe est de sortir de l'ambiguïté sur les bases suivantes : la Turquie n'a pas vocation à entrer en Europe, mais le coût de sa non-adhésion devra être réduit au strict minimum. L'Europe doit faire en sorte de lui proposer un ensemble de mesures de coopération économique, politique et militaire suffisamment attractives pour rendre presque sans objet la question de l'adhésion formelle à l'Union européenne. La Turquie est aujourd'hui l'acteur politique le mieux armé pour favoriser l'émergence d'un espace de sens musulman capable d'entretenir avec la modernité et l'Occident un rapport moins « tourmenté ».

Même pour les Etats « pleinement » européens sur le plan géographique, l'adhésion à l'Union européenne ne peut plus être considérée comme un droit. De ce fait, il n'y aurait pas de contradiction majeure entre une adhésion à des organisations régionales comme le Conseil de l'Europe et une non-admission dans l'Union européenne. Contrairement à ce que l'on croit généralement, la définition d'une identité européenne n'implique pas nécessairement une définition homogène et cohérente de l'Europe. Elle suppose simplement que le sens et l'objet des différentes Europes soient relativement clarifiés. Rien n'interdit à l'Europe de se penser en Europes politique, marchande ou culturelle sans que celles-ci aient nécessairement vocation à s'unir et à converger.

L'adhésion à l'Union européenne ne peut plus être assimilée désormais à ce qu'elle est devenue : une adhésion de confort, de nature essentiellement économique. Le seuil de l'adhésion devra être relevé sur le plan politique. L'un des moyens de ce relèvement du seuil de l'adhésion serait l'adhésion à une politique de défense. Outre l'intérêt de relever le seuil de l'adhésion, l'inclusion d'un « volet sécuritaire » permettrait par exemple de faire adhérer certains pays de l'Est à l'UEO, sans passage préalable par l'OTAN. Face à la Russie, cette démarche présente un double avantage : dissuader Moscou sans la provoquer.

Ce relèvement du seuil d'adhésion présente un avantage capital : éviter la dilution du sens de l'Europe. Il présente en revanche un inconvénient non négligeable : développer à la périphérie de l'Europe stable et prospère une immense frustration politique et dont la traduction en termes d'instabilité serait considérable. La Russie, le Maghreb et la Turquie en seraient les premières « victimes ». Cette objection est fondamentale, mais elle n'est pas indépassable. Pour contourner le dilemme politique majeur entre *dilution* et *exclusion*, l'Union européenne doit prioritairement *dépénaliser* la non-adhésion à l'Europe. Par dépénalisation de la non-adhésion, il faut entendre l'invention d'un statut d'Etat partenaire, sélectif mais beaucoup plus ambitieux, dont les bénéficiaires *exclusifs* seraient la Russie, la Turquie et le Maghreb. Par partenariat, il faut entendre la mise en place d'un triple mécanisme :

— un mécanisme de consultation politique régulier entre l'Union européenne et les Etats partenaires ;

— un mécanisme de coopération économique instaurant une union douanière avec l'Union européenne sans liberté totale de circulation, mais garantissant aux Etats partenaires dans la plupart des domaines, y compris ceux de l'immigration et d'établissement, une sorte de clause préférentielle aux pays non communautaires — la revendication politique de cette « préférence » permettrait d'ailleurs à l'Europe de mieux justifier le recours à certaines formes sélectives de protection commerciale face à l'Asie ;

— un mécanisme de sécurité dont l'objectif central serait de prévenir la montée des représentations fondées sur la « menace du Sud » ou sur une « nouvelle menace de l'Est ».

L'association des Etats partenaires aux manœuvres de l'UEO ainsi que la mise en place d'une coopération militaire entre l'Union européenne et les Etats partenaires seraient essentielles.

Tout l'enjeu du partenariat politique avec la Russie, la Turquie et le Maghreb serait pour l'Europe de dépasser la dichotomie entre dilution et exclusion et surtout de sortir de l'entre-deux dans lequel elle se trouve actuellement. Par manque de volonté, ce refus de choisir conduit simultanément à une dilution et à une exclusion de fait. L'Europe communautaire donne d'elle-même l'image d'une puissance diluée et excluante alors qu'il conviendrait d'empêcher la dilution tout en diluant le sentiment d'exclusion chez ceux qui frappent aux portes de l'Union européenne. La polarisation du débat politique entre dilution et exclusion n'est en réalité que le révélateur d'un déficit du politique dont la raison d'être ou la finalité est précisément d'aider à sortir de choix binaires et réducteurs. Dépasser la logique des choix binaires, c'est précisément ce qui manque à l'Europe, mais qui fait par contraste la force de l'Asie.

CHAPITRE XII

L'Asie
ou le régionalisme sans finalité

Le régionalisme asiatique se résume à une réalité simple mais décisive : en l'an 2010, ce continent sera la source de 35 % de la richesse du monde contre 18 % pour les Etats-Unis et 17 % pour l'Europe occidentale [1]. Cette percée de l'Asie est d'autant plus remarquable qu'elle tend à se généraliser à l'ensemble du continent. En 1970, le succès de l'Asie se limitait très largement au Japon qui concentrait alors les trois quarts de la richesse asiatique. En 2010, cette part tombera à un quart au profit donc de la Chine, de la Corée et des nations de l'ASEAN [2]. Penser l'Asie comme un espace contrôlé par le seul Japon relève d'ores et déjà de l'anachronisme. Le sens de l'Asie, c'est avant tout le sens de la prospérité, d'une prospérité de plus en plus partagée [3].

C'est ensuite l'originalité d'une démarche régionale, sa souplesse, sa capacité d'esquive des trois dilemmes de la construction européenne : le bornage de ses frontières, la recherche d'une finalité, l'impératif d'unité politique. Le sens de l'Asie, c'est aussi celui de l'informalité.

Borner ses frontières ne s'impose pas à l'Asie, et ce pour une raison morphologique simple : un espace largement maritime qui a toujours existé et prospéré comme lieu de confluence plutôt que comme ensemble géopolitique. Il n'y a pas à proprement parler de « droit d'entrée politique » en Asie, car le péage s'acquitte sur les plans économique et sociétal. C'est le flou des frontières et l'informalité des procédures qui bornent l'Asie, qui rendent de ce fait difficile l'entrée des non-Asiatiques. Les concepts régionaux d'Asie-Pacifique ou d'Asie du Sud-Est sont d'ailleurs fort récents et d'origine européenne[4]. Certes, il existe aujourd'hui en Asie des élites politiques et administratives qui s'emploient à finaliser progressivement la construction de l'Asie selon des modalités européennes. C'est le sens de la démarche malaysienne dont l'inspiration est très occidentale, même si politiquement elle se présente parfois sous des couleurs hostiles aux intérêts occidentaux[5]. Mais elle reste malgré tout minoritaire, car elle n'est pas relayée politiquement par les grandes puissances régionales de l'Asie.

Le sens de la prospérité

Etre en Asie aujourd'hui n'impose pas de se réclamer d'une vision du monde asiatique ou d'un projet collectif. C'est avant tout être partie prenante, de manière active et pragmatique, à une forte dynamique de la croissance et du développement. Pour cette raison, la proximité géographique devient au fond moins pertinente que la proximité économique avec les pays leaders de la prospérité asiatique. L'Inde apparaît encore aujourd'hui comme hors du « temps asiatique » parce que sa capacité de rattraper le train de la prospérité asiatique n'est pas encore démontrée. On peut ainsi penser l'Asie sans se référer à l'Inde alors qu'il est impensable d'en parler sans se référer à Singapour[6]. La Russie pourra revenir en Asie sur le terrain politique ou militaire, à la faveur de la crise coréenne par exemple. Mais elle ne deviendra partie prenante du temps asiatique que lorsque son Extrême-Orient aura franchi l'une des trois portes de la prospérité asiatique qui se présentent à elle : la « porte japonaise » (Sakhaline/Hokkaido) ; la « porte coréenne », qui passe par la mer Jaune en attendant l'unification de la Corée qui créera une continuité géographique entre la Corée et la Russie ; la « porte chinoise », le long de la frontière russo-chinoise quand la prospérité chinoise ne sera plus purement côtière. Faire partie de l'Asie aujourd'hui implique avant tout une adhésion à un espace-temps et pas seulement à une région[7].

Certes, le souci de s'intégrer avant tout à un ensemble prospère n'est pas propre à l'Asie : beaucoup d'Etats souhaitent ainsi adhérer à l'Union européenne précisément parce qu'elle symbolise et recèle une certaine richesse. Mais la comparaison s'arrête là. Car si, en Europe, les chemins de l'adhésion sont soigneusement codifiés et politisés, les voies d'accès à l'Asie sont plus informelles qu'institutionnelles, plus sociales que politiques. Cette informalité n'exclut d'ailleurs pas une certaine vision, voire une planification à moyen-long terme. Mais le point de départ est généralement très empirique et lié à des impératifs économiques. Ainsi, pour comprendre la stratégie à long terme du Japon au Vietnam, il faudra peut-être moins se référer aux propos convenus du ministère des Affaires étrangères que lire attentivement le récent texte rédigé par la firme Mitsubishi sur l'industrie automobile au Vietnam. A partir d'une étude très sectorielle, ce document en vient à développer des considérations plus larges sur l'économie du pays, l'organisation de ces infrastructures, la constitution d'une base industrielle et technologique[8].

Si, dans quelques années, la Birmanie, le Vietnam, le Laos et le Cambodge rejoignent l'ASEAN, c'est parce que l'intégration économique informelle au noyau des pays prospères sera largement engagée. C'est ce que l'on observe, par exemple, dans un pays ruiné et déclassé comme la Birmanie qui a connu l'autarcie pendant plusieurs décennies. Aujourd'hui, elle rejoint progressivement la dynamique de la prospérité à travers des processus informels et graduels, des réseaux commerciaux historiques où trafics en tout genre et objectifs politiques s'entremêlent aisément. La Birmanie sert à la fois de point d'entrée aux produits japonais vers la Chine mais également de base potentielle de projection militaire de la Chine dans la région[9]. Elle s'intègre simultanément à l'espace chinois par la réactivation du commerce fluvial et de montagne et à l'espace thaïlandais au Sud grâce à l'amélioration des infrastructures en Thaïlande[10]. (Ce que la Birmanie peut faire avec l'Asie prospère, l'Albanie ne saurait l'entreprendre avec l'Europe communautaire.) Cette intégration économique de l'Asie passe d'ailleurs moins par des Etats que par des régions à cheval sur plusieurs Etats. Il y a aujourd'hui en Asie une multiplication des zones économiques, de triangles de croissance auxquels la dynamique de la prospérité s'élargit. On parle par exemple beaucoup du triangle de croissance de Johore qui associe le sud de la Malaisie, Singapour et l'île de Batan en Indonésie[11]. Ces triangles permettent d'accommoder les trois sources de la prospérité : capitaux, émanant du pays le plus prospère, marchés potentiels situés dans le pays le plus large ou le plus solvable, main-d'œuvre localisée dans le pays le moins avancé et donc le moins cher. On parle, sur la base du même principe, d'un deuxième triangle transnational associant le sud de la Thaïlande, une partie de la Malaisie et le nord de Sumatra. On évoque enfin un nouveau triangle sur l'île chinoise de Hainan, qui associerait Chinois du continent, de Hong Kong et de Taiwan dans une entreprise de pénétration vers le Vietnam et le reste de l'Asie du Sud-Est[12]. Cette dynamique transnationale entraîne un véritable reformatage de la Chine. Ainsi, les provinces de Guangdong et de Fujian ont beaucoup plus de liens avec Hong Kong et Taiwan qu'entre elles alors qu'elles appartiennent formellement à un même espace politique[13].

Alors qu'en Europe on se demande si le renforcement du groupe de Visegrad ne retardera pas l'entrée de l'Europe de l'Est dans l'Union européenne, en Asie, ce type de choix restera purement abstrait. L'important est de s'intégrer à une dynamique économique existante et non de choisir *a priori* un modèle institutionnel. En Asie, s'intégrer régionalement, c'est avant tout prendre un train en marche et non faire un choix existentiel. De ce fait, un débat sur la subsidiarité n'a pas de raison d'être en Asie, car l'intégration passe par le bas. En Occident, on imagine mal une Europe faite à partir d'arrangements transfrontaliers. Le Conseil des régions est une institution mise en place par le traité de Maastricht, donc venue d'en haut.

A cette *informalité* qui fait la force de l'Asie concourent trois facteurs essentiels. Le premier tient à une conception de la souveraineté qui, même si elle a fini par se conformer au modèle occidental de l'Etat-nation, n'a jamais aboli des formes plus traditionnelles de souveraineté fondées sur l'allégeance plutôt que sur le contrôle du territoire : la propension des agents économiques ou des acteurs sociaux à passer les frontières y est naturelle. D'autant qu'ici comme ailleurs la fin de la guerre froide a réduit les impératifs sécuritaires de souveraineté territoriale classiques entre les Etats de la région. Les frontières sont poreuses, car de moins en moins bien gardées. Le second moteur de cette informalité réside dans le rôle décisif des diasporas et singulièrement de la diaspora chinoise. Forte de ses cinquante millions de personnes et de ses 231 milliards de dollars d'avoirs financiers, celle-ci joue un rôle intégrateur d'une triple façon : en participant depuis quinze ans au décollage économique sans précédent de la Chine côtière, en développant le maillage économique entre tous les pays d'Asie où résident des communautés d'origine chinoise, en intégrant davantage l'Asie à l'économie mondiale grâce à la « force de frappe financière » acquise par cette diaspora en Occident. C'est grâce notamment à la présence des Chinois au Vietnam que Taiwan est devenu très vite le premier investisseur dans ce pays [14]. La diaspora exerce ainsi une triple fonction intégratrice : intégration des Chinois entre eux, intégration des Asiatiques entre eux, intégration de l'Asie à l'économie-monde. Certes, la diaspora chinoise est loin de constituer un ensemble homogène. Mais cette diversité est loin de constituer un obstacle à l'émergence d'un espace chinois. Bien au contraire, elle permet de diversifier et de diffuser la prospé-

rité dans toute la Chine côtière. Ainsi, la province de
Guangdong doit beaucoup à sa proximité avec Hong Kong
tandis que celle de Fujian est redevable de sa prospérité aux
Taiwanais [15]. Par ailleurs, au fur et à mesure que le monde
prend conscience de l'importance de la diaspora, les Chinois
voient leur conscience de Chinois se modifier. Une conscience
d'appartenance au monde chinois se forge progressivement à
travers le regard que les non-Chinois portent sur les Chinois.
La diaspora contribue ainsi économiquement et symboliquement à la constitution d'un espace de sens chinois. Elle repose
sur le *gaunxi* (le réseau) et *qougshi* (la conscience commune).

La création d'un espace asiatique est donc générée par des
agents économiques et des processus sociaux transnationaux
dont l'action est en avance sur celle des acteurs politiques.
D'où l'absence de finalité politique donnée aux projets
d'intégration en Asie ; d'où l'absence d'implication forte des
grands Etats asiatiques dans les débats sur la régionalisation.
Pour le moment, ce sont les petits Etats comme Singapour et la
Malaisie qui se trouvent en pointe sur les questions d'intégration régionale. Entre la Malaisie qui prône une Asie asiatique
dont seraient exclues les puissances blanches dont les Etats-
Unis et l'Australie, et cette dernière qui précisément cherche à
contrer cette perspective, ni la Chine, ni le Japon, ni la Corée
ne semblent avoir fait de choix stratégique. Mais là encore, et à
la différence de ce que l'on observe en Europe, cette
indétermination stratégique des grands Etats sur la forme
optimale d'intégration n'est nullement considérée comme
intenable politiquement ou dommageable économiquement.
La question délicate de la perte de souveraineté qui accable
tant l'Europe n'est pas à l'ordre du jour en Asie. Certes,
nombreux sont les Etats d'Asie qui voient chaque jour le
contrôle sur leurs populations ou leurs régions se relâcher : la
Chine en est l'illustration la plus nette. Mais c'est moins en
termes de supranationalité que d'autorité que le problème est
posé. C'est dans sa capacité de transcender des arbitrages que
l'on tend à penser en Europe en termes antagonistes que l'Asie
fait aujourd'hui sens.

On aurait cependant tort de croire que cette expérience est transmissible ou exempte de difficultés. La principale d'entre elles tient à l'incertitude des rapports de forces politiques en Asie et notamment au fait que le jeu interétatique y reste très important. Alors que l'Europe mesure chaque jour davantage que son avenir passe par un dépassement de la logique des Etats, l'Asie n'est qu'au début du processus de maturation du jeu interétatique. Maintenant que la guerre froide est finie et que la logique des protections extérieures tend à s'affaiblir, les Etats asiatiques se trouvent en quelque sorte livrés à eux-mêmes. Ils dévoilent leurs ambitions en cherchant à marquer leur territoire.

Le Japon face à l'émergence d'un espace de sens chinois

De toutes les incertitudes, la plus grande concerne l'évolution du rapport entre la Chine et le Japon. Cette rivalité historique et naturelle est fondamentale, car elle n'est au fond que la matrice d'un triple enjeu. Le premier porte sur la constitution d'un espace de sens chinois à partir de *trois Chines* : une Chine territorialisée, où les Chinois sont majoritaires (Chine continentale, Taiwan, Hong Kong et Singapour) ; une Chine expatriée, celle que les Chinois appellent les *huaqiao*, autrement dit les Chinois d'outre-mer ; une Chine symbolique, celle des journalistes, des économistes ou des universitaires qui pensent et théorisent le monde chinois — le plus souvent d'ailleurs à partir des pays occidentaux — et dont l'influence sur le regard qu'ont les Chinois sur eux-mêmes est considérable [16]. Le second porte sur la capacité du Japon de s'asiatiser autrement qu'à travers la nipponisation du continent ; le troisième sur le jeu croissant des acteurs tiers de cette rivalité comme la Corée et les pays de l'ASEAN.

Si l'évolution des rapports entre la Chine et le Japon est amenée à structurer l'avenir de l'Asie, ce n'est pas seulement pour satisfaire chez ces deux géants un besoin de grandeur, mais pour mettre un terme à une anomalie historique entretenue par la guerre froide : l'implication relativement faible de la Chine et du Japon en Asie au regard de leur puissance.

La Chine a besoin de l'Asie pour faire renaître son ambition mondiale, une ambition que le communisme ne lui a pas permis de réaliser. Elle a besoin de s'impliquer dans le devenir de la région Asie afin d'accéder au monde, alors que le maoïsme avait prétendu pouvoir faire le chemin inverse : se poser comme puissance mondiale pour peser sur le destin de l'Asie[17]. Sur une base exclusivement économique et une réussite nettement plus éclatante, le Japon a suivi un cheminement comparable : il a construit sa puissance mondiale pendant trente ans en ignorant superbement l'Asie. Pour l'un comme pour l'autre, la prolongation de cette démarche n'a plus de sens, car les coordonnées du *temps mondial* ont radicalement changé. La fin de la guerre froide et la montée en puissance économique de l'Asie placent plus que jamais ce continent au cœur du monde. La Chine et le Japon se trouvent ainsi conduits à se situer par rapport à cette centralité de l'Asie à laquelle ils ont contribué de manière décisive mais indirecte. Décisive, car c'est désormais le binôme sino-japonais qui charpente la puissance de l'Asie. Indirecte, car ni Pékin ni Tokyo n'ont véritablement cherché à construire politiquement cette centralité asiatique. Ce n'est que maintenant que l'un comme l'autre se trouvent confrontés à la prise en charge de cette réalité, à la nécessité de donner un sens politique à un espace de puissance.

Vu du Japon, le retour vers l'Asie, le retour vers ce que Karoline Postel-Vinay appelle l'agora[18], répond à deux considérations majeures qui se manifestent depuis maintenant dix ans, depuis le début de la fin de la guerre froide.

La première est d'ordre économique, même si son substrat

politique est fondamental. Elle découle de l'*endaka*, autrement dit de la réévaluation du yen imposée par les Etats-Unis au Japon en 1985. L'*endaka* intervient l'année même où les Etats-Unis passent, pour la première fois depuis 1914, du statut de pays créancier à celui de pays débiteur. C'est là un tournant capital qui marque le début d'une réorientation profonde de la politique occidentale et américaine vis-à-vis du Japon. Cette réorientation repose sur un principe simple mais fondamental : la solidarité politique avec le Japon, née de la guerre froide, ne peut plus masquer les contradictions d'intérêt économique entre les Etats-Unis et le Japon. Celui-ci cesse d'être protégé par l'Occident : il commence même à être contenu par lui. En lui imposant la réévaluation de sa monnaie, les Etats-Unis s'engagent dans le *containment* économique. La réaction de Tokyo ne tarde pas. Car si la hausse du yen gêne la pénétration commerciale japonaise en Occident, elle accroît par là même le volume des investissements japonais disponibles en Asie notamment [19]. Moins de dix ans après le début de cette offensive vers l'Asie, les résultats sont considérables : en 1985, le commerce avec les Etats-Unis dépassait d'un tiers le commerce avec l'Asie. Aujourd'hui, c'est la relation inverse qui prévaut. En 1992, le surplus commercial du Japon vers l'Asie de l'Est était à peu près égal à celui que cette dernière détient vis-à-vis des Etats-Unis. Ce double surplus peut avoir deux conséquences : il constitue à la fois une marge de sécurité économique qui permettra au Japon de céder plus facilement aux pressions américaines et une source potentielle de crise avec les pays d'Asie du Sud-Est insatisfaits du caractère déséquilibré de leurs échanges avec le Japon.

Le dynamisme de la croissance asiatique contrastant avec le ralentissement de la croissance occidentale a, depuis la fin de la guerre froide, accentué cette emprise économique du Japon sur l'Asie. De fait, la rentabilité des investissements japonais en Asie atteint désormais 5 % contre 3,2 % en Europe et − 0,9 % en Amérique [20]. Cette asiatisation de la puissance économique du Japon se trouve d'ailleurs indirectement favorisée par les Etats-Unis, car au fur et à mesure qu'ils poussent à une réévaluation du yen, ils incitent les firmes japonaises à généraliser une stratégie jusque-là marginale : la délocalisation de leurs activités vers l'Asie du Sud-Est. Au cours des cinq prochaines années, la délocalisation coûtera au Japon un million d'emplois et fera de ce pays un importateur net de produits électroniques grand public[21]. Ainsi, et d'une manière très paradoxale, l'asiatisation du Japon n'annoncerait nullement son repli sur un pré carré pour cultiver sa différence, mais serait le révélateur de la banalisation des contraintes de sa puissance. La régionalisation du Japon en Asie doit donc se lire comme une modalité nouvelle de sa mondialisation et non comme une autre possibilité à celle-ci.

La seconde interprétation de la régionalisation de la puissance japonaise est d'ordre politique. Avec la fin de la guerre froide, le Japon ne peut plus continuer de se penser comme un protectorat américain. Sur les trois grands problèmes de sécurité qui l'affectent potentiellement (Corée, Kouriles, Chine), le rôle des Etats-Unis ne peut être décisif que face à la Corée. Mais, même sur cette affaire, les divergences nippo-américaines sont probablement appelées à se creuser, pour au moins deux raisons. D'une part, parce que le Japon a tout à craindre d'une montée aux extrêmes qui, paradoxalement, réveillera le nationalisme coréen sur une base anti-américaine et nécessairement antijaponaise. D'autre part, parce que le Japon est de tous les pays d'Asie celui qui a le plus intérêt au maintien du *statu quo* en Corée, le moins avantage à voir se réaliser l'unité politique de la Corée. A court terme, cette unification pourra naturellement être très profitable économiquement au Japon. Mais à long terme, la montée en puissance de la Corée, couplée à celle de la Chine, placera le Japon dans une situation géopolitique particulièrement difficile : il aurait à affronter deux acteurs majeurs du jeu asiatique chez qui l'idée de revanche est profondément ancrée, même si celle-ci passera par des moyens exclusivement pacifiques. Cela d'autant plus que l'écart économique entre la Chine et le Japon se sera réduit. A terme, il est donc raisonnable de penser que, sauf démembrement de la Chine, l'Asie offrira moins de champ au Japon qu'actuellement. D'où la nécessité pour lui d'imaginer un ancrage en Asie sur des bases non exclusivement économiques, de se construire un espace de sens qui soit davantage qu'un marché. Il ne dispose pas en effet de diaspora. C'est d'ailleurs à ce moment-là que l'Asie se trouvera confrontée à des problèmes d'intégration comparables à ceux de l'Europe aujourd'hui. Il s'agira alors d'envisager des modalités d'organisation qui préservent les avantages de l'interdépendance économique, tout en canalisant la compétition géopolitique entre ensembles historiques concurrents.

Malgré l'influence surpuissante de celui-ci en termes économiques et financiers, l'asiatisation du Japon n'est nullement acquise, précisément parce que cette puissance n'est que puissance et non hégémonie.

Pour réussir son ancrage en Asie, le Japon aura à surmonter plusieurs handicaps : le premier tient à la conception très asymétrique qu'il conserve de ses rapports avec le reste de l'Asie [22]. La correction de cette image devra passer par une plus grande ouverture de son marché intérieur, par une politique de transfert de technologie plus généreuse et par un plus grand respect par ses entreprises des contraintes de l'environnement. Les pressions qui s'exercent sur lui seront de surcroît d'autant plus fortes que les pays asiatiques auront sur le long terme de plus en plus de difficultés à compenser leurs déficits avec lui par des excédents avec les Etats-Unis, compte tenu de l'introversion potentielle de l'Amérique du Nord. Sans mention d'un nouveau type de rapports avec l'Asie, le Japon restera dans la situation politique inconfortable qui est la sienne aujourd'hui : celle d'un pays dont l'aide est perçue comme un dû et non comme une faveur, et dont l'influence politique est interprétée comme souffrant d'un déficit structurel de légitimation. Face à la Chine, par exemple, il aura toujours besoin d'en faire à la fois plus et moins : plus sur le plan économique, pour rendre sa présence tolérable, voire souhaitable, moins sur le plan politique pour rendre son influence peu voyante.

Le second handicap tient précisément au caractère illégitime aux yeux de la plupart des pays asiatiques de son influence dans la région. Ce n'est pas un hasard si l'allié exclusif du Japon en Asie est l'Australie, un pays « blanc » qui cherche une sorte de reconnaissance régionale, qui ressent le besoin d'une consécration par les pays « jaunes ».

Pour surmonter cette difficulté, le Japon hésite entre deux options que les jeux de pouvoir internes et les pressions de l'opinion publique empêchent de clarifier. La première consisterait à légitimer son retour en Asie en des termes classiques : ceux d'une grande puissance au service de la paix du monde. Dans cette perspective, le Japon redeviendrait une grande puissance, mais les instruments de cette puissance seraient mis au service de la promotion de la démocratie et des droits de l'homme par exemple. La peur panique du Japon dans la région se trouverait ainsi atténuée par un double ancrage aux principes de la démocratie et aux principes d'action collective (participation aux opérations de maintien de la paix). La tentative de lier l'aide nippone au respect des droits de l'homme ainsi que la participation des forces japonaises à l'opération de l'ONU au Cambodge s'inspireraient de cette démarche.

La seconde relèverait en revanche d'une logique d'action d'essence plus régionale. Pour asseoir sa légitimité, le Japon se présenterait en protecteur bienveillant de l'Asie face aux empiétements de l'Occident tant sur le plan économique (ouverture des marchés), social (« clause sociale ») que politique (respect des droits de l'homme). Le « non » du Japon à l'Occident serait en quelque sorte mis au service de l'Asie tout entière. C'est sur ce terrain que le Japon peut clairement concurrencer la Chine.

Il ne faut pourtant pas s'attendre à ce que le Japon procède en la matière à des choix tranchés. Mais il n'est pas acquis qu'une stratégie hésitante entre ces deux options lui permette de surmonter son « malaise asiatique ». Pour en sortir, c'est toute la société japonaise — et pas seulement les élites économiques ou politiques — qui devra culturellement repenser son rapport à l'Asie.

CHAPITRE XIII

L'Amérique comme « puissance sociale »

De tous les espaces de sens transnationaux en gestation, l'espace de sens américain est très certainement celui dont l'émergence sera la plus rapide. A cela il y a naturellement une explication géographique : le continent américain est un espace bien délimité. Mais s'y ajoute un facteur géopolitique peut-être plus déterminant encore : quelle que soit son architecture future, celui-ci se trouvera nécessairement dominé par un acteur surpuissant : les Etats-Unis d'Amérique. Malgré l'ampleur des débats auxquels elle a donné lieu, l'adhésion du Mexique à l'ALENA présente une dimension plus symbolique qu'économique, compte tenu du déséquilibre de puissance entre les deux pays[1]. Le PNB mexicain ne représente guère plus de 4 % du PNB américain. Pour le Mexique, cette adhésion traduit une volonté de rompre avec l'Amérique latine et de s'arrimer définitivement à l'espace nord-américain, même si cet objectif est l'objet d'un tabou, d'un « non-dit » dans l'ensemble de la classe politique mexicaine[2]. Pour les Etats-Unis, elle exprime la volonté d'un recentrage régional après quarante-cinq années d'activisme planétaire. Les données de la régionalisation se trouvent donc singulièrement plus simples qu'en Europe.

Peu avant la fin de la guerre froide, la place et l'avenir de la puissance américaine dans le monde suscitèrent un débat vigoureux entre théoriciens du « déclin » et théoriciens du « revivalisme ». La figure de proue des premiers était Paul

Kennedy[3]. A l'appui de sa démonstration, un fait simple et avéré : les Etats-Unis étaient la première puissance moderne du monde à se trouver en temps de paix en position de débitrice nette, autrement dit à vivre au-dessus de ses moyens sans pouvoir invoquer de « charge exceptionnelle », comme la guerre, par exemple[4]. D'où un divorce perçu par Kennedy comme croissant et menaçant, entre sa « surexposition mondiale » guidée par des impératifs géopolitiques forts et la nécessité de se replier à l'intérieur de ses frontières pour assainir ses finances publiques, réduire sa consommation au profit de l'investissement et garantir à ses habitants un revenu croissant. Paul Kennedy craignait en outre qu'à l'image de l'Espagne du xviie siècle les Etats-Unis ne soient tentés de s'exposer davantage dans le monde pour enrayer leur déclin, de faire de la défense de leur « réputation » une priorité absolue, tant étaient considérables les obstacles internes à la réforme économique et sociale du pays. Sur ce point, il établissait un parallèle entre les Etats-Unis et l'Espagne du xviie siècle, celle du marquis de Monteclaros qui déclarait en 1625 : « Le manque d'argent est sérieux, mais le maintien de notre réputation est plus sérieux encore[5]. »

Sur ces entrefaites survint la fin de la guerre froide. Elle sembla dans un premier temps consacrer de manière éclatante la victoire de l'Occident sur le communisme et plus encore le triomphe idéologique des Etats-Unis et du libéralisme qu'ils incarnaient. Du coup, la thématique du déclin perdit de son acuité, voire de sa pertinence. Comment parler de déclin américain quand presque tout le monde, à l'Est, se mettait à vénérer l'Amérique ? La guerre du Golfe, qui suivit de près la fin de la guerre froide, confirma non seulement la vigueur de la puissance militaire des Etats-Unis, mais également leur capacité de faire avaliser la défense de leurs intérêts par la communauté internationale. Le fait que le fardeau financier de ce conflit a été porté par les monarchies pétrolières arabes, l'Europe et le Japon permit d'accréditer la thèse d'une « puissance mercenaire » intervenant dans le monde « contre remboursement ». Mais comparaison n'est pas raison : une puissance mercenaire n'agit que pour le compte d'autrui ; elle n'a pas d'objectif propre sinon pécuniaire et suppose en revanche que ses commanditaires puissent se prévaloir de motivations politiques particulières. Or, dans la guerre du Golfe, seuls les Etats-Unis disposaient d'une vision claire de leurs objectifs. Et si les Européens ont financé l'effort de guerre, c'est parce que les Etats-Unis ne leur laissèrent guère d'autre choix. On comprendra que, dans un tel contexte, la thèse du « monde unipolaire » ait pu faire illusion — au moins un temps.

Aujourd'hui, cinq ans après la chute du mur de Berlin, ni la thèse mécaniste du déclin ni celle du monde unipolaire ne paraissent opératoires pour comprendre la place des Etats-Unis dans le monde, pour réfléchir à leur pouvoir structurel dans l'après-guerre froide. Si les idées de déclin et d'unipolarité coexistent dans le débat, c'est parce que ces deux termes renferment des éléments de vérité sans pour autant parvenir à prendre en charge la totalité des enjeux. La thématique du déclin telle qu'elle fut définie par Kennedy reste pertinente pour comprendre la nécessité d'arbitrer entre priorités internes et priorités externes. Mais elle se révèle peu opératoire si elle est utilisée de manière mécaniste (court terme) plutôt que dynamique (long terme)[6]. Pour des raisons presque symétriques, la thèse de l'« unipolarité » présente des avantages et des inconvénients comparables. Elle permet d'illustrer la place prééminente des Etats-Unis sur la scène mondiale, compte tenu de l'inertie de leurs concurrents potentiels : il y aurait ainsi une sorte d'« unipolarité américaine par défaut ». Mais celle-ci est à son tour très largement insuffisante pour comprendre la réalité internationale. Car, avec la fin de la guerre froide, les conditions d'insertion dans le système mondial se trouvent bouleversées par la mondialisation.

Par le jeu de l'interdépendance économique et de l'interpénétration culturelle, le monde acessé de ressembler à un jeu de billard où chaque boule serait un Etat-nation. Il s'apparente à une somme de processus sociaux mondialisés et fluides (drogue, commerce, environnement, marchés financiers, médias, etc.) que les Etats-nations n'ont plus vocation à dominer totalement « d'amont en aval », mais sur lesquels ils cherchent plutôt à avoir prise de la manière la plus avantageuse pour eux. Dans ce système social de plus en plus complexe, la notion d'architecture mondiale se trouve dévalorisée. Il ne s'agit plus de construire une sorte de « Mécano planétaire » dont les plans auraient été préalablement établis avec minutie par les chancelleries, mais plutôt, et au mieux, de réguler des processus sociaux mondialisés dans lesquels interviennent les Etats, les entreprises, les groupes sociaux organisés et les individus.

Les Etats-Unis, dernière superpuissance

C'est pourquoi on pourra dire que les Etats-Unis seront la dernière superpuissance du monde si par superpuissance on entend la capacité d'une nation d'articuler une ambition planétaire avec un enrichissement collectif croissant et une cohésion sociale affermie.

La fin de l'ambition planétaire

Derrière l'idée d'ambition planétaire, on trouvait la volonté de conquête territoriale ou symbolique. On voulait conquérir des territoires ou des âmes. Il y avait ainsi une sorte de distance à franchir entre un pôle émetteur et un pôle récepteur. La mondialisation a bouleversé cette réalité pour au moins trois raisons. La première tient au fait que les Etats jouent un rôle de moins en moins important dans la diffusion des processus politiques, sociaux, économiques ou culturels et que, de ce fait, l'ambition d'un Etat de « porter » un message à d'autres s'en trouve amoindrie : une technologie d'origine américaine n'a plus de « sens » américain. La deuxième s'explique par l'extrême accélération des processus de diffusion, de sorte que les acteurs politiques ne peuvent — au mieux — que les mettre en forme, les canaliser ou les influencer et non les contrarier : la présence ou la puissance mondiale de CNN n'est, par exemple, tributaire que très marginalement de la puissance politique américaine. La troisième tient au fait que la mondialisation se trouve partout et que, dès lors, la priorité pour les Etats n'est pas tant de la porter que de la réguler pour ne pas avoir à la subir totalement. Même pour un acteur surpuissant comme les Etats-Unis, la mondialisation est un processus trop ample pour pouvoir être contrôlé. Ce faisant, l'enjeu devient nécessairement plus défensif : il ne s'agit plus de se tailler un empire à sa mesure dans un environnement modelable, mais de se reterritorialiser dans un système social mondialisé. Pour les Etats-Unis comme pour les autres puissances, il ne s'agit pas tant de délimiter leur espace d'influence dans le monde que de circonscrire leur rôle dans un espace mondialisé. La mondialisation est un processus large et englobant qui en quelque sorte annule la prétention politique d'un Etat à jouer un rôle mondial. C'est là que la thématique du déclin cesse d'être opérationnelle, car le besoin qu'on croyait linéaire et irrépressible de se projeter dans le monde pour y exercer un rôle fait désormais moins sens.

L'Amérique comme puissance sociale

Le second facteur qui contribue à ruiner le concept même de superpuissance tient au caractère divisible de la puissance. Nous avons évoqué dans les chapitres précédents le découplage entre puissance militaire et puissance économique. Il faut prolonger ce raisonnement pour expliciter un autre découplage tout aussi décisif : celui qui existe entre puissance économique et cohésion sociale. En effet, l'intensification de la compétition économique internationale est aujourd'hui telle qu'elle contraint la quasi-totalité des sociétés développées à des arbitrages sociaux sous forme soit d'une flexibilité technologique qui entraîne, comme en Europe, une tolérance croissante pour le chômage, soit d'une flexibilité sociale qui se reflète dans la disparition d'une garantie d'emploi, de progression assurée des revenus ou même de revenus « satisfaisants »[7]. Ces difficultés entraînent dans la société américaine une perte d'horizon dont des sociologues comme Bellah ou Wolfe ou des anthropologues comme Newman ont rendu compte avec beaucoup de justesse[8]. Les Américains se perçoivent désormais comme une immense classe moyenne dont la mobilité ascendante serait dorénavant bloquée[9].

La faiblesse du chômage aux Etats-Unis passe par une précarisation des emplois, une baisse des revenus et une couverture sociale de plus en plus fragile. De cette difficulté découle une représentation de la puissance nécessairement plus fragmentée et de plus en plus relative. Dans le cas américain, l'idée même de puissance prend dans le monde un caractère paradoxal. Sur le moyen-long terme, le vecteur d'influence le plus puissant des Etats-Unis ne sera ni leur puissance économique ni leur force militaire, mais leur modèle social. La diffusion de ce modèle, notamment en Europe, est paradoxal dans la mesure où il ne dépend pas de la volonté politique des Etats-Unis. La progression du modèle d'identification communautaire parallèle à l'accentuation des processus d'atomisation sociale, de délitement du lien social, de « mercantilisation » des rapports sociaux, de tolérance pour l'inégalité sont les éléments les plus pertinents d'américanisation du monde, et ce indépendamment de la puissance politique intrinsèque des Etats-Unis, de leur volonté ou non de maintenir des troupes en Europe, de prendre part ou non aux problèmes de sécurité internationale.

Si la puissance américaine continue à faire sens, ce sera donc moins en tant que puissance politico-militaire, comme ce fut le cas pendant la guerre froide, que comme puissance sociale, avec toute l'ambivalence que ce terme recèle : d'un côté des facteurs de souplesse et de mobilité, de l'autre des éléments de désintégration sociale [10]. La mondialisation accentue le brouillage entre « influence positive » et « influence négative » et achève de rompre le lien subjectif établi naguère entre influence, progrès et modernité.

Cette dynamique de l'influence sociale permet de souligner et de comprendre combien celle-ci modifie les règles traditionnelles de l'influence politique, des jeux de pouvoir internationaux ou d'acclimatation des modèles étrangers. Alors qu'il y a vingt ans un parti organisé à l'américaine était presque obligatoirement un parti « pro-américain » (Jean Lecanuet mena en 1965 en France une « campagne à l'américaine » au nom d'une proximité politique revendiquée avec l'Amérique), aujourd'hui, cette adéquation n'a plus de sens. Le concept politique « pro-américain » a beaucoup perdu de sa signification même si, au même moment, l'influence du modèle partisan américain n'a jamais été aussi grande. Autrement dit, conduire une campagne électorale « à l'américaine » n'a plus aucune connotation politique. Il y a disjonction entre l'influence et le sens.

Si l'on porte son regard sur un autre champ social, celui des banlieues par exemple, le découplage entre influence sociale et influence politique se trouve encore plus fort. L'organisation des jeunes des banlieues sur le modèle des ghettos américains n'a naturellement pour les jeunes aucune signification politique. L'inspiration américaine est à la fois sociale et culturelle mais nullement politique. Au demeurant, l'Amérique à laquelle on se réfère est celle des déclassés et des exclus de la « puissance américaine ».

L'Amérique entre universalisme, prédation et précaution

Par-delà la dimension sociale de son influence, la puissance des Etats-Unis continuera à s'exercer à travers des canaux plus classiques. Sur ce plan, le débat entre « activisme » et

« isolationnisme », dans lequel on enferme trop aisément la politique américaine, n'a guère lieu d'être poursuivi. Car si, pour les raisons que nous invoquions, la mondialisation rend la pratique de l'activisme planétaire peu avantageuse, elle rend, pour des raisons diamétralement opposées, tout isolationnisme parfaitement irréaliste.

A l'image des autres puissances — et en cela elle se distinguera de moins en moins des autres nations du monde —, la politique américaine reposera sur un « collage » de trois grands processus, sans que ceux-ci soient producteurs d'un sens collectif suffisamment mobilisateur pour freiner la perte de cohésion croissante de la société américaine : une prétention résiduelle à l'universalité que le multiculturalisme de la société américaine permettra de maintenir, voire de revivifier ; une « tentation prédatrice » imposée par la réduction relative de l'économie américaine dans l'économie mondiale ; une stratégie de « précaution » imposée par le jeu conjugué des contraintes économiques et des pressions de l'opinion, une opinion pour qui l'engagement extérieur accentue les déséquilibres internes.

La prétention à l'universalité est, comme on l'a vu, une dimension constitutive de la politique américaine. Cet universalisme peut naturellement être dévoyé ou instrumentalisé dans de multiples contextes politiques. Pourtant, on ne saurait réduire cette conduite à un « simple voile » recouvrant pudiquement des pratiques frappées du sceau de la *realeconomik*. Les questions de droits de l'homme ou de démocratie pluraliste resteront nécessairement présentes dans la politique américaine et dans l'imaginaire politique de ses citoyens. C'est d'une certaine façon la « source de sens » la moins altérée de la politique américaine. D'autant que, moins que partout ailleurs dans le monde, ces valeurs ne sauraient faire l'objet d'une « confiscation politique » par l'Etat. A la différence de la France, où la mobilisation de l'opinion publique ne sera pas nécessairement relayée par l'Etat si celui-ci juge celle-ci contraire à ses intérêts (exemple de la Bosnie), aux Etats-Unis, la situation sera probablement plus complexe. La perméabilité de l'Etat aux jeux complexes de la société y est plus forte qu'en France, en tout cas au plan international.

Cet universalisme pourra dans l'avenir être revivifié par le caractère multiculturaliste de la société américaine. Certes, ce thème est trop polysémique et trop galvaudé pour pouvoir faire l'objet d'une utilisation sereine [11], et les réalités auxquelles il renvoie sont complexes et très largement contradictoires. Si l'on prend la « question noire », par exemple, on pourra difficilement la mettre à l'actif d'un multiculturalisme réussi. Car, malgré une indéniable différenciation sociale au sein de la communauté noire, cette dernière se pense de plus en plus en tant que communauté propre et particulière, et ce indépendamment même du niveau social de ses membres [12]. Autrement dit, la mobilité sociale n'est plus un facteur d'intégration à une société américaine multiraciale où les barrières seraient seulement d'ordre économique. D'autant qu'avec la fin de l'économie de guerre froide les deux principales sources de mobilité sociale des Noirs américains (l'armée de métier et les industries directement ou indirectement liées à la puissance militaire) se sont taries [13]. La logique raciale semble ainsi se nourrir de la logique sociale, rendant bien problématique l'érection du modèle multiculturel américain en modèle universel.

Pour autant, la réalité américaine est loin d'être univoque. La réussite sociale d'une large fraction des populations d'origine asiatique et le métissage réel de la Floride et de la Californie du Sud constituent de réels atouts vers les deux espaces les plus naturels de sa régionalisation : l'Amérique latine et l'Asie [14]. Et le fait que ces deux espaces soient également des espaces de croissance économique réelle (Asie) ou virtuelle (Amérique latine) est à mettre au crédit d'un espace de sens américain. Même s'il passe parfois par un certain communautarisme, le multiculturalisme peut aider l'Amérique à revivifier sa prétention à l'universalité en rendant celle-ci plus concrète, plus en rapport avec les réalités qu'elle vit. Il n'est pas impossible à cet égard que la

« complaisance » politique dont semble faire preuve l'Amérique vis-à-vis des « forces islamistes » dans le monde musulman ait un rapport avec une vision politique plus naturellement portée à composer avec le communautarisme, l'ethnicité ou le religieux. Et contrairement à ce que l'on croit généralement, l'hostilité vis-à-vis de l'Iran tient moins aux fondements religieux du régime de Téhéran qu'à la posture politique antiaméricaine du régime des mollahs [15].

Le deuxième processus fort de la politique américaine reposera sur ce que l'on a appelé la « tentation prédatrice », autrement dit la recherche d'avantages économiques fondés sur des gains et des principes unilatéraux [16]. On exigera l'ouverture des marchés aux produits américains en appréciant unilatéralement sa réalité [17]. Autrement dit, pour les Etats-Unis, un « marché ouvert » n'est pas un marché qui respecte des principes internationaux admis par tous ; c'est avant tout un marché qui autorise la pénétration de produits américains. Un marché pourra donc être qualifié de « fermé » simplement parce que les produits américains s'y seront révélés peu compétitifs. Inversement, un marché sera qualifié d'« ouvert » s'il permet l'entrée de produits américains, même si, par ailleurs, il discrimine d'autres produits venant d'autres pays [18].

Cette démarche s'appliquera de plus en plus aux deux principaux concurrents des Etats-Unis : le Japon et l'Europe. Face à l'Europe, ils tirent avantage du fait que celle-ci ne constitue pas un acteur politique unique, doté des attributs classiques d'un Etat. La commission de Bruxelles n'a mandat que pour aborder les questions commerciales alors que ses interlocuteurs américains jouissent d'une plénitude d'attributions. Sans la mise en place d'instruments de dissuasion économiques comparables à ceux dont disposent les Etats-Unis, l'Europe risque fort de subir cette logique prédatrice.

Face au Japon, la situation est différente mais l'avantage américain tout aussi important. L'inhibition politique du Japon face aux Etats-Unis reste encore considérable, quelle que soit la profusion de discours ou d'écrits relatifs à l'affirmation internationale du Japon [19]. Malgré ses résistances, celui-ci ne parvient toujours pas à faire admettre par la communauté internationale que la prétention des Etats-Unis à obtenir un accès quantifié au marché japonais contreviendrait aux principes du commerce mondial défendus par les Etats-Unis eux-mêmes. Quant à l'ampleur de l'excédent commercial nippon, il reflète le surplus d'épargne détenu par le Japon plus qu'une fermeture de ses marchés. Sur sept marchés de haute technologie jugés cruciaux (instruments scientifiques, aéronefs, équipement de communication, machines électriques, équipements pour ordinateurs, produits pharmaceutiques, produits chimiques), le taux de pénétration des produits étrangers au Japon et aux Etats-Unis est à peu près comparable [20]. Dans ce domaine, la puissance américaine bénéficiera encore longtemps de la conjugaison de *trois effets d'inertie* : l'inertie de sa propre puissance habituée à « manipuler » l'agenda mondial (expérience, savoir-faire diplomatique, etc.), l'inertie de l'impuissance européenne peu rompue aux contraintes du jeu collectif et l'inertie de l'inexpérience des pays asiatiques dont l'inhibition politique et diplomatique est encore très forte au regard de leur puissance. Ainsi, même dans un monde où les règles du jeu mondial se trouvent bouleversées, les contraintes classiques de la puissance restent bien vivaces, car il n'y a pas de substitut fonctionnel à l'Etat dans les relations internationales. C'est ce dont prend chaque jour conscience l'Europe à ses dépens.

Enfin, la troisième dynamique de la puissance américaine reposera sur la précaution, ou l'évitement. Les engagements américains deviendront aléatoires et imprévisibles non seulement parce que l'influence de l'opinion publique pourra se révéler décisive, mais aussi parce que la détermination politique des Etats-Unis ne parvient à s'exprimer et à se concrétiser que dans des situations somme toute classiques, les mettant aux prises avec des Etats-nations. Or ces conflits classiques (Irak ou demain Corée) seront probablement de moins en moins nombreux dans le monde de demain. Ils seront détrônés par des conflits sociaux internationalisés où la dimension strictement géopolitique sera moins présente et en tout cas moins cruciale pour les Etats-Unis. Mais, des trois dynamiques de la puissance américaine, ce sera sans doute la plus aléatoire et la plus dommageable à l'idée que l'Amérique veut donner d'elle-même. Faute de construire un nouvel ordre mondial, la politique américaine s'efforcera donc de « réinventer sa différence », de borner son espace. Dans cette perspective, le régionalisme peut apparaître comme une option intermédiaire entre un surengagement planétaire impossible et une sanctuarisation irréaliste.

L'Amérique a cessé d'être une superpuissance, car elle a trouvé son maître : la mondialisation. Une mondialisation qu'elle contribue par ailleurs à amplifier sans cependant parvenir à en maîtriser totalement le sens.

CONCLUSION

L'après-guerre froide,
un monde en soi

Rupture et épuisement

L'après-guerre froide sera à l'image des après-guerre qui l'ont précédé : il constitue d'ores et déjà un monde en soi. Chaque jour qui passe le définira plus par rapport à ce qu'il est que par rapport à ce qui précéda. Et ce d'autant plus que la rupture avec le communisme se révèle au fil du temps moins significative que l'épuisement des Lumières. De la même façon que l'après-guerre s'apparenta à partir de 1945 à un monde nouveau porteur d'une rénovation politique, économique et culturelle et pas seulement à un monde « pansant les blessures de la guerre », le monde de l'après-guerre froide produira nécessairement de nouvelles valeurs, même si celles-ci ne se laisseront pas commodément prendre en charge par une nouvelle problématique du sens. C'est cet après-guerre froide construit à partir de nouvelles valeurs et de nouveaux rapports de forces que nous appelons le *temps mondial*.

Pourtant, le processus par lequel des significations multiples et émergentes finiront par s'inscrire dans un nouvel horizon d'attente collectif sera probablement plus long et largement inédit. Car si l'après-guerre — de 1945 — apparaissait comme une rupture avec un ordre politique préexistant, l'après-guerre froide consacre l'épuisement d'un processus historique. Cette différence entre rupture et épuisement est fondamentale. En 1945, il y avait une rupture forte avec l'ordre ancien. On voulait assurer la paix entre les nations (ONU), mieux protéger les citoyens contre les aléas sociaux du changement économique (Etat-Providence) et prémunir les nations contre les excès du libéralisme mal contrôlé (Bretton Woods). Mais, pour l'essentiel, l'héritage des Lumières était non seulement pleinement assumé mais stimulé par l'effondrement du nazisme. Il y avait ainsi un héritage à revaloriser, une réserve de sens disponible à exploiter — pour employer l'expression de Ricœur — et, ce faisant, un nouvel horizon à explorer. C'était toute la différence avec le monde d'aujourd'hui où il n'y a précisément plus de réserve disponible de sens.

Se définir aujourd'hui par opposition au communisme n'a plus de sens. Et revendiquer l'héritage des Lumières semble bien difficile. La construction d'une nouvelle identité négative pose problème car il ne suffit pas de débusquer un nouvel ennemi pour refonder une identité. Autrement dit, ce n'est pas en substituant à l'Union soviétique le Japon ou le monde musulman que les sociétés occidentales trouveront de nouvelles réponses identitaires. Car si le défi soviétique avait une fonction identitaire, c'est parce qu'il faisait sens non seulement sur le plan géostratégique, mais également sur le plan politique, idéologique, social, voire culturel. Aujourd'hui, il n'y a pas d'ennemi assez grand pour prendre en charge — même négativement — l'identité complexe des nations. Les « nouveaux ennemis », qui n'ont plus cette fonction globale, stimulent les peurs sans forger de nouvelles identités. On est aujourd'hui confronté à des « menaces diffuses » qui se développent plus par la contagion des idées que par la prétention des Etats, rendant la mobilisation collective plus difficile à construire, alors que le danger n'est naturellement pas moins grand. C'est d'ailleurs là l'un des enjeux centraux de l'après-guerre froide car les menaces les plus déstabilisantes proviendront probablement moins d'un Etat aux prétentions hégémoniques dans le monde ou dans une région que de la circulation rapide de certaines valeurs.

Cet épuisement du modèle des Lumières a une autre conséquence majeure. Il stimule, de manière à peine paradoxale, la résurgence de la thématique du retour (nationaliste, religieux, ethnique) car les canaux de la transmission de l'identité sont d'une certaine manière rompus. Le doute profond que les sociétés nourrissent aujourd'hui sur leur capacité de transmettre des valeurs ou un patrimoine, les contraint donc à trouver des refuges, des sanctuaires identitaires qui renvoient presque toujours à des réalités passées, vieillies ou figées, comme si pour garantir la transmission d'une identité, il fallait renoncer à accepter la transformation des identités ou du monde.

Si dans les sociétés occidentales les forces sociales et politiques qui se réclament du paradigme de la transformation sont en crise, c'est précisément parce que transmission identitaire et transformation sociale semblent disjointes. La transmission est jugée passéiste (nationalisme) et la transformation, destructrice (mondialisation), alors qu'il faudrait rendre la transmission positive et la transformation protectrice. C'est donc par une double réactualisation des notions de transformation et de transmission que l'on pourra dépasser une crise du sens où la transformation est perçue en termes de destruction identitaire — au sens large — et la transmission réduite à un refuge, à un repli sur des valeurs faussement stables. On peut ainsi espérer réconcilier non seulement compétition et protection mais également nation et Europe.

Le travail et la guerre

Mais surgit alors une question essentielle : sur quelles bases et à partir de quels fondements ce sens peut-il se reconstruire ?

C'est là que l'hypothèse de « l'auto-transcendance » proposée par Jean-Pierre Dupuy prend toute sa valeur car elle nous incite à penser le sens non plus par rapport à une finalité extérieure mais à travers une reformulation des enjeux et des institutions épuisés en quelque sorte avec la fin de la guerre froide[1].

Dans cette perspective, les deux grands enjeux de l'après-guerre froide se construiront à partir d'une redéfinition en profondeur du rapport traditionnel au travail et à la guerre. Le travail et la guerre furent en effet les deux grands pourvoyeurs d'identité pour les sociétés (travail) et les Etats (guerre).

Le travail était le facteur qui englobait presque tout le processus d'intégration sociale. Il conférait à l'homme identité, sécurité et espérance. Une identité à travers l'acquisition d'un métier, une sécurité grâce au plein emploi, un espoir, enfin, par le jeu de la mobilité et de la redistribution.

Aujourd'hui, grâce à l'accélération du progrès technologique, un surcroît de travail n'est plus indispensable à la création d'un surcroît de richesse : on peut aussi créer davantage de richesses avec moins de travail. Ce processus s'accélère et se mondialise. Il y a en quelque sorte épuisement du modèle linéaire qui faisait que, en travaillant plus, on s'enrichissait davantage. Le travail n'a donc plus la fonction totalisante qu'il exerçait jusque-là. D'où la reconnaissance lente et graduelle du fait que le travail ne saurait plus être une fin en soi, capable de « prendre en charge » toute l'identité sociale de l'individu. Comme le dit Robert Sue, le travail n'est plus ce « temps social dominant » qui commanderait tous les autres temps sociaux[2]. De surcroît, l'identité sociale a aujourd'hui besoin de se construire sur la base de qualifications qui ne sont plus simplement strictement profession-nelles. Autrement dit, si sans travail on n'est rien, le travail n'est plus pour autant tout. Il y a ainsi une demande de sens qui émane à la fois de ceux qui ont du travail et de ceux qui n'en ont pas. C'est donc au moment où la question de l'emploi est si cruciale que le travail épuise sa fonction identitaire englobante et structurante ainsi que sa capacité d'intégrer économiquement tous ceux qui cherchent un emploi. Cette coïncidence peut sembler paradoxale. Mais le paradoxe n'est qu'apparent. Si l'on est amené à réfléchir à la redéfinition du rôle du travail dans les sociétés, c'est aussi parce que l'on constate que celui-ci ne peut plus mécaniquement absorber et intégrer ceux qui en réclament. Sa centralité sociale, économique et idéologique s'est épuisée.

La guerre (ou la préservation de la paix) a joué pour les nations un rôle identique. C'est en faisant la guerre ou en se prémunissant contre elle que les grandes nations et les petites se sont faites à travers l'Histoire. C'étaient le recours potentiel à la guerre et donc la possession d'un outil militaire qui garantissaient la sécurité des nations. C'était le jeu classique du « soldat et du diplomate », pour reprendre l'expression de Raymond Aron, qui permettait aux Etats de prendre part au jeu mondial.

Pour les nations, la fin de la guerre froide a incontestablement accéléré la réduction du risque de guerre classique entre nations. Les grandes batailles rangées entre armées nationales sont vouées à se réduire de manière presque certaine entre les pays démocratiques. Il y a donc un besoin de redéfinition identitaire des nations en dehors du rapport classique entre guerre et paix. C'est un des enjeux de l'Europe. Et c'est aussi une des raisons pour lesquelles le souvenir des « guerres interétatiques » ne peut plus jouer un rôle essentiel dans la mobilisation identitaire des jeunes en faveur de l'Europe. Pourtant, au même moment, le risque de guerre prolifère partout dans le monde. Simplement, de la logique de guerre interétatique, on passe à des logiques de « guerre civile » de moins en moins contrôlables. Aujourd'hui, la quasi-totalité des conflits mondiaux ne relèvent plus du conflit interétatique. C'est donc au moment où les ressources de la guerre classique de type interétatique s'épuisent historiquement que le risque de dérèglement international par la guerre croît. Ce qui est donc en jeu à travers la modification de ce rapport à la guerre, c'est la difficulté désormais patente des Etats à assurer la sécurité des nations, à identifier la paix à la sécurité et la guerre à l'insécurité. Celle-ci n'est plus nécessairement reliée au risque de guerre, même si celui-ci quand il existe, la renforce. Ainsi, de la même façon que le travail n'est plus le garant de l'identité et de la sécurité de tout actif — même s'il en est la condition nécessaire —, les Etats ne peuvent plus garantir l'identité et la sécurité des nations, même si leur affaiblissement accentue la perte d'identité et de sécurité de ces mêmes nations. L'enjeu n'est donc pas d'imaginer un monde sans travail ou un monde sans Etat, mais d'admettre que l'un comme l'autre de ces symboles ont épuisé non pas leur rôle mais leur fonction de distributeur exclusif d'identité et de sécurité. Là encore, il s'agit moins d'une rupture avec le travail ou la guerre en tant que phénomènes sociaux que d'un épuisement des fonctions identitaires traditionnelles exercées par ces deux vecteurs centraux de la modernité.

A travers l'épuisement du modèle classique du travail, c'est tout le lien social qui est en jeu. A travers l'épuisement du modèle totalisant de la guerre classique entre Etats, c'est le lien social mondial entre les nations qui est en cause.

La régulation du système social mondial

C'est pourquoi, si le travail et la guerre renvoient en termes de sens à des réflexions comparables, ce n'est plus seulement en raison des analogies que ces deux « valeurs » occupent mais en raison de l'émergence d'un système social mondial. Au système international qui renvoyait au seul monde des Etats vient se substituer un système social mondial structuré par les Etats, les jeux de l'interdépendance économique et les flux de l'interpénétration des sociétés. Dans ces conditions, la notion de nouvel ordre mondial change profondément de sens. Il ne s'agit plus de construire une architecture stable des rapports mondiaux capable de « durer mille ans », mais de réguler des flux en perpétuel mouvement, en transformation permanente. C'est la raison pour laquelle il faut penser l'échec du nouvel ordre mondial non pas comme une gigantesque bévue politique mais comme un véritable contresens historique. Il n'y aura plus de nouvel ordre mondial. Il ne faut en revanche pas désespérer de l'émergence d'un nouveau système social mondial.

De ces cinq années d'après-guerre froide, se dégage un enseignement essentiel : la reconstruction d'un sens du monde global universaliste, abstrait et finalisé paraît difficilement envisageable. Mais, simultanément, l'insatisfaction collective face au « rétrécissement du sens », à son identification à des significations changeantes, versatiles et non congruentes entre elles n'est probablement pas passagère. Comment donner sens à des réalités et à des processus qui sont non seulement en mobilité permanente, mais dont le déroulement ne parvient plus à être incarné, métaphorisé par un acteur donné, identifiable dans l'espace et dans le temps ? On parle d'ailleurs de plus en plus de logiques de situations fluides et de moins en moins de logiques d'acteurs repérables. Les logiques dites « de situation » l'emportent désormais sur les logiques d'acteur ou de système. Le débat sur le sens n'est donc plus réductible à une opposition entre universalité et particularité. Il doit prendre en charge la question tout aussi essentielle de la fluidité : fluidité des situations, des opinions, des enjeux. Faute d'un enracinement dans un espace donné (universalisme concret) mais également dans la durée, l'universalisme comme le particularisme se vivront sur le registre exclusif de l'émotion. Il faut donc renouer avec des idées régulatrices qui permettraient de dégager une perspective tout en l'associant à la réalité présente.

Le retour improbable à une « logique de sens totalisante » rendra de ce fait assez vaines toutes les tentatives de reconstruction abstraites du monde sur la base de principes philosophiques, religieux ou politiques. Par définition, cela limite le succès aussi bien des grandes refondations théologiques que des grandes reconstructions politiques supranationales, même si les besoins de symboles ou de sécurité mondiale sont réels. Dans cet ordre d'idées, les différentes crises qui secouent le monde depuis la fin de la guerre froide incitent à se distancier fortement des projets grandioses de refonte de l'ordre mondial sous la houlette des Nations unies pour au moins deux raisons : d'une part, parce qu'ils relèvent de ce que nous avons appelé une « stratégie d'architecte », qui ne correspond plus à la réalité du monde actuel. D'autre part, parce que cette gestion mondialisée semble trop vaste pour s'enraciner durablement dans la conscience individuelle des gens. Les appels à la prise de conscience de la « mondialisation des problèmes » tourneront de plus en plus à vide si, chaque fois qu'ils sont lancés, ils ne proposent pas de médiations institutionnelles ou sociales capables de les territorialiser. Pour penser efficacement la mondialisation, il faudra donc se défaire d'un certain discours « mondialisateur ». Faute de quoi, la mondialisation se vivra plus comme une peur que comme une valeur. Il faudra donc trouver des unités de sens et de puissance qui assurent des médiations entre l'universel et le particulier, entre le besoin de changement accéléré et le besoin de sécurité. La régionalisation fait figure d'unité de sens privilégiée pour gérer cette médiation. Elle paraît être — surtout en Europe — le préalable et le fondement à une recherche collective de sens.

Sur le chemin de cette reconquête du sens, trois obstacles fondamentaux se dressent : le premier tient à l'hégémonie économique, sociale et culturelle de la logique de marché et à la dévalorisation sans précédent de toutes les logiques qui s'efforceraient d'échapper à son emprise ; le deuxième à la montée en puissance de l'urgence en tant que catégorie centrale du politique ; le troisième enfin à la délégitimation sans précédent des mots susceptibles de constituer des points de départ symboliques à l'action collective.

Ces trois enjeux peuvent sembler relever de registres fort

différents. En réalité, ils sont profondément imbriqués les uns aux autres, car ils renvoient tous à la pénétration en profondeur de la logique de marché.

Celle-ci tend en effet non seulement à asphyxier la sphère non marchande, mais également à sacraliser l'immédiateté l'instantanéité et donc l'urgence. Elle veut faire du présent le nœud de toute expérience possible, la valeur absorbante du passé et du futur. La seule sanction sociale ou politique reconnue est le moment présent. Dès lors, le temps long apparaît vain, la perspective illusoire, la patience inutile, la versatilité indispensable. C'est frappant aussi bien dans le champ social où les acteurs vivent dans un rapport au temps instantané (« j'ai envie, j'ai besoin, je fais, je prends ») que dans le champ politique mondial où les Etats ont perdu toute ligne d'horizon.

D'où la dévalorisation de toute idée de perspective politique et la dévaluation très rapide du répertoire des mots utilisés à la faveur d'un événement ou d'une situation : un terme riche comme celui de subsidiarité aura été expulsé du débat public aussi vite qu'il aura été introduit. De ce point de vue, on dira qu'il est assez vain d'essayer de contenir l'hégémonie du marché dans le champ social si au même moment on ne se rend pas compte que c'est cette même hégémonie qui fait de l'urgence la catégorie centrale du politique.

L'instantanéité, l'urgence et la fluidité tendent ainsi à s'entretenir. Ce sont d'ailleurs aujourd'hui les seuls grands processus qui parviennent à s'enchaîner et à presque faire système.

D'où la nécessité de rompre cet enchaînement en agissant sur trois registres : en redéfinissant le rapport entre sphère marchande et non marchande, en rompant avec l'urgence, en enrichissant — par une mise en débat — des mots auxquels on reconnaîtra une signification stable.

La démarcation du rapport entre sphères marchande et non marchande est indissociable de la redéfinition de la valeur du travail. C'est en effet en valorisant les activités sociales non marchandes que l'on valorisera et protégera la sphère non marchande. Pour autant, cette adéquation aura bien du mal à se mettre en œuvre, car nous nous trouvons à un moment où la valorisation sociale des activités non marchandes paraît indispensable mais où simultanément l'hégémonie culturelle du marché n'a jamais été aussi prégnante. Ce sont d'ailleurs souvent les groupes sociaux les plus demandeurs de protection de l'Etat qui exigent que celui-ci réponde à leurs attentes avec une instantanéité comparable à celle du marché. C'est dans ce domaine que la revalorisation de l'Etat fait l'objet de demandes croissantes de protection sur le plan national et international et que son action paraît la plus indispensable à la régulation du système social mondial.

La répudiation de l'urgence est le second enjeu de sens de l'après-guerre froide. Elle interpelle largement les Etats auxquels incombe la réhabilitation du volontarisme de l'action et de l'interdiction d'agir si cette action n'est pas mise en regard de ses finalités. Cela vaut aussi bien pour le plan interne qu'externe. Si l'on peut tirer un jour une leçon du drame yougoslave, ce sera bien celle-ci : si partout où elles sont mises en œuvre, les politiques d'urgence ne sont pas relayées par des actions sur le fond, c'est parce que l'urgence n'est pas une technique neutre mais bel et bien un mode de représentation et de gestion du *temps mondial*. La bonne foi des acteurs impliqués dans cette dynamique ne change rien à cette réalité.

Cette rupture avec l'urgence restera à son tour vaine si elle ne s'accompagne pas d'un processus d'enrichissement des mots du débat collectif. Ce qui frappe, en effet, c'est l'usure rapide des mots qui veulent signifier. L'après-guerre froide ressemble de ce point de vue à un gigantesque cimetière sémantique où les mots, à peine employés ou popularisés, perdent de leur sens avant de tomber dans l'oubli : nouvel ordre mondial, solidarité, démocratie, marché, universalité, subsidiarité ont subi en quelques années une érosion exceptionnelle, une perte de sens considérable. De sorte que toutes les tentatives pour dégager un discours de la représentation, pour trouver le ton juste, pour parler d'une situation ou d'un enjeu se heurtent à une sorte d'obsolescence instantanée des mots ou des symboles. Or, sans mise en débat modeste, collective et durable de mots clefs tels que « mondialisation », sans leur mise en regard avec leur finalité tout projet collectif restera vain. Il n'y a pas de tâche plus urgente que l'enracinement des mots les plus simples et les plus usuels dans un ensemble de significations stables et collectives. Il n'y a pas de tâche plus urgente que la reconstitution d'un écart symbolique entre le champ de l'expérience du quotidien et le tracé d'un nouvel horizon d'attente.

NOTES

Introduction

1. Jacques Derrida, *L'autre cap*, Paris, Minuit, 1991, p. 23.

2. Cf. Georges Nivat, « Russie libérée, Russie brouillée », *Lettre internationale*, automne 1992, p. 70 ; Pierre Behar, *Une géopolitique pour l'Europe. Vers une nouvelle Eurasie*, Paris, Desjonquères, 1992, p. 120 ; Marie Mendras (dir.), *Un Etat pour la Russie*, Bruxelles, Complexe, 1993 et Hugh Ragsdale (ed.), *Imperial Russian Foreign Policy*, Cambridge, Cambridge University Press, 1994.

3. Jean-Luc Domenach, « La crise de la culture chinoise », *La Croix*, 1ᵉʳ octobre 1992. Sur la liaison entre nationalisme et communisme en Chine, on lira l'article très éclairant de David Apter, « Yan'an and the Narrative Reconstruction of Reality », *Daedalus*, printemps 1993, pp. 207-232. Sur la perte de sens, voir Perry Link, « The old Man's new China », *New York Review of Books*, 9 juin 1994, pp. 31-34.

4. Martin Malia, « Another Weimar ? », *Times Literrary Supplement*, 25 février 1994, p. 4.

5. Robert Jervis, « The Future of World Politics », *International Security*, Hiver 1991/1992, p. 41.

6. Voir sur cette différence essentielle, l'ouvrage de Jean-Luc Nancy, *Le sens du monde*, Paris, Galilée, 1993, ainsi que Jean Baudrillard, *L'illusion de la fin*, Paris, Galilée, 1992.

7. Reinhardt Koselleck, *Le futur passé. Contribution à la sémantique des temps historiques*, Paris, Editions de l'Ecole des hautes études en sciences sociales, 1990, p. 314.

8. « Les recommandations faites par l'Eglise pour défendre l'Homme contre lui-même apparaissent comme des intrusions dans le champ de la liberté individuelle », déclaration de Mgr Joseph Duval à l'assemblée plénière des évêques, *Le Monde*, 28 octobre 1992. C'est ce qu'en termes

plus formalisés on retrouve dans le remarquable ouvrage de Danièle Hervieu-Léger, *La religion pour mémoire*, Paris, Cerf, 1993. « Ce qui est mis en cause aujourd'hui — de façon tendancielle mais que l'on peut penser irréversible —, c'est la possibilité que puisse s'imposer socialement un dispositif d'autorité qui en se portant garant de la vérité d'un croire quelconque serait fondé à contrôler exclusivement les énonciations [...] de ce croire », p. 245. Voir également Patrick Michel, *Politique et Religion*, Paris, Albin Michel, 1994. Sur les limites du retour au religieux, voir les résultats et les commentaires de l'enquête « Les Français et la croyance », *L'Actualité religieuse dans le monde*, 15 mai 1994, pp. 16-51.

9. Darius Shayegan, *Sous les ciels du monde. Entretiens avec Ramin Jahanbegloo*, Paris, Felin, 1992, p. 164.

10. Robert Paxton « Fascismes d'hier et d'aujourd'hui » *Le Monde* 17 juin 1994.

11. Cf. Fariba Adelkhah, *La révolution sous le voile. Femmes islamiques d'Iran*, Paris, Karthala, 1991, ainsi que Fariba Adelkhah, Jean-François Bayart et Olivier Roy, *Thermidor en Iran*, Bruxelles, Complexe, 1994.

12. C'est à Olivier Roy, *L'échec de l'Islam politique*, Paris, Seuil, 1992, que l'on doit cette excellente analyse. Il peut paraître surprenant d'invoquer l'échec de l'islam politique au moment où la pression islamiste se développe dans le monde musulman. C'est comme si on avait parlé de l'échec de l'URSS au moment de ses interventions en Angola, en Ethiopie et en Afghanistan. En réalité, l'analogie avec le communisme est intéressante. En effet, dans les régimes islamistes comme dans les régimes communistes, ce ne sont pas les modérés qui prennent le pas sur les radicaux, mais les politiques sur les idéologues. Autrement dit, quand Olivier Roy note que les religieux au sens strict du terme ne sont pas les mieux représentés dans le système politique iranien, il fait une analyse que l'on pouvait appliquer à l'URSS : dès le départ, les théoriciens ont été écartés du pouvoir. Pourtant, si M. Rafsandjani n'est pas un religieux de même que M. Brejnev n'avait rien d'un grand théoricien du marxisme, est-on pour autant fondé à conclure rapidement que le régime iranien n'est pas religieux et que l'URSS de Brejnev n'était pas communiste ? Tout le problème est là.

13. Le concept de *temps mondial* (« world time ») a été initialement forgé par Wolfram Eberhard dans *Conquerors and Rulers. Social Forces in Medieval China*, Leiden, Brill, 1970. Par *temps mondial*, il entendait l'existence d'un « climat international » qui influençait des choix politique ou sociaux à un moment particulier. Wolfram Eberhard note, par exemple, que le Japon a pu réaliser son décollage économique à la fin du XIXᵉ siècle dans un contexte où l'on pouvait imposer des changements sociaux parfois brutaux à toute une population sans lui permettre une amélioration de son sort. Or, note Eberhard, il est aujourd'hui impossible

de retranscrire et de répéter cette expérience japonaise en raison précisément du *temps mondial* marqué par une meilleure circulation des valeurs à l'échelle internationale. Méthodologiquement, l'idée de temps mondial devrait pour Wolfram Eberhard interdire les comparaisons excessives entre des périodes ou des expériences historiquement éloignées les unes des autres. L'idée de *temps mondial* a été ensuite reprise par I. Wallerstein dans *Le système du monde du xve siècle à nos jours*, Paris, Flammarion, 1980, puis par F. Braudel sous le vocable de « temps du monde » dans *Le Temps du monde. Civilisation matérielle, économie et capitalisme xve-xviiie siècle*, Paris, Armand Colin, 1979. Theda Sckocpol s'y réfère également dans *Etats et révolutions sociales. La révolution en France, en Russie et en Chine*, Paris, Fayard, 1985.

Tous ces auteurs assimilent le temps mondial au contexte international qui influence les événements nationaux sans réussir pour autant à conceptualiser cette expression. En vérité, l'idée même de temps mondial est nécessairement polysémique, compte tenu de la polysémie du concept de temps — bien mise en évidence par Krzysztof Pomian dans *L'ordre du temps*, Paris, Gallimard, 1984.

Tout au long de ce livre, nous nous référerons au terme de temps mondial en croisant trois notions :

— La notion de *moment fondateur* à partir duquel le rapport au temps et à l'espace est renégocié en des termes nouveaux par les différents acteurs sociaux. C'est le moment où se développe une perception intersubjective que « rien ne sera désormais comme avant ». Cette notion de « moment fondateur » a remarquablement été mise en évidence par Georges Steiner à propos de la révolution française de 1789. Dans *Le Château de Barbe-Bleue. Notes pour une redéfinition de la culture*, Paris, Gallimard, « Essais », 1973, il montre comment la révolution a non seulement contribué à accélérer le rythme de l'histoire, mais a bouleversé le rapport des individus au temps, à l'histoire et surtout au politique.

— La notion de *simultanéité planétaire* qui fait que les individus, les entreprises ou les Etats vivent en temps réel leurs échanges ou les événements internationaux. Cette idée soulève à son tour deux axes de réflexion et de recherche sur lesquels nous nous sommes penchés.

Le premier concerne la question du temps dans les relations internationales et notamment dans la compétition économique. La réduction des contraintes géographiques entraîne un report des enjeux vers la compression du temps. Parmi les innombrables travaux sur le sujet — auxquels nous nous référons tout au long de ce livre — figure la remarquable réflexion de Richard O'Brien, *The End of Geography. Global Financial Integration*, Londres, Pinter, 1992.

Le second touche à l'ensemble des processus de réappropriation locale des « signes » venus du reste du monde. Parmi ceux-ci figurent en bonne place les « événements médiatiques » ou les séries télévisées diffusées à l'échelle internationale. C'est à la sociologie de la communication que revient le mérite de nous avoir fait comprendre que, se mondialisant, les signes, les symboles et les valeurs initialement émis étaient retravaillés « encodés » localement. Daniel Dayan note, par exemple, à propos des voyages du pape dans le monde que ces derniers « paient leur impact historique d'une *mise en abîme* de leur dimension religieuse ». « Présentation du pape en voyageur », *Terrain*, octobre 1990, p. 28. Voir, sur une utilisation récente du concept de temps mondial, Jean-François Bayart (dir.), *La réinvention du capitalisme*, Paris, Karthala, pp. 12-19.

— La troisième notion à laquelle nous relierons le concept de *temps mondial* est celle de « problématique dominante à prétention légitime ». L'idée étant que le triomphe de la « démocratie de marché » conduit celle-ci à se définir comme un « état du monde réputé nécessaire » (Hermet). Le *temps mondial* produirait ainsi des valeurs, des normes qui contraindraient tous les acteurs du système international à se situer par rapport à lui. Cf. Zaki Laïdi, « Sens et puissance dans le système international », in *L'ordre mondial relâché* (sous la direction de Zaki Laïdi), Paris, Presses de la FNSP, 1992, pp. 37-44.

14. Mike Featherstone (ed.), *Global Culture. Nationalism, Globalization and Modernity*, Londres, Sage, 1990, p. 17.

15. Helga Nowotny, *Le temps à soi. Genèse et structuration d'un sentiment du temps*, Paris, Editions de la Maison des sciences de l'homme, 1992, p. 48.

16. C'est « l'utopie non voulue » dont parle Hans Jonas, *Le principe Responsabilité. Une éthique pour la civilisation technologique*, Paris, Cerf, 1991, p. 43 et la fin du « temps prometteur » qu'évoque Emmanuel Levinas, *Le Monde*, 2 juin 1992.

17. Alain Touraine, *Critique de la modernité*, Paris, Fayard, 1992, p. 390.

18. U. Muldur, *Le financement de la recherche. Développement au croisement des logiques industrielle, financières et politique*, Bruxelles, Programme Fast, CEE, 1991, vol. V, p. 24 et suiv.

19. Pour comprendre le phénomène des multinationales dans une perspective historique, on se reportera à Alice Teichova, Maurice Levy-Leboyer et Helga Nussbaum (eds.), *Multinational entreprise in historical perspective*, Cambridge, Paris, Cambridge University Press et Editions de la Maison des Sciences de l'Homme, 1986.

20. Lynn Krieger-Mytelka (ed.), *Strategic partnership. States, Firms and international competition*, Londres, Pinter, 1991, p. 40.

21. J. Hagedoorn et J. Schakenraad, *The Role of interfirm Cooperation Agreements in the Globalization of Economy and Technology*, Bruxelles, Programme Fast, CEE, 1991, vol. VIII, p. 18.

22. La compression du temps comme facteur fondamental de la compétition économique a clairement été mise en évidence par les travaux du MIT sur la compétition dans le secteur automobile. Cf. James. Womack, Daniel T. Jones et Daniel Roos, *La machine qui va changer le monde*, Paris, Dunod, 1992. Les enjeux du rapport entre temps et compétitivité ont été remarquablement synthétisés par George Stlak et Thomas Hout dans *Vaincre le temps*, Paris, Dunod, 1992.

23. La question des catégories et des rythmes des temps sociaux a notamment été posée par Georges Gurvitch, *Déterminismes sociaux et liberté humaine*, Paris, PUF, 1963. Plus récemment, on trouve — parmi bien d'autres travaux — Edward T. Hall, *La danse de la vie. Temps culturel, temps vécu*, Paris, Seuil, 1984 ; Gilles Prouvost, « Introduction », in « Le temps dans une perspective sociologique et historique », *Revue internationale des sciences sociales*, 107, 1986 ; D. Mercure, « L'étude des temporalités sociales. Quelques orientations », *Cahiers internationaux de sociologie*, LXVII, 1979, et Eviatar Zerubavel, « The Standardization of Time : a socio-historical Perspective », *American Journal of Sociology*, 1988, (1). Ce rapport entre sens et technique est très clairement exprimé et étayé par Victor Scardigli dans *Les sens de la technique*, Paris, PUF, 1992. C'est la raison pour laquelle la projection dans le temps mondial que nous évoquons ne saurait se comprendre exclusivement par des contraintes techniques, même si celles-ci restent fondamentales. De surcroît, la plupart des projections de la technique que l'on croit inéluctables se trouvent généralement démenties par les faits. On prétendait que la logique industrielle conduisait inexorablement à la naissance d'un monde économique où les producteurs imposeraient unilatéralement leurs préférences aux consommateurs.

Cette « logique implacable » est aujourd'hui sérieusement ébranlée par la « tercierisation » des économies et surtout par la transformation des systèmes de production post-tayloriens qui conduisent à la valorisation des préférences du consommateur. C'est pour ces mêmes raisons que les travaux fort importants de Jacques Ellul, amorcés avec *Le système technicien*, Paris, Calmann-Lévy, 1977, n'emportent pas pleinement l'adhésion.

24. David Harvey, *The Condition of Post-Modernity. An Enquiry into the Origins of cultural Change*, Londres, Basil Blackwell, 1989, p. 35.

25. La question de la renégociation collective du rapport avec le temps et l'espace a fort bien été mise en évidence par les travaux de Kern sur la fin du XIXe et du début du XXe siècle, au moment de la naissance du téléphone, du développement des premières voitures et de la mise en place d'un *temps mondial*. Cf. *The Culture of Time and Space. 1880-1918*, Harvard, Harvard University Press, 1983.

26. Cf. l'excellent essai sur l'après-guerre froide de Pascal Bruckner,

La mélancolie démocratique, Paris, Le Seuil, 1992 (Points). Voir aussi Sabine Chalvon-Demersay, *Mille Scénarios. Une enquête sur l'imagination en temps de crise*, Paris, Métaillié, 1994. Dans cet ouvrage consacré à l'étude de scénarios proposés à la télévision, l'auteur écrit : « Comme le retour au passé n'est pas envisagé, que la montée de l'individualisme semble irréversible et qu'aucun espoir de régulation n'y apparaît, c'est l'impasse. De la connaissance, on glisse à l'impuissance. De l'impuissance au pessimisme », p. 156. Ce manque de perspective se retrouve dans l'architecture à propos de laquelle Christian de Portzenparc dit que l'on manque « d'idées qui permettent clairement d'avancer », *Le Monde*, 3 mai 1994. La difficulté à se projeter vers le « grand large » se retrouve enfin dans la littérature française à propos de laquelle François Nourissier a pu écrire ceci : « Il est certain que notre littérature [...] n'est pas tournée vers le grand large. On ne voit rien en elle de tellurique, rien de légendaire. Il y a un manque de grandes images, motrices, exaltantes », *La Croix*, 19-20 septembre 1993.

27. Cf. Jean-Jacques Servan-Schreiber, *Le défi américain*, Paris, Denoël, 1967. A propos des sociétés multinationales, Antony Giddens note à juste titre que si « elles ont acquis une puissance matérielle supérieure à la plupart des Etats, elles n'ont pas cherché à contrôler deux attributs que sont la territorialité et le monopole de la violence légitime ». *The Consequences of Modernity*, Stanford, Stanford University Press, 1990, pp. 70-71.

28. « L'incapacité de la théorie néo-classique à rendre valablement compte du rôle de la technologie est naturellement l'une des raisons majeures de la remise en cause profonde dont elle est actuellement l'objet », note le rapport OCDE, *La Technologie et l'Economie. Les relations déterminantes*, Paris, OCDE, 1992, p. 277. Cf. également, Winfred Ringrok, *Paradigm Crisis in international Trade Theory*, Bruxelles, Programme Fast, CEE (FOP 221), novembre 1991.

29. Ce point est clairement établi par les historiens des idées et notamment par Pierre Rosanvallon, *Le libéralisme économique. Histoire de l'idée de marché*, Paris, Le Seuil, 1989 (Points), quand il note ceci : « C'est parce que nous pensons maintenant la modernité comme relative et historique que nous pouvons comprendre cette connivence entre l'utopie libérale et l'utopie socialiste », (p. 228). Isaiah Berlin développe un point de vue similaire dans *Eloge de la liberté*, Paris, Presses Pocket, 1990 (Agora), quand il écrit : « A première vue, rien ne diffère plus du réformisme libéral que le marxisme, et pourtant ils partagent un certain nombre de postulats fondamentaux », pp. 72-73.

30. Cf. Bernard Perret et Guy Roustang, *L'économie contre la société*, Paris, Le Seuil, 1993.

Chapitre I

1. Ronald Ingelhart, *Culture Shift in advanced industrial Society*, Princeton, Princeton University Press, 1990.

2. Jean Brun, *Philosophie de l'Histoire. Les promesses du temps*, Paris, Stock, 1990, p. 29.

3. John Gaddis, *The United States and the End of the Cold War. Implications, Reconsiderations, Provocations*, Oxford, Oxford University Press, 1992, p. 112.

4. L'articulation entre production de masse et culture de masse a par exemple contribué à donner à l'étranger une cohérence au modèle américain et à faciliter pour ainsi dire la comparaison terme à terme. Cf. l'ouvrage essentiel de David Harvey, *The Condition of Post-Modernity*, *op. cit.* Ce point est très clairement souligné pour le cas américain par Thomas P. Hughes, in *American genesis. A Century of Invention and technological Enthusiasm 1870-1970*, New York, Penguin, 1989 et Victoria de Grazia, « Mass Culture and Sovereignty : the American Challenge », *The Journal of Modern History*, vol. 61, mars 1989. Voir également Mikulas Teich et Roy Porter (eds.), *Fin de siècle and its Legacy*, Cambridge, Cambridge University Press, 1990 et David Noble, *America by Design. Science, Technology and the Rise of corporate Capitalism*, New York, Knopf, 1977.

5. Elaine Tyler May, *Homeward Bound. American Families in the cold War Era*, New York, Basic Books, 1988, p. 17.

6. William Rostow, *Les étapes de la croissance économique*, Paris, Le Seuil, 1962, pp. 127-128.

7. Cet effet de symétrie s'est clairement reflété dans le discours sur l'aide au développement des Etats-Unis. Cf. Robert Packenham, *Liberal America and the Third World. Political Development Ideas in foreign Aid and social Sciences*, Princeton, Princeton University Press, 1973.

8. Dans *Le cycle de la dissuasion (1945-1990). Essai de stratégie critique*, Paris, La Découverte, 1990, Alain Joxe a bien souligné comment le progrès technologique marqué par les développement des armes de précision rendait difficile le maintien de la doctrine des représailles massives. John Gaddis note toutefois que les progrès parallèles faits par les deux camps dans le domaine du renseignement militaire ont contribué à la neutralisation réciproque et renforcé la stabilité du système bipolaire. Cf. *The long Peace. Inquiries into the History of the Cold War*, Oxford, Oxford University Press, 1987, p. 237. Ce dernier point est également évoqué par William McNeill, *La recherche de la puissance. Technique, force armée et société depuis l'an mil*, Paris, Economica, 1992, p. 416. Il existe néanmoins aujourd'hui une école « révisionniste » américaine pour qui la

dissuasion a retardé plutôt que hâté la fin du conflit bipolaire. *Cf.* Richard Ned Lebow et Janice Gross Stein, *We all lost the Cold War*, Princeton, Princeton University Press, 1994. Voir également H.W. Brands, *The Devils we knew : Americans and the Cold War*, Oxford, Oxford University Press, 1994.

9. Pierre Hassner a très bien montré combien les représentations et les théorisations du totalitarisme soviétique ont été imprégnées par la perception géostratégique de l'URSS du moment. Il souligne également que les avancées géopolitiques de l'URSS à la fin des années 70 entraînent une « redécouverte » du totalitarisme. D'où la perception rétrospective de la guerre froide comme d'un moment fondé sur des représentations stables. Cf. « Le totalitarisme vu de l'Ouest », *in* Guy Hermet *et al.*, *Totalitarismes*, Paris, Economica, 1984, pp. 15-37.

10. Georges Steiner, *Les Antigones*, Paris, Gallimard, 1986, p. 11 (Folio, Essais).

11. Elaine Tyler May, *Homeward Bound, op. cit.*, p. 18.

12. Edgar Morin, *Penser l'Europe*, Paris, Gallimard, 1990, p. 144 (Folio, Actuel).

13. Isaiah Berlin, *Eloge de la liberté*, Paris, Calmann-Lévy, pp. 108-109 (Agora).

14. Jean Leca, « Préface » à Zaki Laïdi (dir.), *L'URSS vue du tiers monde*, Paris, Karthala, 1984, p. 13.

15. Raymond Boudon, *L'idéologie ou l'origine des idées reçues*, Paris, Le Seuil, 1986, p. 34. Voir également John B. Thompson, *Ideology and Modern Culture*, Cambridge, Polity Press, 1990.

16. Zaki Laïdi, « Contraintes et ressources de l'espace cardinal », *Revue française de science politique*, décembre 1986, pp. 753-757.

17. *Cf.* Robert Wade, *Governing the Market Economy. Theory and the Role of the Government in East Asia Industrialization*, Princeton, Princeton University Press, 1990 ; Stephen Haggard, *Pathways for the Periphery. The Politics of Growth in the Newly industrializing countries*, Ithaca, Cornell University Press, 1990, et Jean-Louis Margolin, *Singapour 1952-1987. Genèse d'un nouveau pays industriel*, Paris, L'Harmattan, 1989.

18. Cette articulation de l'interne et de l'externe est très frappante dans le cas de l'Inde. La rhétorique tiers-mondiste du gouvernement indien, doublée par l'alliance géostratégique avec l'URSS à partir de 1971, permit à Indira Gandhi de consolider l'orientation séculariste de son régime en privant l'opposition hindouiste du *Jana Sangh* des deux registres sur lesquels il essayait de jouer : le nationalisme agressif et le « populisme social ». Cf. Christophe Jaffrelot, *Les nationalistes hindous. Idéologie, implantation et mobilisation des années 1920 aux années 1990*, Paris, Presses de la FNSP, 1993, pp. 269-277.

19. Cf. Michaël Hogan (ed.), *The End of the Cold War. Its Meaning and its Implications*, Cambridge, Cambridge University Press, 1992.

20. Cf. Michel Heller et Aleksander Nekrich, *L'utopie au pouvoir. Histoire de l'URSS de 1917 à nos jours*, Paris, Calmann-Levy, 1982.

21. Alfred Grosser, « Le rôle et le rang. Note sur la politique militaire de la France », *Commentaire* (58), été 1992, p. 364.

22. Richard Du Boff, *Accumulation and Power. An Economic History of the United States*, Armonk, Sharpe, 1989, p. 97.

23. *Ibid.*, p. 98.

24. *Idem.* Cf. également, malgré ses outrances, David Horowitz (ed.), *Corporations and the Cold War*, New York, Bertrand Russell Peace Foundation, 1969.

25. Albert Hirschman, *Deux siècles de rhétorique réactionnaire*, Paris, Fayard, 1991, p. 187.

26. Il faut, en effet, rappeler ici qu'entre 1945 et 1973 l'articulation entre libéralisme économique et interventionnisme étatique a été pensée en termes complémentaires plutôt que radicalement antagonistes. La liaison entre keynésianisme économique interne et libéralisme commercial externe était au cœur du compromis de Bretton Woods. Ce n'est qu'à la fin des années 70 que ce compromis a volé en éclats, entraînant une réidéologisation du débat sur l'articulation entre interne et externe, Etat et marché. Ce point est très clairement souligné par John Ruggie, « International Regimes, Transactions and Change : Embedded Liberalism in the Postwar Economic Order », *International Organization* 36, 1982. C'est la force de compromis qui explique pourquoi l'ultralibéralisme n'a commencé à être exporté par les Américains qu'à partir de la fin des années 70. Cf. sur ce point Zaki Laïdi, *De l'hégémonie à la prédation. Hypothèses sur la transformation de la puissance américaine. Cahiers du CERI*, n° 1, 1991.

27. Luc Ferry, *Philosophie politique (2). Le système des philosophies de l'histoire*, Paris, PUF, 1984, p. 66, note que « la Théodicée s'oppose à la praxis puisque tout projet d'une amélioration du monde est intrinsèquement absurde dès lors que l'on admet la perfection, la rationalité de l'univers et de son histoire ».

28. *Ibid.*, p. 148.

29. Ernst Cassirer, *La philosophie des Lumières*, Paris, Fayard, 1970, pp. 64-65.

30. Georges Steiner, *Dans le château de Barbe-Bleue. Notes pour une redéfinition de la culture*, Paris, Gallimard, 1973, p. 23 (Folio. Essais).

31. Ernst Cassirer, *La philosophie des Lumières, op. cit.*, p. 57.

32. Kostas Papaioannou, *La consécration de l'histoire*, Paris, Champ libre, 1983, p. 8.

33. Henri-Irénée Marrou, *Théologie de l'histoire*, Paris, Le Seuil, 1968, p. 28.

34. Luc Ferry, *Philosophie politique*, *op. cit.*, p. 28.

35. Reinhard Koselleck, *Le futur passé*, *op. cit.*, p. 323.

36. Kostas Papaioannou, *La consécration de l'Histoire*, *op. cit.*, p. 17.

37. Ernst Cassirer, *L'idée de l'Histoire*, Paris, Cerf, 1988, p. 54.

38. Saint Augustin, *La Cité de Dieu*, Livres I-IV, Paris, Desclée de Brouwer, 1959, p. 66.

39. Maria Daraki, *Une religiosité sans Dieu. Essai sur les stoïciens d'Athènes et saint Augustin*, Paris, La Découverte, 1989, p. 206 et Maurice Gandillac, *Genèses de la modernité*, Paris, Le Cerf, 1992, p. 16.

40. Kostas Papaioannou, *La consécration de l'Histoire*, *op. cit.*, p. 41.

41. *Ibid.*, p. 45.

42. Henri-Irénée Marrou, *Théologie de l'Histoire*, Paris, Le Seuil, 1968, p. 52.

43. Alain Touraine, *Critique de la modernité*, *op. cit.*, p. 81.

44. David Harvey, *The Condition of Post-Modernity*, *op. cit.*, p. 35 et suiv.

45. Thomas P. Hughes, *American Genesis. A century of Invention and Technological Enthusiasm 1870-1970*, *op. cit.*, 1989, pp. 250-251.

46. *Ibid.*, p. 188.

47. Gérard Monnier, *Le Corbusier*, Besançon, La Manufacture, 1992, p. 112.

48. Selon Christian de Portzenparc, *Libération*, 29 janvier 1993. Sur le rapport entre « sens », finalité et architecture, cf. notamment l'entretien de Jean Nouvel à *L'Express*, 21 octobre 1993.

49. Le Corbusier, *Quand les cathédrales étaient blanches. Aujourd'hui aussi, le monde commence*, Paris, Denoël/Gonthier, 1983, p. 244 (rééd.).

50. Michel Schneider, *La comédie de la culture*, Paris, Le Seuil, 1992, p. 146. Sur la soviétisation de la culture, on trouvera des analyses du même ordre dans *l'Etat culturel. Essai sur une religion moderne* de Marc Fumaroli, Paris, de Fallois, 1991, pp. 42-43. Voir également l'excellente analyse de ces deux ouvrages par Philippe Urfalino « La philosophie de l'Etat esthétique », *Politix* (24), 1993, pp. 20-35.

Chapitre II

1. Reinhard Koselleck, *Le futur passé*, *op. cit.*, pp. 320-321.

2. « Pour Hegel, l'Etat est l'essence même de la vie historique. Ce sera l'alpha et l'omega. Il niera qu'on puisse parler de vie historique en dehors de l'Etat ou avant lui », Ernst Cassirer, *Le mythe de l'Etat*, Paris, Gallimard, 1993, p. 356. Voir aussi Eric Weil, *Hegel et l'Etat. Cinq*

conférences, Paris, Vrin, 1985. De ce point de vue, on dira que le monde l'Après-Guerre Froide est bel et bien un monde post-hégélien.

3. Louis Dumont, *L'idéologie allemande. France-Allemagne et retour*, Paris, Gallimard, 1991, p. 20.

4. *Ibid.*, pp. 44-45.

5. *International Herald Tribune*, 16 avril 1992 et *Financial Times*, 28 mai 1993.

6. Cf. sur le monde arabe et la question démocratique, Elizabeth Picard, « Le Moyen-Orient après la guerre froide et la guerre du Golfe », *in* Zaki Laïdi (éd.), *L'ordre mondial relâché*, *op. cit.*, pp. 121 et suiv. ainsi que Ghassan Salamé, « Sur la causalité d'un manque. Pourquoi le monde arabe n'est-il pas démocratique ? », *Revue française de science politique*, juin 1991, pp. 307-341.

7. *International Herald Tribune*, 20 octobre 1992.

8. François Jullien, *La propension des choses. Pour une histoire de l'efficacité*, p. 216. Voir également Jean-Luc Domenach, « Chine : la longue marche vers la démocratie », *Pouvoirs*, 52, 1990, p. 63.

9. François Jullien, *La propension des choses, op. cit.*, p. 212.

10. « Le mot démocratie apparaît à la fois comme une solution et comme un problème », écrit Pierre Rosanvallon dans « L'histoire du mot démocratie à l'heure moderne », *in Situations de la démocratie*, p. 28.

11. Paul Ricœur, entretien au journal *Le Monde*, 29 octobre 1991.

12. Richard Rorty, *Objectivisme, relativisme et vérité*, Paris, PUF, 1994, p. 197.

13. « Towards a liberal utopia », An interview with Richard Rorty, *Times Literary Supplement*, 24 juin 1994.

14. Michel Meyer (dir.), *La philosophie anglo-saxonne*, Paris, PUF, 1994, p. 429.

15. Sous la pression notamment des ONG, la Banque mondiale vient par exemple de modifier les conditions d'accès à ses documents internes jugés trop peu transparents. « World Bank approves greater transparency », *Financial Times*, 28 août 1993. Cette remise en cause des institutions établies affecte naturellement les grandes entreprises commerciales dont toute l'action s'appuyait sur l'idée que leur position était inexpugnable. Voir sur ce thème Paul Carroll, *Big Blues. The Unmaking of IBM*, Londres, Crown Publishers, 1993.

16. *Journal de Genève*, 11 juillet 1993.

17. Catherine Michelangeli, « L'infirmière, de la gratitude à la reconnaissance », *Etudes*, mars 1993, p. 325.

18. Cf. Francine Acker, « La fonction infirmière. L'imaginaire nécessaire », *Sciences sociales et santé*, juin 1991.

19. Entretien de Claudio Martelli au *Monde*, 20 octobre 1992.

20. Cf. Dwayne Woods, « The Center no longer Holds : the Rise of

regional Leagues in Italian Politics », *West European Politics*, avril 1992, pp. 56-76.

21. *Ibid.*, p. 70.

22. Sur le caractère construit de l'identité lombarde, cf. Carlo E. Ruzza et Olivier Schmidtke, « Roots of Success of the Lega Lombarda : mobilization, dynamics and the media », *West European Journal*, avril 1993, pp. 3-4 et Giorgio Bocca, « Que veut la Ligue lombarde ? », *Libération*, 6 décembre 1993.

23. Enzo Mingione, « Italy : resurgence of regionalism », *International Affairs* 69 (2), avril 1993, pp. 305-308. Cf. également Francesco Maiello, *Révolution à l'italienne*, Editions de l'Aube, 1993.

24. Patrick McCarthy, *Italie : la fin du régime de guerre froide*, Paris, Presses de la FNSP (à paraître).

25. David Calleo, « Rejuvenating America », *World Policy Journal* 10 (1), printemps 1993, p. 42. Pour une interprétation théorique du rapport entre coûts et légitimité de l'Etat, voir l'analyse qu'en fait Jean Leca à travers le cas américain : « Gouvernement et gouvernance à l'aube du XXIe siècle » (à paraître).

26. Brigitte Stern (dir.), *Guerre du Golfe, Le dossier d'une crise internationale* (1990-1992), Paris, La Documentation Française, 1993, p. 24.

Chapitre III

1. Reinhardt Koselleck, *Le futur passé*, *op. cit.*, pp. 311-312.

2. Cette idée de dérèglement du rapport au temps est bien rendue dans la réflexion philosophique de Stephane Mosès, *L'Ange de l'Histoire. Rosenzweig, Benjamin, Scholem*, Paris, Le Seuil, 1992, p. 11.

3. Jean-Luc Nancy, *Le sens du monde*, *op. cit.* « Il nous faut donc penser ceci : c'est la " fin du monde " mais nous ne savons pas en quel sens. Ce n'est pas seulement la fin d'une époque du monde et d'une époque du sens », p. 15.

4. Georges Nivat, « Y a-t-il un programme d'avenir pour la Russie ? », *Esprit*, septembre 1991, p. 40. Sur la crise des valeurs et la quête de sens en Europe de l'Est, voir, entre autres, le dossier consacré à la jeunesse d'Europe centrale par *La Nouvelle Alternative*, septembre 1993, pp. 3-43.

5. Jérôme Sgard, « L'utopie libérale en Europe de l'Est », *Esprit*, septembre 1991, p. 73.

6. Véronique Garros, « Dans l'ex-URSS. De la difficulté d'écrire l'Histoire », *Annales ESC*, juillet-octobre 1992, n°s 4-5, pp. 986-1002.

7. Cf. Kathy Rousselet, « Les ambiguïtés du renouveau religieux en Russie », *in* Gilles Kepel (dir.), *Les politiques de Dieu*, Paris, Le Seuil,

1993, pp. 121-137. Voir aussi S. Averintsev, « L'âme russe entre l'enfer et la grâce », *La Croix*, 20-21 juin 1993.

8. Guy Hermet, *Les désenchantements de la liberté*, Paris, Fayard, 1992, p. 212 et suiv.

9. Georges Mink et Jean-Claude Szurek (dir.), *Cet étrange post-communisme*, Paris, Presses du CNRS/La Découverte, 1992, p. 10.

10. Claus Offe, « Vers le capitalisme par construction démocratique ? La théorie de la démocratie et la triple transition en Europe de l'Est », *Revue française de science politique* 42 (6), décembre 1992, p. 928.

11. *The Economist*, 9 juillet 1994.

12. *La Croix*, 1-2 novembre 1991.

13. *Cet étrange post-communisme, op. cit.*, p. 143 et Bela Farago, « La transition en Hongrie », *Lettre Internationale*, 31, hiver 1991-1992, p. 27.

14. Claus Offe, « Vers le capitalisme par construction.... », art. cit, *Revue française de science politique*, 42 (6), décembre 1992, p. 938.

15. Cf. Denis C. Martin (dir.), *Sortir de l'apartheid*, Bruxelles, Complexe, 1992.

16. Cf. Paul Virilio, *L'horizon négatif. Essai de dromoscopie*, Paris, Galilée, 1984.

17. C'est le sens des enquêtes préliminaires de terrain faites au Maroc et en Egypte par l'équipe de recherche « Temps mondial » du CERI.

18. Voir Jean-Pascal Dalloz, « Voitures et prestige au Nigeria », *Politique africaine* (38), juin 1990, pp. 148-153.

19. André Gauron, « L'annonce d'un temps nouveau », *Lettre Internationale*, été 1991, n° 29, pp. 7-8.

20. Paul Ricœur, *Temps et récit. Le temps raconté*, T. III, *op. cit.*, p. 389.

Chapitre IV

1. Charles Taylor, « Les sources de l'identité moderne », *in* M. Elbaz, A. Fortin et G. Laforest, *Identité et modernité au Québec*, Sainte Foix, Presses universitaires de Laval, 1994 (à paraître).

2. Petr Pithart, « L'identité tchèque : nationalisme réel ou séparatisme régional », *in* Eric Philippart, *Nations et Frontières dans la nouvelle Europe*, (dir.), Bruxelles, Complexe, 1993, p. 210.

3. Eric Hobswam, *Nations et nationalismes depuis 1790*, Paris, Gallimard, 1992, p. 63. Cf. également « l'ouvrage-culte » de Benedict Anderson, *Imagined Communities : Reflections on the Origin and Spread of Nationalism*, Londres, Kent, 1983, et Walker Connor, « The Nation and its Myth », *International Journal of Comparative Sociology*, 1-2 (1992), pp. 49 et suiv.

4. *Marc Lazar, « Pour comprendre la Ligue »*, *Revue française de science politique*, décembre 1993, pp. 1022-1027.

5. Séverine Labat, « Islamismes et islamistes en Algérie. Un nouveau militantisme », *in* Gilles Kepel (dir.), *Exils et Royaume. Les appartenances au monde arabo-musulman aujourd'hui. Etudes pour Rémy Leveau*, Paris, Presses de la FNSP, 1994, pp. 44 et suiv.

6. Dwayne Woods, « Les Ligues régionales en Italie. L'émergence d'une représentation régionale indépendante des partis traditionnels », *Revue française de science politique*, février 1992, p. 52.

7. Guy Laforest, *De la prudence*, Montréal, Boréal, 1993, p. 21.

8. Norbert Elias, *Engagement et distanciation*, Paris, Fayard, 1993, pp. 127-128.

9. Olivier Roy, « L'Asie centrale entre soviétisme et nationalisme », Groupe de recherche « Temps mondial », Paris, CERI, 1994, multigr., pp. 14-15.

10. Michaël Ignatieff, « Bosnie », *Transeuropéennes*, printemps 1994, p. 72.

11. Peter Reddaway, « Russia on the brink ? », *The New York Review of Books*, 28 janvier 1993, pp. 32-33. Voir également Petr Pithart, « L'identité tchèque... », art. cité p. 206. Guy Laforest reprenant Tocqueville parle du « paradoxe entre convergence culturelle et quête de reconnaissance, « Intégration, Fragmentation et reconnaissance », *Transeuropéennes*, printemps 1994, p. 25.

12. *International Herald Tribune*, 22 octobre 1992 et 29 octobre 1992. Sur l'enjeu québécois, voir également Michael Ignatieff, *Blood and Belonging : Journeys into the new Nationalism*, Londres, Chatto et Windus, BBC Books, 1993.

13. Dwayne Woods, « The Center no longer Holds... », art. cit., p. 73.

14. Selon l'expression de Misha Glenny, *The Fall of Yugoslavia : the third Balkan War*, Londres, Penguin, 1993. Voir également Michael Igniatieff, « The Balkan Tragedy », *New York Review of Books*, 13 mai 1993, p. 3.

15. Sigmund Freud, *Essais de psychanalyse*, Paris, Payot, 1925, cité *in* Jean-Pierre Dupuy, *Introduction aux sciences sociales* Paris, Ellipses 1992 p. 240.

16. *Idem.*

17. *Idem.*

18. *Idem.*

19. *Idem.*

20. Yves Lacoste, « La question serbe et la question allemande », *Hérodote*, 4ᵉ trimestre 1992, p. 35.

21. Sur la relation entre nationalisme et universalisme, cf. l'article très éclairant de Jean Leca, « Nationalisme et universalisme », *Pouvoirs* (57),

1991, pp. 33-42. Voir également le chapitre VI d'Eric Hobsbawm, *Nations et nationalisme...*, *op. cit.*, pp. 209-238.

22. *Le Monde*, 23 décembre 1993.

23. Christophe Jaffrelot, « Nation hindoue, territoire et société », *Hérodote*, 4ᵉ trimestre 1993, p. 109.

24. Asthutosh Varshney, « Contested meanings : India's national identity, hindu nationalism and the politics of anxiety », *Deadalus*, 122 (3), été 1993, p. 232.

25. *Ibid.*, p. 231. Voir également Christophe Jaffrelot, « Le nationalisme hindou : de la construction idéologique à la normalisation politique », *in* Gilles Kepel (dir.), *Les politiques de Dieu*, *op. cit.*, pp. 236 et suiv.

26. C'est ce que souligne de manière très convaincante Amartya Sen dans « Menaces sur les traditions laïques de l'Inde », *Esprit*, août-septembre 1993. « Il est bien difficile, écrit-il, dans la littérature et la culture indiennes de trouver trace de la division entre « deux nations » des hindous et des musulmans. L'héritage de l'Inde contemporaine mêle des influences islamiques à d'autres traditions [...]. L'important n'est pas seulement que beaucoup de contributions majeures à la culture indienne sont dues à des écrivains, musiciens et peintres islamiques, mais aussi que leurs œuvres sont inextricablement mêlées à celles des hindous », p. 50.

27. Déclaration de M. Simecka au journal *La Croix*, 3 février 1994. Sur le thème de la méprise identitaire, voir également Theodore Draper, « The End of Czeckoslovakia », *The New York Review of Books*, 28 janvier 1993, pp. 23-24.

28. « The end of Czeckoslovakia », *ibid.*, p. 24.

29. Ilvo Diamanti, *La Lega, geografia, storia e sociologia di un nuovo soggetto politico*, Rome, Donzelli, 1993, cité *in* Marc Lazar, « Italie : pour comprendre la Ligue », *Revue française de science politique*, décembre 1993, pp. 1024-1025.

30. W. V. Harris, « Italy : Purgatorio », *New York Review of Books*, 3 mars 1994, p. 39.

31. Francesco Maiello, *Révolution à l'italienne*, *op. cit.*, p. 150.

32. Abraham Brunberg, « Not so free at last », *New York Review Times*, 22 octobre 1992, p. 56.

33. *Ibid.*, p. 58.

34. *Idem.*

35. Olivier Roy, « L'Asie centrale entre soviétisme et nationalisme », art. cit., pp. 10-12.

36. Voir sur cette question l'excellente interprétation synthétique qu'en donne Guy Hermet, « Le retour du nationalisme », *Revue française de science politique*, décembre 1992, pp. 1042-1047. Voir aussi

Gil Delannoi et Pierre-André Taguieff (dir.), *Théories du nationalisme : nation, nationalité, ethnicité*, Paris, Kimé, 1991.

37. Cf. Kurt J. Lank, « Germany at the cross roads : on the efficiency of the German economy », *Daedalus*, hiver 1994, pp. 57-82.

38. Mary Falbrook, « Aspects of society and identity in the new Germany », *Daedalus*, Hiver 1994, p. 232. Voir également dans ce même numéro l'article d'Anne-Marie Le Gloannec, « On German identity », pp. 129-148.

Chapitre V

1. Le Conseil d'Etat nous rappelle fort justement que, avant d'être un espace marchand, l'Europe est un espace de règles complexes destinées à garantir la liberté de circulation des personnes et des biens. *Rapport public, 1992*, La Documentation française, 1993.

2. Edgar Morin, *Penser l'Europe*, p. 154.

3. François Jullien, *La propension des choses. Pour une histoire de l'efficacité en Chine*, Paris, Le Seuil, 1992, p. 236.

4. Dans *Figures de l'immanence. Pour une lecture philosophique du Yi-King*, François Jullien prolonge sa réflexion en écrivant ceci : « [chez les Chinois], la faculté d'élan se trouve en soi et non dans la transcendance. En soi, plutôt que dans un ailleurs. Elle est immanente et non pas transcendante », p. 60.

5. Entretien avec Mireille Delmas-Marty, *Le Monde*, 25 mai 1993.

6. Henry Méchoulan, *Amsterdam au temps de Spinoza*, Paris, PUF, 1992, p 74. Sur la « hollandisation », voir John Mueller, *Retreat from Doomsday. The Obsolescence of major Wars*, New York, Basic Books, 1989.

7. Dominique Schnapper et Henri Mendras (dir.), *Six manières d'être européen*, Paris, Gallimard, 1990, p. 48.

8. Peter Koslowski (dir.), *Imaginer l'Europe*, p. 27.

9. *Ibid.*, p. 89. Cette contradiction entre liberté et vérité, entre liberté et sens, est aujourd'hui au cœur de toutes les réflexions sur la création, au-delà donc du champ strictement politique ou institutionnel. Dans la *Comédie de la culture, op. cit.*, Michel Schneider note, à propos de la disparition dans le domaine de l'art de la notion de référent — que l'on pourrait assimiler au principe de vérité — ceci : « Sans la contrainte, les espaces découverts deviennent illimités, mais vides. L'inanité est cela : *l'absence de sens résultant de l'équivalence de tous les sens possibles* » (c'est nous qui soulignons), p. 118.

10. Jean-Pierre Faye, *L'Europe unie. Les philosophes et l'Europe*, Paris, Gallimard, 1992, p 36.

11. *Ibid.*, p 38.

12. Cf. Arnold Toynbee, *La religion vue par un historien*, Paris, Gallimard, 1964.

13. Reinhardt Koselleck, *Passé-Présent*, *op. cit.*, pp. 25-26.

14. Ernst Kantorowicz, dans *Les deux corps du roi* (Paris, Gallimard, 1989), rappelle les origines très anciennes de cet universalisme français qui remonte aux croisades : « Mettre l'accent sur la mission culturelle et éducative de la France était devenu une mode [...] à une époque où même les étrangers reconnaissaient à la France le mérite d'avoir presque monopolisé le *studium* », p. 186.

15. Jean-Louis Quermonne, « Existe-t-il un modèle politique européen ? », *Revue française de science politique*, août 1990, p. 197.

16. Conseil d'Etat, *Rapport public, 1992*, *op. cit.*, p. 36.

17. Jean-Louis Bourlanges, *Le diable est-il européen ?*, Paris, Stock, 1992, p. 52.

18. Cette ambiguité est clairement révélée dans les sondages effectués auprès des opinions publiques européennes par la Communauté européenne. Celles-ci se déclarent favorables à la construction européenne (acte d'adhésion) mais éprouveraient de l'indifférence si l'on annonçait que la Communauté européenne venait à être abandonnée (adhésion faiblement intériorisée). En 1990, le sentiment d'indifférence à une disparition de la Communauté atteignait encore 34 % des sondés de la Communauté des douze, soit 2 % seulement de moins qu'en 1973. Cf. *Eurobaromètre. Trends, 1990*, pp. 110 et suiv. On retrouvera des analyses convergentes consacrées au cas français dans l'article d'Annick Percheron, « Les Français et l'Europe. Acquiescement de façade ou adhésion véritable », *Revue française de science politique*, juin 1991, pp. 382-406.

19. « Je n'ai jamais douté que ce processus nous mène un jour aux Etats-Unis d'Europe, mais je ne cherche même pas à en imaginer le cadre politique. Ce que nous préparons [...] n'a probablement pas de précédent ». Jean Monnet, *Mémoires*, Paris, Fayard, 1976, pp. 615-616.

20. Cf. Laurent Cohen-Tanugi, *L'Europe en danger*, Paris, Fayard, 1992, p. 42.

21. Sur la subsidiarité, cf. François Lamoureux, « Subsidiarité : mode d'emploi », *Les Entretiens de l'après-Maastricht*, 6 février 1993, Paris, Mouvement européen, Rapport introductif, multigr. ; ainsi que Chantal Millon-Delsol, *L'Etat subsidiaire*, Paris, PUF, 1992.

22. Cette idée est développée de manière convaincante par Paul Thibaud dans Jean-Marc Ferry et Paul Thibaud, *Discussion sur l'Europe*, Paris, Calmann-Lévy, 1992. « Etre citoyen européen, ce serait déclarer : mon destin, c'est l'Europe dont mon ancien pays n'est qu'une dépendance. Comme cela est trop dur à dire, on rêve, on essaie de combler

l'idée malléable d'appartenance [...]. On [en] fait un élément de confort », p. 48. Voir aussi sur ce rapport entre droits et devoirs, Joseph Rovan, *Citoyen d'Europe : comment le devenir ? Les devoirs avant les droits*, Paris, Laffont, 1992.

23. Sur la relation entre déconstruction téléologique et fin de l'Histoire, cf. Stephane Mosès, *L'Ange de l'Histoire, op. cit.* Voir également la remarquable synthèse des débats sur ce problème faite par Pierre Bouretz, « Histoire et Utopie », *Esprit*, mai 1992. Un des mérites de cet article est d'avoir pris au sérieux les thèses de Fukuyama sur « la fin de l'Histoire », autrement dit de leur avoir accordé un traitement philosophique et non pas purement politique, voire polémique. Sur le fond, Fukuyama a bel et bien raison : la fin de la guerre froide marque la fin de l'Histoire téléologique et hégélienne fondée sur une promesse portée par l'Etat ; les naïvetés de l'auteur sur la « démocratie de marché » ne changent rien à cette intuition forte.

Sur la notion d'arrêt de l'Histoire, on lira avec profit Françoise Proust, *L'Histoire à contre temps. Le temps historique chez Walter Benjamin*, Paris, Cerf, 1994.

24. Olivier Mongin, « Une mémoire sans histoire ? Vers une autre relation à l'histoire », *Esprit*, mars-avril 1993, p. 103. Dans *Les lieux de mémoire*, Paris, Gallimard, 1993, Pierre Nora établit dans le cas français la relation qui lie la « fin du roman national » à la réactivation de la mémoire. Aux problématiques téléologiques qui opèreraient des *choix* dans le passé afin de dégager des perspectives pour l'avenir s'opposerait la démarche archéologique qui insisterait plutôt sur le *poids* du passé réputé stable et authentique. Cf. Paul Ricœur, « Dialectique et téléologie », *in De l'interprétation, essai sur Freud*, Paris, Le Seuil, 1965, ainsi que Dominique Poulot, « Le patrimoine culturel, valeur commune de l'Europe », *Relations Internationales* (73), printemps 1993.

25. Cf. Patrice Choay, *L'allégorie du patrimoine*, Paris, Le Seuil, 1992 et Paul Thibaud, « La Nation désœuvrée », *La Lettre Internationale*, printemps, 1993.

26. Bernard Genton, « Une Europe littéraire ? », in *L'Esprit de l'Europe, op. cit.*, p. 309. Cette notion de recyclage de la mémoire opposée à l'histoire est abordée par Jean Baudrillard dans *L'illusion de la fin ou la grève des événements*, Paris, Galilée, 1992.

27. Pierre Legendre, « Ce que nous appelons le droit », *Le Débat*, mars-avril 1993, p. 109.

28. Cf. Jacques Demorgon, *L'exploration interculturelle. Pour une pédagogie internationale*, Paris, Armand Colin, 1989.

29. La notion d'espace public européen est discutée dans l'ouvrage dirigé par Jacques Lenoble et Nicole Dewandre, *L'Europe au soir du siècle. Identité et démocratie*, Paris, Editions Esprit, 1992. La difficulté à

passer d'un espace fait de juxtapositions à un espace public européen se trouve reflétée dans le vecteur le plus puissant de la construction européenne : le droit. Bien qu'étant *sui generis*, le droit communautaire reste après plus de quarante-cinq ans d'existence un droit de juxtaposition des cultures juridiques nationales plutôt qu'un authentique droit d'hybridation. De surcroît, il persiste à ne pas convertir la dynamique juridique en dynamique politique contraignante. L'harmonisation juridique de l'Europe — aujourd'hui plus avancée que celle qui lie les Etats américains — contraste avec la faiblesse des politiques communes européennes ou l'absence de véritable pouvoir de sanction contre les Etats contrevenant au respect des normes communautaires. La sophistication juridique destinée avant tout à renforcer la libre circulation des biens et des personnes n'est pas annonciatrice d'un espace public européen. Cf. Conseil d'Etat, *Rapport public 1992, op. cit.*, pp. 42-43.

30. Bernard Genton, « Une Europe littéraire », in *L'Esprit de l'Europe, op. cit.*, p. 310.

31. Cf. Dwayne Woods, « The Centre no longer Holds : The Rise of regional Leagues in Italian Politics », *West European Politics*, avril 1992 ; Carlo E. Ruzza et Oliver Schmidtke, « Roots of Success of the Lega Lombarda : Mobilisation Dynamics and the Media », *West European Politics*, avril 1993 art. cit. et Enzo Mingione, « Italy : resurgence of regionalism », *International Affairs*, art. cit.

32. « La position libérale tributaire de la tradition des théories du contrat considère l'expansion des libertés garanties légalement comme le point essentiel sur lequel doit se pencher une éthique politique [...]. De son côté, la position communautaire liée pour sa part aux doctrines politiques grecques de l'Antiquité maintient que toutes les formes politiques de vie commune qui réussissent dépendent de la présence de valeurs partagées en commun ». Axel Honneth, « Les limites du libéralisme. De l'éthique politique aux Etats-Unis aujourd'hui », *Rue Descartes*, 5-6, 1993, p. 146.

33. John Rawls, *Théorie de la justice*, Paris, Le Seuil, ainsi que *Individu et justice sociale. Autour de John Rawls*, Paris, Le Seuil (Points), 1988.

34. Jean-Pierre Dupuy, « John Rawls, théoricien du multiculturalisme », *in* Marcel Gauchet, Pierre Manent et Pierre Rosanvallon (dir.), *Situation de la démocratie*, Paris, Hautes Etudes, Gallimard-Le Seuil, 1993, p. 243.

35. *Ibid.*, p. 244. Voir sur une argumentation plus large que l'Europe mais parfaitement applicable à elle, les remarques fortes de Michael Sandel, « Morality and the moral ideal », *The New Republic*, 7 mai 1984. Sur les lignes de clivage entre « communautaristes » et « libertaires » vues par les « communautaristes », on se reportera à Charles Taylor, « Cross-purposes : the communautarian-liberal debate », *in* Nancy

L. Rosenblum, *Liberalism and the moral Life*, Cambridge, Cambridge University Press, 1989.

36. Charles Taylor, *The Ethics of Authenticity*, Cambridge, Cambridge University Press, 1992, p. 41.

37. *Ibid.*, p. 52.

38. *Ibid.*, p. 38. Voir le très éclairant compte rendu de l'ouvrage de Charles Taylor fait par Jean-Fabien Spitz, dans *Critique*, « L'individualisme peut-il être un idéal ? », mai 1993, pp. 259-281.

39. Richard Rorty, *Contingence, Ironie et Solidarité*, Paris, Armand Colin, 1993.

40. *Ibid.*, p. 76.

41. *Ibid.*, p. 78.

42. *Ibid.*, p. 89. Cf. l'excellente mise en perspective de la pensée de Richard Rorty par Albrecht Wellmer, « Vérité, contingence et modernité », *Rue Descartes*, 5-6, 1993, p. 186.

43. Ce problème est fort bien souligné par Chantal Millon-Delsol dans *Le principe de subsidiarité*, Paris, PUF, 1993 (Que sais-je ?), p. 98.

44. « L'Australie blanche a fini de rêver », *The Age*, cité in *Courrier International*, 27 mai 1993. Voir également Malcolm Turnbull, *The Reluctant Republic*, Londres, Heinemann, 1994.

45. Octavio Paz, « Eloge de la négation », *Le Monde*, 10 octobre 1992.

46. *Le Monde*, 29 mai 1993.

47. Erik Fosnes Hansen, « En route pour la Scandinavie », *La Lettre Internationale*, Printemps 1993, p. 10. Voir aussi, dans le même numéro, Per Olov Enquist », « Perdu dans notre maison ».

48. René Schwok a bien montré, à propos de la Suisse, que les clivages apparus lors du débat européen préexistaient et étaient de ce fait « indépendants de l'accord sur l'EEE (Ensemble économique européen). « Causes et conséquences du refus de la Suisse d'adhérer à l'espace économique européen », *Relations Internationales*, printemps 1993, p. 101.

49. *Ibid.*, p. 11.

50. Angelo Ara et Claudio Magris, *Trieste, une identité de frontière*, Paris, Le Seuil, 1993, p. 14.

Chapitre VI

1. Georges Simmel, *Le Conflit*, Saulxures, Circé, 1992, p. 20.

2. Bernard Perret et Guy Roustang, *L'économie contre la société*, *op. cit.*, p. 40.

3. Carl Schmidt, *La notion de politique. Théorie du partisan*, Paris, Flammarion, 1992, p. 84.

4. *Ibid.*, p. 64.

5. Le développement qui suit doit beaucoup à la réflexion de Jean Lévi, réflexion qu'il a bien voulu partager lors d'une communication orale faite au séminaire du CERI à Paris sur « L'ordre mondial relâché », le 9 février 1993.

6. Cité par Jean Lévi, in *Les fonctionnaires divins. Politique, despotisme et mystique en Chine ancienne*, Paris, Le Seuil, 1989, p. 95.

7. *Ibid.*, p. 148. Sur les principaux écrits légistes, on lira avec profit Jean Lévi, *Dangers du discours*, Paris, Alinéa, 1985.

8. La question de l'obsolescence de la guerre dans les relations entre nations démocratiques a fait et continue à faire l'objet d'un nombre considérable d'articles et d'ouvrages. Parmi les plus saillants, citons : Martin Shaw, *Post-Military Society. Militarism, Demilitarization and War at the End of the XXth Century*, Cambridge, Polity Press, 1991 ; Evan Luard, *The limited Sword. The Erosion of Military Power in modern World Politics*, Londres, Tauris, 1988 ; Stephen Cimbala, *Force and Diplomacy in the future*, New York, Praeger, 1992 et surtout John Mueller, *Retreat from Doomsday. The Obsolescence of major Wars*, New York, Basic Books, 1989. John Mueller fait remonter l'obsolescence de la guerre entre nations démocratiques à la fin de la Première Guerre mondiale. Pour lui, le déclin de la guerre est comparable au déclin du recours au duel ou à l'esclavage. A l'image de ces deux processus, la guerre traverse trois phases de remise en cause : elle est d'abord controversée avant de devenir singulière et de tomber enfin en désuétude. Les thèses de Mueller ont été amplement discutée sans avoir été radicalement contestées. Voir Carl Kaysen, « Is War obsolete. A Review Essay », *International Security*, printemps 1990 ; Akhtar Majeed, « Has the war system really become obsolete ? », *Bulletin of Peace Proposals*, vol. 22(4), 1991. L'incompatibilité entre guerre et démocratie a été, sur un plan plus philosophique, brillamment développée par Michael Doyle, « Kant, Liberal legacies and foreign affairs », *Philosophy and Public Affairs*, vol. XII, n° 3-4, été-automne 1983. Voir également Bruce Russett, « Democracy and Peace », *in* B. Russett, H. Starr and R. Stoll (eds.), *Choices in World Politics*, New York, Freeman, 1989. Sur l'état le plus récent de la question, on se reportera avec profit au numéro spécial de la revue *Interactions*, « Democracy and war : research and reflections », vol. 18 (3), 1993.

9. Cf. Albert Hirschman, *National Power and the Structure of foreign Trade*, Berkeley, University of California Press, 1945, Mark Gasioruski, « Economic interdependance and international Conflict », *International Studies Quarterly* 30 (1), 1986, p. 36 ; et Helen Milner, « Commerce mondial. Une nouvelle logique des blocs ? », *in* Zaki Laïdi (dir.), *L'ordre mondial relâché, op. cit.*, pp. 139-140.

10. *Financial Times*, 25 octobre 1993.

11. John Mueller, dans *Retreat from doomsday. The Obsolescence of major War*, *op. cit.*, écrit ceci : « Une idée devient impossible non parce qu'elle est répréhensible ou qu'on y a renoncé, mais quand elle cesse d'être pensée comme une option concevable. [...] En d'autres termes, la paix peut créer des habitudes et une accoutumance », p. 240.

12. Voir Kathy Rousselet, *L'Eglise orthodoxe russe et la politique*, Paris, Documentation française, 18 septembre 1992, PPS, n° 687.

13. *Financial Times*, 19 mai 1993.

14. Georges Couffignal, « Le système interaméricain après la guerre froide », *in* Zaki Laïdi (dir.), *L'ordre mondial relâché*, *op. cit.*, pp. 225-226.

15. L'évolution politique interne du Mexique et la perspective de signature d'un traité de libre échange entre les Etats-Unis et le Mexique constituent les symboles les plus représentatifs de cette évolution. La conversion de la quasi-totalité de l'intelligentsia mexicaine à l'idée du traité avec les Etats-Unis est à cet égard révélatrice. Cf. l'article de Carlos Fuentes, « Un pari sur l'Alena », *Libération*, 30 août 1993. S'y ajoutent les effets considérables des politiques d'ajustement structurel initiées par le FMI et la Banque mondiale dans cette région depuis le début des années 80. Sur l'évolution de l'Amérique latine et son intégration au temps mondial, on lira Jorge Castañeda, *Utopia unarmed. The Latin American left after the Cold War*, New York, Knopf, 1993.

16. Jean-Jacques Rousseau, *Du contrat social*, Livre I, cité in Pierre Hassner, « Paix et Guerre », *in* P. Raynaud et S. Rials (dirs.), *Dictionnaire de philosophie politique*, Paris, PUF (à paraître).

17. Perry Anderson, *L'Etat absolutiste*, Paris, Maspero, 1978 ; Stein Rokkan, *Un modèle géo-économique et géopolitique de quelques sources de variants en Europe de l'Ouest*, Paris, AFSP, 1976, multigr. ; Charles Tilly, « War making and State making as organized Crime », *in* P. Evans *et al.*, *Bringing the State back in*, Cambridge, Cambridge University Press, 1985 ; K.J. Holsti, « L'Etat et l'état de guerre », *Etudes Internationales*, décembre 1990. « Dans la mesure où un ennemi commun aide à maintenir ou même à créer de la solidarité et contraint à un effort commun, la guerre a été, à travers l'histoire, le stimulant le plus efficace à la cohésion des Etats », p. 14. Stanislas Andreski, *Wars, Revolutions, Dictatorships. Studies of historical and contemporary Problems, from a comparative view Point*, Londres, Frank Cass, 1992. Voir aussi Martin Shaw, « War and the Nation-State in social theory », *in* David Held et John B. Thompson (eds.), *Social Theory of modern Societies*, Cambridge, Cambridge University Press, 1989.

18. Cf. K.J. Holsti, « L'Etat et l'état de guerre », art. cit. ; Michael Howard, *La guerre dans l'histoire de l'Occident*, Paris, Hachette-Pluriel, 1988 ; John Keegan, *A History of Warfare*, Londres, Huntchinson, 1993

et Russell Leng, *Interstate Crisis behaviour, 1816-1980 : Realism versus Reciprocity*, Cambridge, Cambridge University Press, 1993.

19. Guy Hermet, *Culture et démocratie*, Paris, Albin Michel/UNESCO, 1994, p. 228.

20. Cf. à propos du cas cambodgien, l'analyse de Christian Lechervy, « Le Khmer rouge : *homo bellicus versus homo economicus* », *Cultures et Conflits* (8), 1992-1993. Voir plus généralement pour une mise en perspective théorique des conflits d'après la guerre froide, l'excellent article de Didier Bigo, « Les conflits post-bipolaires : dynamiques et caractéristiques », *Cultures et Conflits* (8), hiver 1992-1993, pp. 3-14.

21. *International Herald Tribune*, 14 janvier 1993.

22. Elizabeth Becker, « The Guarantors should help Protect Cambodia from the Thais », *International Herald Tribune*, 19 mai 1993.

Chapitre VII

1. Robert Mundell et Alexander Swoboda définissent un système comme une « agrégation de différentes unités entretenant entre elles des interactions régulières en vue d'assurer une forme de contrôle », R. Mundell et A. Swoboda (eds.), *Monetary Problems of the International Economy*, Chicago, University of Chicago Press, 1969, p. 343. Voir aussi George Modelski, *Long Cycles in world Politics*, Londres, Mac Millan, 1987.

2. On n'insistera jamais assez sur le fait que le facteur fondamental de la mondialisation réside en premier lieu dans la réduction des coûts de l'information et de leur transmission, et cela indépendamment des « économies d'échelle » réalisées. Ainsi, un ordinateur doté d'un pouvoir de 4,5 millions d'instruction par seconde est passé de 4,5 millions de dollars en 1980 à 10.000 dollars en l'an 2000. Michael Morton, *The Corporation of the 1990's. Information Technology and organizational Transformation*, Oxford, Oxford University Press, 1991, p. 9.

3. United Nations, *World Investment Report. 1993. Transnational Corporation and Integrated International Production*, New York, United Nations, 1993, p. 160.

4. Jean-Marc Ferry, *Les puissances de l'expérience*, Paris, Cerf, 1991, p. 18. La mondialisation soulève naturellement d'autres questions de sens que nous ne faisons ici qu'esquisser, mais qui structureront désormais une bonne partie de la réflexion en relations internationales dans les années à venir. Parmi elles, la plus essentielle concerne le lien entre la souveraineté et la territorialité. Ce lien est au cœur de la réflexion des économistes, notamment, qui se trouvent confrontés aux questions suivantes : le caractère « national » de la propriété a-t-il encore une réelle

signification ? La localisation d'une entreprise sur le territoire national est-elle la condition d'une autonomie nationale ? La nationalité des actionnaires a-t-elle des conséquences sur les choix de l'entreprise ? Peut-on identifier la concurrence entre entreprises nationales à une concurrence entre nations ? A toutes ces questions, il n'y a naturellement pas de réponses tranchées. Et de ce point de vue, on ne peut pas dire que les réflexions scientifiques ou para-scientifiques sur le sujet soient dénuées de toute subjectivité nationale. De manière générale, la littérature japonaise tend à sous-estimer au plus haut point la question nationale. Pour Kenichi Ohmae, chantre de la globalisation, la question nationale n'a plus aucun sens sur le plan économique. Mais on peut légitimement se demander si cette interprétation n'est pas, consciemment ou inconsciemment, mise au service des intérêts économiques japonais qui ont pour caractéristique d'être à la fois très mondialisés mais aussi « immunisés » contre tout contrôle étranger. Cf. Kenichi Ohmae, *The borderless world. Power and Strategy in the interlinked Economy*, New York, Harper Business, 1990. On retrouve ce même type d'ambiguïté dans les écrits de Robert Reich, dans *L'économie mondialisée*, Paris, Dunod, 1992, à propos du cas américain. Pour Susan Strange qui s'est intéressée aux rapports entre entreprises et Etat dans les relations internationales, l'enjeu majeur des rapports interétatiques est celui de l'attractivité. Il ne s'agit plus d'acquérir un territoire, mais d'attirer sur son territoire les investissements producteurs de valeur ajoutée. Cf. « State, Firms and Diplomacy », *International Affaires* 68 (1), 1992, p. 7.

Dans *Global financial Integration, op. cit.*, Richard O' Brien a bien mis en évidence à travers l'étude des marchés financiers les limites de la « déterritorialisation ». Il souligne que même dans le domaine le plus volatile et le plus immatériel (la finance), la localisation joue un rôle non négligeable. « Il y a encore de fortes tendances en faveur d'une concentration géographique des bourses et des opérations des sociétés intervenant en bourse », p. 77. Cf. enfin l'excellent rapport du Group of Ten, *International capital Movements and foreign Exchange Markets. A Report to the Ministers and Governors by the Group of Deputies*, s.l., avril 1993, multigr. Voir enfin le supplément à *The Economist*, 27 juin 1992.

Sur un plan plus général, il existe désormais une littérature très abondante sur la question dans la souveraineté. Il y a tout d'abord les réflexions des juristes qui nous incitent à repenser le problème de la souveraineté à partir des travaux fondateurs de Jean Bodin. Le retour à Bodin est indispensable si l'on veut précisément réfléchir au dépassement de sa réflexion. Bodin identifie la souveraineté au « caractère absolu de la puissance de commandement (de l'Etat) sans degré de supériorité ». Or, de fait (la mondialisation économique et financière) ou de droit (le traité de Maastricht), la souveraineté des Etats est plus que jamais partagée.

Que ce partage soit consenti et non imposé n'enlève rien à sa réalité. L'Etat se trouve partout dans le monde dans une situation que Bodin qualifiait de « monstrueuse » : celle précisément du partage de la souveraineté, de son bornage par d'autres acteurs, du caractère frangible de son unité. Certes, Bodin pose l'idée de partage de souveraineté dans l'ordre interne : il refuse d'envisager des bornes à la *plenitudo potestatis* du souverain. Mais la dimension internationale du problème est implicitement contenue dans son analyse. Quand il affirme que « le roi de France est empereur de son royaume », il oppose clairement cette souveraineté absolue, dans un cadre territorial et national, à un *imperium*, à un *dominus mundi* fondé sur des allégeances aussi larges géographiquement que lâches juridiquement. Pour autant, il serait trop simple de voir dans cette déterritorialisation qui est aussi une dénationalisation un processus linéaire et univoque. D'une part, parce que les acteurs qui érodent la souveraineté de l'Etat n'ont aucune prétention à se substituer pleinement ou consciemment à lui et à proposer un sens collectif. D'autre part, pour n'en être pas moins réelle, l'érosion de la logique interétatique dans la dynamique mondiale est loin d'être totale ou irréversible. De la même façon qu'il a fallu plusieurs siècles aux Etats européens non seulement pour se défaire de l'autorité du pape mais pour construire entre eux des relations fondées sur d'autres principes que l'appartenance à une même communauté chrétienne, il s'écoulera un long moment entre l'érosion du système interétatique dans les rapports mondiaux et l'organisation de ces mêmes rapports mondiaux en dehors du système des Etats. Parmi les travaux sur Bodin, citons ici Julian H. Franklin, *Jean Bodin et la naissance de la théorie absolutiste*, Paris, PUF, 1993 ; Simone Goyard-Fabre, *Jean Bodin et le droit de la République*, Paris, PUF, 1989 : Simone Goyard-Fabre, *Les fondements de l'ordre juridique*, Paris, PUF, 1992 ; Gérard Mairet, *Le Maître et la multitude. L'Etat moderne entre Machiavel, Shakespeare et Gorbatchev*, Paris, Editions du Félin, 1991 et Blandine Kriegel, *La République incertaine*, Paris, Quai Voltaire, 1993. Les internationalistes ne sont pas en reste dans ce débat. Citons, entre autres, R.B.J. Walker et Saul Mendlovitz (eds.), *Contending Sovereignties. Redefining political Communities*, Boulder, Lynne Rienner Publishers, 1990 ; Cornelia Navari (ed.), *The Condition of States. A Study in International political Theory*, Philadelphie, Open University Press, 1991 ; L.J. Blake, *Sovereignty, Power beyond politics*, Sheapheard, Walwyn, 1988 et Joseph A. Camillieri et Jim Falk (eds.), *The End of Sovereignty. The Politics of a shrinking and fragmenting World*, Londres, Elgar, 1992. En français, la meilleure introduction au sujet se trouve dans Bertrand Badie et Marie-Claude Smouts, *Le retournement du monde*, Paris, Dalloz/Presses de la FNSP, 1992.

5. Un récent sondage a montré qu'en France, la crainte du chômage

était très inégalement partagée. 79 % des salariés du secteur public déclaraient ne pas craindre de perdre leur emploi à échéance d'un an contre 57 % pour les salariés du secteur privé. *La Croix*, 22 septembre 1993.

6. Michel Bon, *Les attitudes devant le travail*, Paris, Institut de l'Entreprise, 1993, p. 14.

7. *Ibid.*, p. 16.

8. *Journal de Genève*, 1ᵉʳ août 1993.

9. *La Croix*, 12 octobre 1993. Sur la désillusion œcuménique, voir l'article de Michel Kubler sur les « oscillations de l'unité chrétienne », *La Croix*, 6 août 1993.

10. Ce glissement a été remarquablement bien exprimé par Pierre Rosanvallon, *La nouvelle crise de l'Etat-Providence*, Notes de la Fondation Saint-Simon, septembre 1993.

11. Sur ce rapport entre sens, travail et identité, on se reportera aux remarquables réflexions engagées sur ce sujet par la revue *Echanges et Projets* et notamment à son numéro de mars 1990, qui réunit les contributions de Bernard Perret, de Patrick Viveret et de Jean-Baptiste de Foucault. Cf. également Jacques Danzelot (dir.), « Face à l'exclusion. Le modèle français », *Esprit*, 1991. Sur le rapport analogique entre exclusion interne et exclusion internationale, cf. Zaki Laïdi, « L'exclusion planétaire », *Libération*, 16 juillet 1991.

12. Sur le développement du mouvement sécessionniste dans les provinces du Rio Grande do Sul, du Parana et de Santa Catarina, cf. « Trying to head off a Brazilian Breakaway », *Financial Times*, 3 novembre 1992.

13. Bernard Perret, « Feu le parti des salariés », *Libération*, 1ᵉʳ mars 1993.

14. « Le mal démocratique », entretien avec Marcel Gauchet. *Esprit*, octobre 1993 : « D'une économie religieuse qui la faisait procéder du dehors et du désir de l'humain, nous sommes passés dans une économie où elle se manifeste entre les hommes et eux-mêmes pris en société », p. 70.

15. Cette idée de basculement de la menace vers l'intérieur, à l'intérieur des sociétés ou des individus qui la composent se trouve là encore dans plusieurs champs sociaux, attestant ainsi son ampleur et sa réalité. François Ewald dans *Le problème français des accidents thérapeutiques. Enjeux et solutions*, Paris, Ministère de la Santé et de l'Action humanitaire, La Documentation française, 1992, lie cette internalisation de la menace à une relecture du progrès : celui-ci n'est non seulement plus considéré comme linéaire, mais de plus en plus ambivalent, voire ambigu : « Le mal n'est plus ce qui s'oppose au bien, il l'accompagne, il le double », p. 45.

Chapitre VIII

1. Ceci est clairement révélé par les récents débats sur la « clause sociale » qui ont précédé la création de l'organisation du commerce mondial. Les dangers de cette approche et de cette évolution ont bien été soulignés par Jagdish Bhagwati dans *The World Trading System at Risk*, Londres, Harvester, 1991, p. 21.

2. Cette théorie de l'action fondée sur la maîtrise des processus est au cœur de l'analyse de Luc Boltanski et Laurent Thévenot, *De la justification. Les économies de la grandeur*, Paris, Gallimard, 1991. Nous n'avons fait que la prolonger ici de manière analogique au champ international. Cette nécessité qu'ont désormais tous les acteurs sociaux d'agir dans plusieurs mondes est rendue dans la longue analyse critique des travaux de Boltanski et Thévenot qu'en a faite Nicolas Dodier dans *Critique*, juin-juillet 1991, pp. 427-458.

3. Sur les modalités d'adaptation des armées à l'après-guerre froide, on pourra se reporter à l'excellente synthèse d'Alain Baer, « Quelles armées dans un nouvel ordre international ? », *Défense nationale*, mars 1992, ainsi qu'au rapport exhaustif de Jean-Michel Boucheron, *Paix et Défense*, Paris, Dunod, 1993. Les implications de ces changements sur la coopération interarmées en France ont été bien synthétisées par Yves Dujardin, « La coopération inter-armées en France », Mémoire IEP, 1993.

4. Ce développement sur l'articulation entre sens et puissance militaire doit beaucoup à la réflexion de Philippe Delmas, qu'il a bien voulu partager avec nous à la faveur de sa présentation sur « Le sens de la puissance militaire », Paris, séminaire « Ordre mondial relâché », CERI, 9 novembre 1993.

5. Ce problème est exprimé de manière très convaincante par Claude Gilbert dans *Le pouvoir en situation extrême. Catastrophes et Politique*, Paris, L'Harmattan, 1992. Il souligne la difficulté qu'a le pouvoir politique à gérer des catastrophes naturelles ou technologiques, car il n'a plus les moyens de se distancier par rapport à ces crises. « Il n'est pas face à la crise, il est pris dans la crise. » Là encore, l'analogie avec le champ international nous paraît très marquée. p. 247.

6. Cf. le rapport sobre, critique et circonstancié de l'intervention onusienne en Somalie fait par Africa Rights, *Somalia : Operation « Restore Hope »*. *A Preliminary Assessment*, Londres, mai 1993, multigr.

Mario Bettati souligne pour sa part et non sans raison que « à supprimer la diplomatie humanitaire, on n'ajouterait rien à la diplomatie classique ». « Action humanitaire d'Etat et diplomatie », in *Mélanges*

Merle. Les relations internationales à l'épreuve de la science politique, Paris, Economica, 1993, p. 272.

7. Clifford Geerz, « The uses of diversity », cité par Alexander Nehamas, « La marque du poète », in *Lire Rorty, Le pragmatisme et ses conséquences*, Paris, L'Eclat, 1992, p. 112.

8. Sur cette dynamique de la puissance économique qui n'autorise plus de déviance, cf. Sylvia Ostry, « The Impact of globalization : Convergence or Conflict, TEP — Toward techno-globalism », Paris, OCDE, 1990, multigr., p. 7.

9. De plus en plus d'économistes se retrouvent pour dire par exemple que l'existence d'un solde commercial positif ou négatif n'a plus en soi d'importance alors que les gouvernements ne cessent d'exhiber les chiffres mensuels du commerce extérieur comme des bulletins de victoire (ou de défaite). Charles-Albert Michalet résume l'argumentaire dans les termes suivants : « Dans l'optique d'une entreprise, il importe peu que ses résultats consolidés soient le résultat de ses exportations ou des ventes de ses filiales implantées à l'étranger. Pour juger de la compétitivité d'une économie nationale, il faut [...] ajouter aux recettes d'exporations et aux dépenses d'importations, les ventes et les achats des filiales. Les filiales des entreprises nationales vendent sur les marchés d'implantation et souvent exportent sur des marchés tiers [...]. L'agrégation de l'ensemble de ces transactions fournit la meilleure évaluation de la compétitivité industrielle d'un pays », « Globalisation, attractivité et politique industrielle », Paris, colloque GEMDEV, multigr., février 1993, p. 7.

10. Cette différence entre propriété et contrôle a bien été rendue à propos du cas américain par Theodore H. Moran, « The globalization of America's defense industries. Managing the threat of foreign dependence », *International Security*, été 1990, pp. 57-99.

11. *Financial Times*, 30 août 1992.

12. *Ibid.*, 10 mai 1993.

13. Sur la question de la fongibilité de la puissance, voir John Nye, *Bound to Lead. The changing Nature of american Power*, New York, Basic Books, 1990. Voir aussi Zaki Laïdi (dir.), *L'ordre mondial relâché, op. cit.*, p. 19.

14. Cf. Christopher Layne, « The unipolar illusion. Why new great powers will rise », *International Security*, printemps 1993.

15. Robert Gilpin, *War and Change in world Politics*, Cambridge, Cambridge University Press, 1987, p. 125. Dans *The Shape of european History* (1974), William McNeill nous rappelle d'ailleurs que dans le monde « pré-moderne », des sociétés économiquement avancées étaient souvent détruites ou exploitées par des sociétés moins avancées qu'elles. C'est donc la modernité qui a établi cette équivalence entre puissance économique et puissance militaire.

16. Cf. Mary Kaldor, *Problems of Adjustment to lower Levels of military spending in developed and developing Countries*, Washington, Banque mondiale, 1991, p. 5 ; François Chesnais (dir.), *Compétitivité internationale et dépenses militaires*, Paris, Economica, 1990, p. 17 et OCDE, *La technologie et l'économie. Les relations déterminantes*, Paris, OCDE (programme TEP), 1992, p. 274.

17 Cf. *Die Gezähmten Deutschen*, Stuttgart, Deutsche Verlagsanstalt, 1985.

18. A la question de savoir de quel pays ils souhaiteraient s'inspirer le plus dans l'avenir, les Allemands répondent à 40 % à la Suisse, à 29 % à la Suède. Les Etats-Unis, la France et la Grande-Bretagne ne recueillent respectivement que 6, 8 et 2 % des suffrages. Il est intéressant de mettre en relation cette question avec une seconde : « Avec quel pays souhaiteriez-vous dans les prochaines années avoir les relations les meilleures ou les plus étroites ? » La Russie arrive en tête. *Financial Times*, 4 janvier 1991.

19. Jean-Michel Boucheron, *Paix et Défense*, Paris, Dunod, 1992, p. 529.

20. *Ibid.*, p. 332.

21. Cf. sur ce point l'ouvrage de Luc Boltanski, *La souffrance à distance. Morale humanitaire, medias et politique*, Paris, Métaillé, 1993.

22. François Ewald, entretien au journal *Le Monde*, 21 avril 1993.

23. François Ewald, *Le problème français des accidents thérapeutiques*, *op. cit.*, p. 45. On n'insistera jamais assez sur le fait que les réflexions de François Ewald sur l'Etat et tout particulièrement sur les thèmes de la « précaution » ou de la « vulnérabilité » sont très évocatrices pour tous ceux qui conçoivent le champ des relations internationales non comme une « discipline territorialisée », mais au contraire comme une discipline dont l'intérêt serait de produire un « point de vue sur le monde » en se « désectorisant ».

24. *Financial Times*, 15 février 1994.

25. Ann Markusen, « Dismatling the cold war economy », *World Policy Journal*, été 1992, 9 (3), pp. 389-399.

26. Sur la crise financière de l'ONU comme alibi à l'absence de volonté politique des puissances dominantes du système international à agir au travers de l'ONU, cf. *Financial Times*, 19-20 juin 1993, *The Economist*, 12 juin 1993. Voir également l'excellent article de Stanley Hoffmann, « Delusions of World Order », *New York Review of Books*, 9 avril 1992. Voir également « L'ordre neuf du président Bush », *Esprit*, juin 1991, dans lequel Marie-Claude Smouts décèle très nettement les limites du « nouvel ordre mondial onusien » et cela en pleine « euphorie unipolaire ». Voir également, pour une évaluation très récente de l'avenir de l'ONU, Gareth Evans, *Cooperating for Peace : the global Agenda for the*

1990s and beyond, Sydney, Allen and Unwin, 1994 et Brian Urquhart, « Who can police the world ? », *New York Review of Books*, 12 mai 1994, pp. 29-33.

27. Shafiqul Islam et Michael Mandelbaum, *Making Markets. Economic Transformation in Eastern Europe and the post-Soviet States*, New York, Council on Foreign Relations, 1993.

28. *Financial Times*, 27 mai 1993.

29. John Gray, *Post-communist Societies in Transition : a social Market Perspective*, Londres, Social Market Foundation, 1994. Cet opuscule offre la meilleure contribution au débat sur la question du modèle de référence en Europe de l'Est.

30. Pierre Hassner, « La guerre et la paix », in S. Rials et A. Renaut, *Philosophie politique*, Paris, PUF (à paraître).

31. Mireille Delmas-Marty, *Pour un droit commun*, Paris, Le Seuil, 1994, p. 274.

32. *Financial Times*, 13 juillet 1994.

Chapitre IX

1. Une puissance hégémonique se caractériserait par une capacité de produire des « biens publics » *(public goods)*. Ainsi, quand bien même elle imposerait par sa puissance un ordre contraignant à l'ensemble des acteurs du système international, elle procurerait simultanément à ces acteurs des contreparties globalement supérieures à leur participation au maintien de l'ordre hégémonique. L'hégémonie fonctionnerait comme un « service public international », un système de « sécurité sociale mondiale » entretenu par la puissance dominante et dont profiterait l'ensemble des « assurés », quel que soit par ailleurs le montant initial de leur « cotisation ». Cette seconde hypothèse renferme deux idées importantes. La première est celle de la nécessité, pour toute domination, de reposer sur le consentement des dominés plutôt que sur la répression brutale de leur autonomie. La seconde est de souligner que toute asymétrie dégage des « espaces » pour les dominés en termes de souveraineté ou de prospérité. Cf. sur cette question, Richard Rosencrance et Jennifer Taw, « Japan and the theory of international leadership », *World Politics* (2), 1990. La théorie de la stabilité hégémonique est généralement présentée et discutée au travers des écrits de Charles Kindleberger, *The World in Depression 1929-1939*, Berkeley, University of California Press, 1973 ; Robert Gilpin, *US Power and the multinational Corporation*, New York, Basic Books, 1975 ; Robert O. Keohane, « The Theory of hegemonic Stability and Changes in international economic Regimes », dans Ole R. Holsti, Randolph M. Silverson et Alexander L. George (dir.), *Change in*

international system, Boulder, Westview Press, 1980 et Stephen Krasner, « State power and the structure of international trade », dans Peter Kazenstein (dir.)., *Between Power and Plenty. Foreign Economic Policies of advanced industrial States*, Madison, The University of Wisconsin Press, 1978. Cette « théorie » existe toutefois davantage au travers de la similitude des présupposés des différents auteurs et des critiques groupées dont ils ont été l'objet que du fait d'hypothèses communes et cohérentes. Ainsi, dans « Hierarchy versus inertial cooperation », *International Organization*, automne 1986, p. 845, Charles Kindleberger va jusqu'à déclarer préférer le terme de « stabilité » à celui d'« hégémonie ».

2. Sur Ochine, voir Fariba Adelkhah, « Ochine en Iran », article non publié, Paris, CERI, 1993, et Hamid Mowlana et Mohesinian Rad Mahdi, *Japanese Programs on Iranian Television. A Study in international flow of Information*, Washington D.C., The American University, 1990, multigr.

3. Dina El Khawaga, « Le feuilleton *Ochine* vu par les Egyptiens », CERI, Groupe « Temps mondial », 1994, art. non publié, pp. 2-4.

4. Ainsi, les Algériens qui semblent pour d'évidentes raisons identitaires fascinés par l'expérience du Japon ont eu à deux reprises l'occasion de mesurer la dureté politique de Tokyo dans les affaires internationales et la nature illusoire de son tiers-mondisme. Le Japon n'a par exemple pas hésité à utiliser les ressorts classiques de sa puissance pour imposer son candidat à la tête de l'Organisation mondiale de la santé face à un candidat algérien soutenu d'ailleurs par l'Europe et l'Amérique. Sur un autre registre, plus économique celui-ci, le Japon, principal créancier de l'Algérie, fut le plus réticent à une opération de rééchelonnement massif de la dette de ce pays.

5. Cf. notamment Peter Dale, *The Myth of Japanese Uniqueness*, Londres, Croom-Helm, 1986. Pour une critique argumentée et récente du culturalisme, on se reportera à l'ouvrage de Jean-François Bayart (dir.), *La réinvention du capitalisme*, Paris, Karthala, 1994. « L'interprétation culturaliste, écrit-il, tourne vite à la discussion du café du Commerce, bien que ses tenants soient souvent très érudits », p. 24. Voir également Endymion Wilkinson, *Japan versus the West : image and reality*, Londres, Penguin, 1991, ainsi que Higuchi Yoichi et Christian Sautter (dir.), *L'Etat et l'individu au Japon*, Paris, Editions EHESS, 1990, p. 36.

6. Cette démarche a été récemment illustrée de manière caricaturale par Samuel Huntington dans « Clash of civilizations ? », *Foreign Affairs*, été 1993. Cette interprétation a donné lieu à d'amples contestations, dont *Foreign Affairs* a rendu compte dans son numéro de l'automne 1993. Cf. également ma réponse à Huntington, « La guerre des cultures

n'aura pas lieu », *Libération*, 28 septembre 1993. Voir l'excellent dossier réalisé sur ce thème par la revue *Commentaire*, été 1994.

7. Le *nihhonji-ron* se définit comme une école de pensée et de littérature spécialisée dans l'exploration de la spécificité japonaise par opposition aux autres nations. Parmi les titres des ouvrages japonais relevant de cette école de pensée figurent les livres de Nishio Kanji sur *l'individualisme européen*, de Isaiah Bendasan sur les *Les Japonais et les Juifs* d'Hichikara Toyota sur *Ma vision de la culture japonaise*, de Mori Joji *Les Japonais : autoportrait d'un œuf sans coquille*, de Yamamoto Schichihei sur *La vision japonaise de la vie*, de Kimura Shôsaburô sur *Pour une âme japonaise avec une technique japonaise*. Sur une présentation générale de la thématique du *nihhonji-ron*, on se reportera à l'article de Jacqueline Pigeot « Les Japonais peints par eux-mêmes », *Le Débat* (23), janvier 1983, ainsi qu'à l'article de Paul Akamatsu, « Histoire et *nihhonji-ron* », in Jane Cobbi (ed.), *Pratiques et représentations sociales des Japonais*, Paris, L'Harmattan, 1993.

8. Jean-Marie Bouissou, « Le Japon en quête de légitimité », *in* Zaki Laïdi (dir.), *L'ordre mondial relâché, op. cit.*, p. 80.

9. Denis Lacorne, « Le débat des droits de l'homme en France et aux Etats-Unis », *Revue Tocqueville* 14 (1), 1993, p. 6.

10. Cf. Elise Marienstras, *Les mythes fondateurs de la nation américaine*, Bruxelles, Complexe, 1992, ainsi que Denis Lacorne, *L'invention de la République. Le modèle américain*, Paris, Hachette, 1991.

11. Cette profonde continuité du discours américain sur le nouvel ordre mondial entre Woodrow Wilson et George Bush a clairement été soulignée par Bertille Bayart, *Woodrow Wilson et George Bush : le nouvel ordre mondial*, Paris, IEP, 1993, multigr.

12. Paul Akamatsu, « Pouvoir absorbant de la langue japonaise », in *Les langues mégalomanes*, Paris, Le Genre humain, 1990, p. 83.

13. Tado Umesao, cité in *Monde Europe. Repère et orientations pour les Français 1993-1997*, Commissariat général au plan, Paris, Dunod. La Documentation française, 1993, p. 49.

14. Voir sur ce point Leon Vandermeersch, *Le nouveau monde sinisé*, Paris, PUF, 1986, p. 145 et suiv.

15. Augustin Berque, *Vivre l'espace au Japon*, Paris, PUF, 1982, p. 36. Cette propension limitée à verbaliser fait dire à un auteur japonais ceci : « Je ne veux pas dire que la pensée traditionnelle japonaise fait peu cas des mots, mais elle semble plus consciente de leur impuissance ». Doi Takeo, *L'endroit et l'envers*, Paris, Philippe Picquier, 1993, p. 38.

16. Augustin Berque, *Du geste à la cité. Formes urbaines et lien social au Japon*, Paris, Gallimard, 1993, p. 142.

17. Augustin Berque, *Vivre l'espace au Japon, op. cit.*, p. 47. Voir également Catherine Garnier, « Le triangle Je-Tu-Il : l'expression de la

personne dans le groupe familial », in Jane Cobbi, *Pratique et représentations sociales des Japonais*, *op. cit.*, p. 72 et suiv.

18. Masaru Tamamoto, « Japan's Search for a world Role », *World Policy Journal*, été 1990, vol. VII (3). C'est la raison pour laquelle le débat sur la modification de la constitution, et plus particulièrement de l'article 9, soulève tant de difficultés, tant l'idée de la démocratie est intimement reliée à l'absence d'engagement extérieur. Ce point est très bien noté par Chalmers Johnson, « Japan's Search of a " moral " Role », Institute on global Conflict and Cooperation, University of California, Policy Paper, juillet 1992, multigr., p. 24. Sur les contraintes historiques de la politique extérieure du Japon, on se reportera également à Peter Kazenstein et Nobuko Okowara, « Japan's national Security : Structures, Norms and Policies », *International Security*, vol. 17 (4), printemps 1993.

19. Roland Barthes, *L'empire des signes*, Genève, Skira, 1970.

20. Augustin Berque, « J'en ai rêvé, c'était Tokyo », *Annales ESC*, (à paraître), p. 2.

21. Ce point est bien souligné par Sylvaine Trinh, *Il n'y a pas de modèle japonais*, Paris, Odile Jacob, 1992, p. 205.

22. A partir de la problématique de Barthes sur le « vide » japonais, Catherine Russell arrive à des interprétations convergentes sur le mélodrame japonais. Elle voit dans le cinéma nippon mélodramatique le signe d'une culture qui valorise l'expression plutôt que la lecture, l'émotion plutôt que le sens. Elle en déduit que ces significations échappent aux modes réalistes de représentation et ne sont pas accessibles aux non-Japonais (p. 114).

Mais le succès d'*Ochine* tendrait à souligner qu'un produit culturel japonais parvient à faire sens dans le reste du monde sans pour autant reposer sur un message clairement décodable. Cf. « Insides and Outsides : cross cultural Criticisms and Japanese Film melodrama » : *in* Wimal Dusanayake, *Melodrama and Asia Cinema*, Cambridge, Cambridge University Press, 1993.

23. Sur cette problématique du temps dans la compétition économique, on se reportera à l'ouvrage désormais classique de James P. Womack, Daniel T. Jones et Daniel Roos, *La machine qui va changer le monde*, Paris, Dunod, 1992, ainsi qu'à George Stalk et Thomas Hout, *Vaincre le temps*, Paris, Dunod, 1992.

24. Augustin Berque, *Du geste à la cité*, *op. cit.*, p. 162.

25. Charles Morrison, « Japan's Role in East Asia », *Business and the contemporary World*, printemps 1993, p. 183.

Chapitre X

1. La notion d'itinéraire de sens a bien été mise en évidence par les travaux de sociologie des religions et notamment par Danielle Hervieu-Léger, *La religion pour mémoire*, Paris, Cerf, *op. cit.*, ainsi que par Patrick Michel, *Politique et religion. La grande mutation*, Paris, Albin Michel, 1994. Cette problématique nous paraît clairement extensible au champ des relations internationales et applicable à la dynamique du régionalisme.

2. *The Economist*, 25 juillet 1992.

3. *Financial Times*, 24 février 1994.

4. World Bank, *Global Economic Prospects and the Developing Countries*, Washington, 1992.

5. Commission des communautés européennes, *La recherche après Maastricht : un bilan, une stratégie*, Communication de la commission au Conseil et au Parlement européen, 9 avril 1992. Voir également CEE, *Science, Technologie et société. Priorités européennes*, rapport de synthèse, 1989.

6. *Financial Times*, 23 février 1994.

7. CEE, *Le financement de la R & D au croisement des logiques industrielle, financière et politique*, Bruxelles, Programme Fast, 1991, vol. V, multigr. p. 83.

8. *The Economist*, janvier 1994.

9. *Financial Times*, 24 février 1994. « En France et en Grande-Bretagne, la Chine est vue à long terme comme une menace bien plus grande que les Etats-Unis ou le Japon ».

10. PNUD, *Rapport mondial sur le développement humain*, 1993, Paris, Economica, 1994, p. 40. Ce rapport note que sur la base de l'indice 100 en 1975, la croissance du PIB mondial atteint l'indice 205 en l'an 2000 mais ne dépasse pas l'indice 147 en termes de croissance de l'emploi. Autrement dit, non seulement l'emploi est à la traîne de la croissance, mais de surcroît, l'écart entre les deux processus ne cesse de se creuser au détriment de l'emploi. Plus inquiétante encore est la manifestation de cet écart dans l'ensemble du monde, et notamment dans les pays à fort potentiel démographique comme l'Asie du Sud-Est.

11. Charles Oman, *Globalisation et régionalisation*, Paris, OCDE, 1994, p. 101.

12. William Wallace, « British Foreign policy after the cold war », *International Affairs* 68, 3 (1992), pp. 426 et suiv. Sur l'européanisation de la Grande-Bretagne, voir aussi Françoise de La Serre, Helen Wallace et Jacques Leruez (dirs.), *Les politiques étrangères de la France et de la*

Grande-Bretagne depuis 1945 : l'inévitable ajustement, Paris, Presses de la FNSP et Berg, 1990.

13. Karoline Postel-Vinay, *La révolution silencieuse du Japon*, Paris, Calman-Lévy, Fondation Saint-Simon, 1994, p. 83. Sur le rapport historique du Japon à l'Asie, à travers la place de « l'orientalisme » au Japon, on lira l'ouvrage essentiel de Stafan Tanaka, *Japan's Orient, rendering Past into History*, Berkeley, University of California Press, 1993.

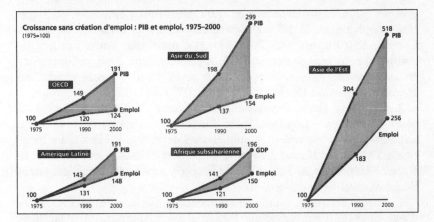

14. Sur les dimensions économique, politique et symbolique de la dévaluation du franc CFA, voir Serge Michaïlof (dir.), *La France et l'Afrique. Vade-mecum pour un nouveau voyage*, Paris, Karthala, 1993, pp. 461-71.

15. Cf. Jean-François Bayart, *L'Etat en Afrique*, Paris, Fayard, 1989, pp. 248-49.

16. C'est tout le sens du plan Delors. Sur la création en Europe de « super autoroutes de l'information », cf. *Financial Times*, 21 février 1994.

17. Cf. Jean-Marie Bouissou, Guy Faure et Zaki Laïdi, *L'expansion de la puissance japonaise*, Bruxelles, Complexe, 1992. Cf. également sur le risque de renationalisation de la politique économique extérieure du Japon, l'article du *Financial Times*, 5 juillet 1993.

18. Le lien entre la fin de la guerre froide et la « redécouverte » de l'importance de la diaspora chinoise est attesté par « l'institutionalisation » des conférences internationales de la diaspora chinoise depuis 1990. Il est également confirmé par le rôle croissant joué par les Singapouriens dans l'organisation politique de cette diaspora, eux qui dans le passé avaient clairement choisi Taïpeh contre Pékin. *International Herald Tribune*, 23 novembre 1993.

19. Jean-Luc Domenach, « Le relâchement de la Chine », *in* Zaki Laïdi (dir.), *L'ordre mondial relâché, op. cit.*, p. 160.

Chapitre XI

1. Conseil de l'Europe, *Privatisation du contrôle de la criminalité*, Comité européen pour les problèmes criminels, Strasbourg, 1990, p. 119. Voir également sur les différences de conception, Rosenthal, Hoogenboom, *La privatisation et la commercialisation du contrôle de la criminalité : quelques questions fondamentales eu égard notamment à l'évolution des Pays-Bas* (rapport pour la 18ᵉ conférence de recherches criminologiques du Conseil de l'Europe PC-CRC (88) 31), ainsi que Ruth Ford, *Une conception rétrograde de l'avenir ? Observations relatives à des propositions de privatisation des prisons*, Rapport pour la 18ᵉ conférence de recherches criminologiques du Conseil de l'Europe. PC-CRC (88) 4.

2. Cf. John Gray, *Post-communist Societies in Transition : a social Market perspective*, Londres, Social Market Foundation, 1994. Ce texte fait suite à deux précédentes publications de la Social Market Foundation : *The Social Market Economy*, de Robert Skidelsky et *Responses to Robert Skidelsky on the Social Market Economy*, toutes deux publiées par la Social Market Foundation.

3. Sur les faiblesses du modèle économique allemand et les impératifs d'une nouvelle *Ordnungspolitik* face à la mondialisation, cf. l'excellent article de Kurt J. Lank, « Germany at the crossroads : on the efficiency of the German economy », *Daedalus*, hiver 1994, p. 57 et suiv. Cf. également le *Rapport du gouvernement fédéral sur la sauvegarde du site « Allemagne » à l'avenir*, Office de presse et d'information du gouvernement fédéral, Département étranger, septembre 1993, multigr. Sur la capacité du « modèle allemand » de rebondir, cf. David Goodhart, *The reshaping of the German's social Market*, Londres, Institute for Policy Research, 1994.

4. Il est en effet intéressant de noter que pour les tenants britanniques de l'économie sociale de marché, telle que la développe la Social Market Foundation (cf. note 2), c'est l'*ordoliberalismus* pensé par l'Ecole de Francfort ou le catholicisme social allemand qui paraissent les mieux adaptés à la transition vers le marché à l'Est, même si cette même Social Market Foundation récuse le concept même de modèle. Cf. John Gray, *Post-communist Societies in Transition*, *op. cit.*, p. 19. Le risque d'une néo-hégémonie allemande fondée à la fois sur la puissance allemande et le très fort potentiel conceptuel de ce pays existe. Mais c'est plus par le croisement de références intellectuelles multiples que par la sanctuarisation intellectuelle de chaque nation européenne que ce risque sera contenu. Sur les atouts de l'Allemagne dans la recherche d'un nouveau sens pour l'Europe, on lira avec profit l'ouvrage de Bernard Nuss, *Les enfants de Faust. Les Allemands entre Ciel et Enfer*, Paris, Autrement,

1994. L'auteur parle de la faculté des Allemands à être à l'aise « autant dans le domaine de l'abstraction que dans celui des choses concrètes », p. 23. Or, c'est précisément la recherche d'une articulation entre le symbolique et le concret qui fait problème en Europe.

5. Cf. Jacques Attali, *Europe(s)*, Paris, Fayard, 1994.

Chapitre XII

1. *Financial Times*, 9 mars 1993.
2. *Ibid.*
3. Selon l'heureuse expression de Jean-Louis Margolin, « Extrême-Orient, le sens de la prospérité », *in* Zaki Laïdi (dir.), *L'ordre mondial relâché*, *op. cit.*, p. 180 et suiv.
4. Sur le rôle joué par les Occidentaux dans les définitions de l'Asie ou du Pacifique, cf. Gerald Segal, *Rethinking the Pacific*, Oxford, Clarendon Press, 1990, p. 367. Sur le régionalisme asiatique ou du Pacifique, la littérature disponible ne cesse de croître. Citons, entre autres, Fred Bergsten et Marcus Noland (eds.), *Pacific Dynamism and the international Economy System*, Washington, Institute for International Economics, 1993 (point de vue américain), Richard Higgott, Richard Leaner et John Ravenhill (eds.), *Pacific economic Relations in the 1990's : Cooperation or Conflict*, Sydney, Allen & Unwin, 1993 (point de vue australien) ; et Lo Fu-Chen et Salim Kamal (eds.), *The Challenge or Asia-Pacific Cooperation*, ADRT, Institute of Asia and the Pacific, 1987 (point de vue malaisien).
5. C'est précisément ce que fait François Godement dans *La renaissance de l'Asie*, *op. cit.*
6. On doit beaucoup à la nouvelle génération de géographes français pour la reformulation de cette notion d'espace-temps. Cf. Marie-Françoise Durand, Jacques Levy et Denis Retaillé, *Le monde : espaces et systèmes*, Paris, Presses de la FNSP/Dalloz, 1992.
7. *International Herald Tribune*, 13 juillet 1993.
8. *Ibid.*, 8 novembre 1993 et 26 novembre 1993 et *The Economist*, 23 janvier 1993.
9. « South-East Asia miracle makers », *Asia Inc.*, supplément (novembre 1993), s.p.
10. *The Economist*, 25 septembre 1993.
11. « Asia's growth circles », *Asia Inc.*, supplément (février 1994), s.p.
12. Cf. Gerald Segal, *China changes Shape : Regionalism and foreign Policy*, Londres, I.I.S.S., 1994.
13. « Asia growth circles », *Asia Inc.*, supplément (février 1994).

14. La littérature consacrée à la diaspora chinoise et à sa contribution à la construction d'un espace de sens chinois est très abondante. Citons simplement ici ceux d'entre eux qui nous paraissent le mieux mettre en évidence cette articulation entre sens et puissance. Nakajima Minéo, « Les trois Chines et le nouvel ordre asiatique », *Cahiers du Japon*, numéro spécial, 1993, pp. 40 et suiv. ; Prasenjit Duara, « Re-constructing the Chinese nation », *The Australian Journal of Chinese Affairs* (30), juillet 1993, pp. 1-26 ; « La diaspora chinoise, cinquième dragon », *Conjoncture*, novembre 1992, pp. 155-160 ; « La diaspora chinoise en Occident », numéro spécial de la *Revue Européenne des Migrations Internationales*, vol. 8 (3), 1992 ; Yu-Sion Live, « Chine-Diaspora : vers l'intégration à l'économie mondiale », *Hommes et Migrations*, mai 1993 ; George T. Crane, « China and Taïwan : not yet Greater China », *International Affairs* 69 (4), 1993, pp. 705 et suiv. ; L. Leng-Chi Wang, « Roots and changing identity of the Chinese in the United States », *Daedalus*, printemps 1991, pp. 181 et suiv.

15. *International Herald Tribune*, 27 mai 1993.

16. Sur cette problématique des trois Chines, voir l'article éclairant de Tu Wei-Ming, « Cultural China : the Periphery as the Center », *Daedalus*, printemps 1991, p. 12.

17. Jean-Luc Domenach, « Le relâchement de la Chine », *in* Zaki Laïdi (dir.), *L'ordre mondial relâché*, *op. cit.*, p. 162.

18. Karoline Postel-Vinay, *La révolution silencieuse du Japon*, *op. cit.*, p. 121.

19. Cf. François Gipouloux, « Réasianisation du Japon ou Asie nipponisée ? » in : Jean-Marie Bouissou (dir.), *L'envers du consensus*, Paris, Presses de la FNSP, 1994 (à paraître).

20. *Financial Times*, 11 janvier 1993.

21. *Ibid.*, 16 février 1994.

22. Jean-Marie Bouissou, « Le Japon en quête de légitimité », *in* Zaki Laïdi (dir.), *L'ordre mondial relâché*, *op. cit.*, p. 83.

Chapitre XIII

1. Sur l'écart entre le symbolique et l'économique dans le débat américain sur l'Accord de libre échange avec le Mexique, voir l'excellent article de Paul Krugman, « The uncomfortable Truth about NAFTA », *Foreign Affairs* (5), 72, 1993, pp. 13-19.

2. Jorge Castañeda, « Can NAFTA change Mexico ? », *Foreign Affairs* (4), 72, 1993, pp. 66-80.

3. Paul Kennedy, *The Rise and Fall of great Powers*, New York, Random House, 1987.

4. Le seul exemple historique comparable étant celui de la France à la veille de la Révolution de 1789. *Ibid.*, p. 527.

5. Paul Kennedy (ed.), *Grand Strategies in War and Peace*, Yale, Yale University Press, 1991, p. 96.

6. « Les trajectoires de la puissance économique et de la puissance militaire ne sont jamais parallèles », comme le rappelle justement Paul Kennedy. Entretien avec *L'Express*, 16 mai 1991 — en pleine illusion « unipolaire ».

7. C'est toute l'ambiguïté, voire l'ambivalence de la comparaison entre l'Europe et les Etats-Unis et, par-delà, toute la difficulté à s'approprier un modèle extérieur. Entre 1980 et 1992, l'emploi a crû aux Etats-Unis de 18 % mais simultanément, le niveau des salaires réels a baissé de 8 %. *Financial Times*, 24 février 1994.

8. Cette perte d'horizon est liée, selon Katherine Newman, à la réduction considérable de la mobilité sociale au sein de la classe moyenne américaine. Elle parle à ce propos de *downward mobility*, autrement dit de « mobilité négative ». Cf. Katherine Newman, *Declining Fortunes : the Withering of the american Dream*, New York, Basic Books, 1993. Sur la perte d'un noyau central de valeurs communes aux Américains, cf. Alan Wolfe (ed.), *America at Century's End*, Berkeley, University of California Press, 1991, p. 464 et suivantes. Sur la perte du lien social (*institutional life*), cf. Robert Bellah (ed.), *The good Society*, New York, Vintage, 1992. On assiste aux Etats-Unis à la résurgence du débat sur la question du sens (*politics of meaning*) dont la revue juive libérale *Tikkun* se fait l'écho. Cf. *International Tribune*, 25 mai 1993. Cette interrogation sur le « sens collectif » est exacerbée par la fragmentation de la société américaine. Cf. la très bonne synthèse des débats sur ce thème par Pierre Briançon, *La fragmentation de la société américaine*, Notes de la Fondation Saint-Simon, Paris, janvier 1993.

9. 80 % des Américains se considèrent aujourd'hui comme appartenant à la classe moyenne contre 44 en 1964. Nicolas Lemann, « Mysteries of the middle Class », *New York Review of Books*, 3 février 1994, p. 9.

10. Il est très révélateur de constater dans la littérature internationaliste américaine le glissement de l'analyse géostratégique vers le social. Voir sur ce point l'ouvrage d'Edward Luttwak, *The endangered american Dream*, New York, Simon and Schuster, 1993.

11. Il existe une école américaine très critique du multiculturalisme, dont l'argumentaire repose sur une vision implicitement nostalgique du « multiculturalisme » du temps où l'Amérique était massivement blanche. Cf. Arthur Schlesinger Jr., *La désunion de l'Amérique*, Paris, Liana Levi, 1993.

12. Sur l'existence d'une « conscience de race » malgré une certaine mobilité sociale chez les Noirs, cf. l'excellent article de *The Economist*,

10 juillet 1993. Sur le caractère désormais auto-entretenu des clivages sociaux et raciaux, cf. Thomas B. Edsall et Mary D. Edsall, *Chain Reaction : the Impact of Race, Rights and Taxes on american Politics*, New York, Norton & C°, 1991.

13. *Idem.*

14. Il semble très difficile d'échapper au débat manichéen entre ceux qui valorisent l'apport de ces nouvelles populations immigrées et qui, de ce fait, mettent l'accent sur la capacité de renouvellement des Etats-Unis, et ceux qui mettent en évidence le blocage du modèle migratoire américain. Comparé aux autres pays occidentaux, les Etats-Unis restent néanmoins un pays exceptionnellement ouvert qui accueille chaque années 1 million d'immigrants légaux et environ 0,5 million d'immigrants clandestins. Il semblerait par ailleurs que, même si le modèle assimilationiste semble en crise, la volonté d'assimilation au modèle dominant reste très forte dans la seconde génération. Dans les villes aussi multiculturelles que Miami ou San Diego, plus de 90 % des enfants parlent l'anglais et une très large proportion d'entre eux préfèrent utiliser l'anglais que l'espagnol. Cf. les résultats de cette enquête dans *International Herald Tribune*, 30 juin 1993.

15. Voir, à propos de la position américaine sur la crise algérienne, *International Herald Tribune*, 20 mai 1993.

16. Sur une définition économique et « non émotionnelle » de l'idée de prédation, cf. l'ouvrage théorique de John Conybeare, *Trade Wars. The Theory and Practice of international commercial Rivalry*, New York, Columbia University Press, 1987, et Zaki Laïdi, *De l'hégémonie à la prédation*, *op. cit.*, pp. 10 et suiv.

17. Jagdish Bhagwati, *The World trading System at Risk*, *op. cit.*, p. 48.

18. *Idem.*, *Protectionism*, Cambridge, MIT Press, 1988, p. 83.

19. *Idem*, « Japan must now say no », *Financial Times*, 16 avril 1993.

20. Cf. Jagdish Bhagwati, « Samurais no more », *Foreign Affairs* 73 (3), pp. 7-12.

Conclusion

1. Cf. Jean-Pierre Dupuy, *Introduction aux sciences sociales*, Paris, Ellipses, 1992.

2. Cf. Robert Sue, *Temps et ordre social*, Paris, PUF, 1994.

BIBLIOGRAPHIE

ADELKHAH, Fariba, *La révolution sous le voile. Femmes islamiques d'Iran*, Paris, Karthala, 1991.

ADELKHAH, Fariba, BAYART, Jean-François, et ROY, Olivier, *Thermidor en Iran*, Bruxelles, Complexe, 1994.

AFFICHARD, Joëlle, et FOUCAULD, Jean-Baptiste DE (dir.), *Justice sociale et inégalités*, Paris, Esprit, 1992.

ALLAN, Pierre, et GOLDMANN KJELL (ed.), *The End of the Cold War. Evaluating Theories of international Relations*, Dordrecht, Martinus Nijhoff Publishers, 1992.

ALLISON, Graham, et TREVERTON, Gregory F. (eds), *Rethinking America's Security. Beyond Cold War to new World Order*, New York, W.W. Norton & Company, 1992.

ARA, Angelo, et MAGRIS, Claudio, *Trieste, une identité de frontière*, Paris, Le Seuil, 1991.

ARENDT, Hannah, *La condition de l'homme moderne*, Paris, Calmann-Lévy, 1961.

ARIÈS, Philippe, *Le Temps de l'Histoire*, Paris, Le Seuil, 1986.

ASHIHARA, Yoshimobu, *L'ordre caché. Tokyo, la ville du XXIᵉ siècle?*, Paris, Hazan, 1994.

ATTALI, Jacques, *Europe(s)*, Paris, Fayard, 1994.

BADIE, Bertrand, et SMOUTS, Marie-Claude, *Le retournement du monde. Sociologie de la scène internationale*, Paris, Presses de la FNSP et Dalloz, 1992.

BAILLY, Jean-Christophe, *Le Paradis du sens*, Paris, Bourgois, 1988.

BALANDIER, Georges, *Sens et puissance*, Paris, PUF, 1986 (réédition).

BAUDRILLARD, Jean, *L'illusion de la Fin*, Paris, Galilée, 1992.

BARTHES, Roland, *L'empire des signes*, Genève, Skira, 1970.

BAYART, Jean-François, *L'État en Afrique*, Paris, Fayard, 1989.

BAYART, Jean-François (dir.), *La réinvention du capitalisme*, Paris, Karthala, 1994.

BÉHAR, Pierre, *Une géopolitique pour l'Europe. Vers une nouvelle Eurasie ?*, Paris, Desjonquères, 1992.

BELLAH, Robert (ed.), *The good Society*, New York, Vintage, 1993.

BERGSTEN, Fred, et NOLAND, Marcus (eds), *Pacific Dynamism and the international economic System*, Washington DC, Institute for International Economics, 1993.

BERLIN, Isaiah, *À contre-courant. Essais sur l'histoire des idées*, Paris, Albin Michel, 1988.

—, *Éloges de la liberté*, Paris, Calmann-Lévy Presses Pocket, 1990.

—, *En toutes libertés. Entretiens avec Ramin Jahanbegloo*, Paris, Éditions du Félin, 1990.

BERQUE, Augustin, *Le Japon. Gestion de l'espace et changement social*, Paris, Flammarion, 1976.

—, *Vivre l'espace au Japon*, Paris, PUF, 1982.

—, *Du geste à la cité. Formes urbaines et lien social au Japon*, Paris, Gallimard, 1993.

BESNIER, Jean-Michel, *Histoire de la philosophie moderne et contemporaine. Figures et œuvres*, Paris, Grasset, 1993.

—, *L'humanisme déchiré*, Paris, Descartes & Cie, 1993.

BHAGWATI, Jagdish, *The World trading System at Risk*, Londres, Harvester-Wheatsheaf, 1991.

BOCCHI, Gianluca, CERUTTI, Mauro et MORIN, Edgar, *Un nouveau commencement*, Paris, Le Seuil, 1991.

BOLTANSKI, Luc, et THÉVENOT, Laurent, *De la justification. Les économies de la grandeur*, Paris, Gallimard, 1991.

BOLTANSKI, Luc, *La souffrance à distance. Morale humanitaire, médias et politique*, Paris, Métaillié, 1993.

BOUCHERON, Jean-Michel, *Paix et Défense*, Paris, Dunod, 1992.

BOUISSOU, Jean-Marie, FAURE, Guy, et LAIDI, Zaki, *L'expansion de la puissance japonaise*, Bruxelles, Complexe, 1992.

BOUISSOU, Jean-Marie, *Le Japon depuis 1945*, Paris, Armand Colin, 1992.

BOUISSOU, Jean-Marie (dir.), *L'envers du consensus*, Paris, Presses de la FNSP, 1994.

BOURDIEU, Pierre (dir.), *La misère du monde*, Paris, Le Seuil, 1993.

BOURLANGES, Jean-Louis, *Le diable est-il européen?*, Paris, Stock, 1992.

BOUVERESSE, Jacques et alii, *Lire Rorty. Le pragmatisme et ses conséquences*, Combas, Éditions de l'Éclat, 1992.

BOWKER, Mike et BROWN, Robin, *From Cold War to Collapse : Theory and World Politics in the 1980's*, Cambridge, Cambridge University Press, 1993.

BRAGUE, Remi, *Europe, la voie romaine*, Paris, Critérion, 1992.

BRAILLARD, Philippe, et DJALILI, Mohammad-Reza, *Les relations internationales*, Paris, PUF, « Que Sais-je ».

BRÉHIER, Émile, *Histoire de la philosophie*. II : *XVIIe-XVIIIe siècles*, Paris, Quadrige, PUF, 1990.

BRUCKNER, Pascal, *La mélancolie démocratique. Comment vivre sans ennemis ?*, Paris, Le Seuil, « Points actuels », 1992.

BRUN, Jean, *Philosophie de l'histoire. Les promesses du temps*, Paris, Stock, 1990.

BULL, Hedley, et WATSON, Adam (ed.), *The Expansion of international Society*, Oxford, Oxford University Press, 1984.

CAMILLIERI, Joseph A., et FALK, Jim (eds.), *The end of Sovereignty. The politics of a shrinking and fragmenting world*, Londres, Elgar, 1992.

CARR, Edward H., *Qu'est-ce que l'histoire ?*, Paris, La Découverte, 1988.

—, *The twenty Years' Crisis. 1919-1939*, Londres, Papermac, 1991.

CASSIRER, Ernst, *L'idée de l'Histoire*, Paris, Cerf, 1988.

—, *Le mythe de l'État*, Paris, Gallimard, 1993.

CASTANEDA, Jorge, *Utopia unarmed*, New York, Knopf, 1993.

CHALVON-DEMERSAY, Sabine, *Mille scénarios. Une enquête sur l'imagination en temps de crise*, Paris, Métaillié, 1994.

CHESNAIS, François (dir.), *Compétitivité internationale et dépenses militaires*, Paris, Economica, 1990.

CHEVALLIER, Dominique, GUELLOUZ, Azzedine, et MIQUEL, André, *Les Arabes, l'Islam et l'Europe*, Paris, Flammarion, 1991.

CIMBALA, Stephen, *Force and Diplomacy in the Future*, New York, Praeger, 1992.

COBBI, Jane, *Pratiques et représentations sociales des Japonais*, Paris, L'Harmattan, 1993.

COHEN-TANUGI, Laurent, *L'Europe en danger*, Paris, Fayard, 1992.

Commissariat général du plan, *France : le choix de la performance globale*. Commission « Compétitivité française » présidée par Jean Gandois. Préparation du XIe Plan, Paris, La Documentation française, 1992.

—, *Monde-Europe : Repères et orientations pour les Français. 1993-1997*. Groupe Monde-Europe présidé par Pascal Lamy, Paris, La Documentation française, 1993.

COMPAGNON, Antoine, et SEEBACHER, Jacques, *L'esprit de l'Europe*. I, *Dates et lieux* ; II, *Mots et choses* ; III, *Goûts et manières*, Paris, Flammarion, 1993.

CONNOR, Walker, *Ethnonationalism. The Quest for Understanding*, Princeton, Princeton University Press, 1993.

Conseil de l'Europe, *Privatisation du contrôle de la criminalité. Rapports présentés à la 18ᵉ conférence de recherches criminologiques* (1988) vol. XXVII. *Études relatives à la recherche criminologique*, Strasbourg, 1990.

Conseil d'État, *Rapport public 1992*, Paris, La Documentation française, « Études et documents », n° 44.

CORIAT, Benjamin, *Penser à l'envers. Travail et Organisation dans l'entreprise japonaise*, Paris, Bourgois, 1991.

COUFFIGNAL, Georges (dir.), *Réinventer la démocratie. Le défi latino-américain*, Paris, Presses de la FNSP, 1992.

CROUCH, Colin, et MARQUAND, David (ed.), *Ethics and Markets. Co-operation and Competition within capitalist Economies*, Oxford, The Political Quarterly Publishing, 1993.

CURTIS, Gerald (ed.), *Japan's foreign Policy : After the Cold War, coping with Change*, New York, Columbia University, East Asian Institute, 1993.

DAHRENDORF, Ralf, *Réflexions sur la révolution en Europe. 1989-1990*, Paris, Le Seuil, 1991.

DANZELOT, Jacques (dir.), *Face à l'exclusion. Le modèle français*, Paris, Esprit, 1991.

DARAKI, Maria, *Une religiosité sans Dieu. Essai sur les stoïciens d'Athènes et saint Augustin*, Paris, La Découverte, 1989.

DELANNOI, Gil, et TAGUIEFF, Pierre-André (dir.), *Théories du nationalisme. Nation, nationalité et ethnicité*, Paris, Kimé, 1991.

DELEUZE, Gilles, et GUATTARI, Félix, *Logique du sens*, Paris, Minuit, 1969.

DELMAS, Philippe, *Le Maître des Horloges. Modernité de l'action publique*, Paris, Odile Jacob, 1991.

DELMAS-MARTY, Mireille, *Pour un droit commun*, Paris, Le Seuil, 1994.

DEMORGON, Jacques, *L'exploration interculturelle. Pour une pédagogie internationale*, Paris, Armand Colin, 1989.

DERRIDA, Jacques, *Positions*, Paris, Minuit, 1972.

—, *L'autre cap*, Paris, Minuit, 1991.

DEWANDRE, Nicole, et LENOBLE, Jacques, *L'Europe au soir du siècle. Identité et démocratie*, Paris, Esprit, 1992.

DIETRICH, William S., *In the Shadow of the rising Sun. The political Roots of american economic Decline*, University Park, Pennsylvania, The Pennsylvania State University Press, 1991.

DOI, Takeo, *L'endroit et l'envers*, Arles, Philippe Picquier, 1993.

DOMENACH, Jean-Marie, *Europe : le défi culturel*, Paris, La Découverte, 1990.

DOWNEN, Robert, et DICKSON, Bruce (eds), *The Emerging Pacific Community : A regional Perspective*, Boulder Co, Westview Press, 1989.

Dumont, Louis, *La Tarasque*, Paris, Gallimard, 1987 (réédition).

—, *L'idéologie allemande. France-Allemagne et retour. Homo Aequalis II*, Paris, Gallimard, 1991 (réédition).

—, *Essais sur l'individualisme. Une perspective anthropologique sur l'idéologie moderne*, Paris, Le Seuil, 1993.

Dupuy, Jean-Pierre, *Introduction aux sciences sociales*, Paris, Ellipses, 1992.

—, *Le sacrifice et l'envie. Le libéralisme aux prises avec la justice sociale*, Paris, Calmann-Lévy, 1992.

Durand, Marie-Françoise, Lévy, Jacques, et Retaille, Denis, *Le Monde. Espaces et Systèmes*, Paris, Presses de la FNSP et Dalloz, 1992.

Eberhard, Wolfram, *Conquerors and Rulers. Social Forces in medieval China*, Leiden, Bull, 1970.

Elias, Norbert, *La dynamique de l'Occident*, Calmann-Lévy, Press Pocket, 1975.

—, *Engagement et distanciation*, Paris, Fayard, 1993.

Elisseeff, Vadime et Danièle, *La civilisation de la Chine classique*, Paris, Arthaud, 1987.

Faye, Jean-Pierre, *L'Europe Une. Les philosophes et l'Europe*, Paris, Gallimard, 1992.

Featherstone, Mike (ed.), *Global Culture. Nationalism, Globalization and Modernity*, Londres, Sage Publications, 1990.

Featherstone, Mike, *Consumer Culture and Postmodernism*, Londres, Sage Publications, 1991.

Ferry, Jean-Marc, *Les puissances de l'expérience. II : Les ordres de la reconnaissance*, Paris, Cerf, 1991.

Ferry, Jean-Marc, et Thibaud, Paul, *Discussion sur l'Europe*, Paris, Calmann-Lévy, 1992.

Ferry, Luc, *Philosophie politique. Le système des philosophies de l'Histoire*, Paris, PUF, 1984 (tome II).

—, *Le nouvel ordre écologique. L'arbre, l'animal et l'homme*, Paris, Grasset, 1992.

Frankel, Jeffrey, et Kahler, Miles (eds), *Regionalism and Rivalry, Japan and the United States in Pacific Asia*, Chicago, Chicago University Press, 1993.

Franklin, Juhan H., *Jean Bodin et la naissance de la théorie absolutiste*, Paris, PUF, 1993.

Fumaroli, Marc, *L'État culturel. Essai sur une religion moderne*, Paris, Éditions de Fallois, 1991.

Fukuyama, Francis, *La fin de l'histoire et le dernier homme*, Paris, Flammarion, 1992.

Gaddis, John, *The Long Peace. Inquiries into the History of the Cold War*, Oxford, Oxford University Press, 1987.

GAUCHET, Marcel, MANENT, Pierre, et ROSANVALLON Pierre (dir.), *La pensée politique. Situations de la démocratie*, Paris, Le Seuil-Gallimard, 1993.

GELLNER, Ernest, *Nations et nationalismes*, Paris, Payot, 1989.

GIDDENS, Anthony, *The Consequences of Modernity*, Stanford, Stanford University Press, 1990.

GILBERT, Claude, *Le pouvoir en situation extrême. Catastrophes et politique*, Paris, L'Harmattan, 1992.

GILPIN, Robert, *War and Change in World Politics*, Cambridge, Cambridge University Press, 1981.

GLENNY, Misha, *The Fall of Yougoslavia : The Third Balkan War*, Londres, Penguin, 1993.

GODEMENT, François, *La renaissance de l'Asie*, Paris, Odile Jacob, 1993.

GOODMAN, Nelson, *Faits, fiction et prédictions*, Paris, Minuit, 1984.

GORZ, André, *Métamorphoses du Travail. Quête du sens*, Paris, Galilée, 1988.

GOYARD-FABRE, Simone, *Jean Bodin et le droit de la République*, Paris, PUF, 1989.

GRAY, John, *Post-Communist Societies in Transition : A social Market Perspective*, Londres, The Social Market Foundation, 1994.

GREENFELD, Liah, *Nationalism : Five Roads to Modernity*, Cambridge, Harvard University Press, 1992.

GUILHAUDIS, Jean-François, *L'Europe en transition*, Paris, Montchrestien, 1993.

GURVITCH, Georges, *Déterminismes sociaux et liberté humaine*, Paris, PUF, 1963.

HABERMAS, Jürgen, *La pensée post-métaphysique. Essais philosophiques*, Paris, Armand Colin, 1993.

HALL, Edward T., *La danse de la vie. Temps culturel, temps vécu*, Paris, Le Seuil, 1984.

HALL, Peter A. (ed.), *The political Power of economic Ideas. Keynesianism across Nations*, Princeton, Princeton University Press, 1989.

HARDT, John et KIM, Young (eds), *Economic Cooperation in the Asia-Pacific Region*, Boulder Co. Westview Press, 1990.

HARVEY, David, *The Condition of Post-modernity*, Londres, Basil Blackwell, 1990.

HEGEL, G.W.F., *La raison dans l'Histoire. Introduction à la philosophie de l'Histoire*, Paris, Plon, 1965.

HELD, David (ed.), *Prospects for Democracy*, Oxford, Polity, 1993.

HERDER, Johann-Gottfried, *Idées sur la philosophie de l'histoire de l'humanité*, Paris, Presses Pocket, 1991.

HERMET, Guy, *Le peuple contre la démocratie*, Paris, Fayard, 1989.

—, *Culture et démocratie*, Paris, Unesco, Albin Michel, 1993.

—, *Les désenchantements de la liberté. La sortie des dictatures dans les années 90*, Paris, Fayard, 1993.

HERVIEU-LÉGER, Danièle, *La religion pour mémoire*, Paris, Cerf, 1993.

HIGGOTT, Richard, LEAVER, Richard et RAVENHILL, John (eds), *Pacific economic Relations in the 1990's. Cooperation or Conflict*, Sydney, Allen & Unwin, 1993.

HIRSCHMAN, Albert O., *Deux siècles de rhétorique réactionnaire*, Paris, Fayard, 1991.

HOBSBAWM, Éric, *Nations et nationalismes depuis 1780*, Paris, Gallimard, 1992.

HOGAN, Michael J. (ed.), *The End of the Cold War. Its Meaning and Implications*, Cambridge, Cambridge University Press, 1992.

HOLSTI, Kalevi, J., *Peace and War : armed Conflicts and international Order 1648-1989*, Cambridge, Cambridge University Press, 1991.

HOUT, Thomas, et STALK, George, *Vaincre le temps. Reconcevoir l'entreprise pour un nouveau seuil de performance*, Paris, Dunod, 1992.

HOWARD, Michael, *La guerre dans l'histoire de l'Occident*, Paris, Fayard, 1988.

HUGHES, Thomas P., *American Genesis. A Century of invention and technological Enthusiasm*, New York, Penguin Books, 1989.

HYPPOLITE, Jean, *Introduction à la philosophie de l'histoire de Hegel*, Paris, Le Seuil, 1983.

IGNATIEFF, Michael, *Blood and Belonging : Journeys into the new Nationalism*, Londres, BBC Books, Chatto and Windus, 1994.

INGLEHART, Ronald, *Cultural Shift in advanced industrial Society*, Princeton, Princeton University Press, 1990.

ISLAM, Shafiqul, et MANDELBAUM, Michael, *Making Markets. Economic Transformation in Eastern Europe and the Post-Soviets States*, New York, Council on Foreign Relations Book, 1993.

JACKSON, Robert H., et JAMES, Alan (eds), *States in a changing World. A Contemporary Analysis*, Oxford, Clarendon Press, 1993.

JAFFRELOT, Christophe, *Les nationalistes hindous*, Paris, Presses de la FNSP, 1993.

JAHANBEGLOO, Ramin, *Daryush Shayegan. Sous les ciels du monde*, Paris, Éditions du Félin, 1992.

JANICAUD, Dominique, *La puissance du rationnel*, Paris, Gallimard, 1985.

JONAS, Hans, *Le principe responsabilité. Une éthique pour la civilisation technologique*, Paris, Cerf, 1991.

JULLIEN, François, *La propension des choses. Pour une histoire de l'efficacité en Chine*, Paris, Le Seuil, 1992.

—, *Figures de l'immanence. Pour une lecture philosophique du Yi King*, Paris, Grasset, 1993.

JUNGER, Ernst, *L'État universel suivi de La mobilisation totale*, Paris, Gallimard, 1990.

KANT, Emmanuel, *Opuscule sur l'histoire*, Paris, Flammarion, 1990.

—, *Projet de paix perpétuelle*, Paris, Librairie philosophique J. Vrin, 1990.

KANTOROWICZ, Ernst, *Les deux corps du Roi*, Paris, Gallimard, 1989.

—, *Préparer le XXIᵉ siècle*, Paris, Odile Jacob, 1994.

KENNEDY, Paul, *La grandeur et le déclin des nations*, Paris, Payot, 1989.

KENNEDY, Paul (ed.), *Grand Strategies in War and Peace*, Yale, Yale University Press, 1991.

KEPEL, Gilles (dir.), *Les Politiques de Dieu*, Paris, Le Seuil, 1993.

—, *Exils et Royaumes. Les appartenances au monde arabomusulman aujourd'hui*, Paris, Presses de la FNSP, 1994.

KERN, Stephen, *The Culture of Time and Space, 1880-1918*, Cambridge, Harvard University Press, 1983.

KHOSROKHAVAR, Farhad, *L'utopie sacrifiée. Sociologie de la révolution iranienne*, Paris, Presses de la FNSP, 1993.

KORINMAN, Michel, *Quand l'Allemagne pensait le monde. Grandeur et décadence d'une géopolitique*, Paris, Fayard, 1990.

KOSELLECK, Reinhardt, *Le règne de la critique*, Paris, Minuit, 1979.

—, *Le Futur Passé. Contribution à la sémantique des temps historiques*, Paris, Éditions de l'École des hautes études en sciences sociales, 1990.

KOSLOWSKI, Peter (dir.), *Imaginer l'Europe. Le marché européen comme tâche culturelle et économique*, Paris, Cerf, 1992.

KRIEGEL, Blandine, *La République incertaine*, Paris, Quai Voltaire, Edima, 1992.

LACORNE, Denis, *L'invention de la République. Le modèle américain*, Paris, Hachette, 1991.

LAFAY, Gérard, et UNAL-KESENCI Deniz (dir.), *Repenser l'Europe*, Paris, Economica, 1993.

LAFOREST, Guy, *De la prudence. Textes politiques*, Québec, Boréal, 1993.

LAFOREST Guy, et BROWN, Douglas, (eds), *Integration and Fragmentation. The Paradox of the Twentieth Century*, Kingston, Institute of Intergovernmental Relations, Queen's University (Reflection Paper), 1994.

LAIDI, Zaki (dir.), *L'ordre mondial relâché. Sens et puissance après la guerre froide*, Paris, Presses de la FNSP, 1993 (réédition).

LA SERRE, Françoise (de), LERUEZ, Jacques, et WALLACE, Helen (dir.), *Les politiques étrangères de la France et de la Grande-Bretagne depuis 1945*, Paris, Presses de la FNSP-Berg, 1990.

LASSERRE, René, et LATTARD, Alain (dir.), *La formation professionnelle en Allemagne. Spécificités et dynamique d'un système*, Paris, Cirac, 1993.

LASZLO, Ervin, *La cohérence du réel. Évolution cœur du savoir*, Paris, Bordas-Gauthier-Villars, 1989.

LE CORBUSIER, *Quand les cathédrales étaient blanches. Aujourd'hui aussi le monde commence*, Paris, Denoël-Gauthier, 1983.

LEGENDRE, Pierre, *Leçons IV. L'inestimable objet de la transmission. Étude sur le principe généalogique en Occident*, Paris, Fayard, 1985.

LE GLOANNEC, Anne-Marie (dir.), *L'Allemagne après la guerre froide*, Bruxelles, Complexe, 1993.

LENG, Russell J., *Interstate Crisis behaviour, 1816-1980 : Realism versus Reciprocity*, Cambridge, Cambridge University Press, 1993.

LENOIR, René et LESOURNE, Jacques (dir.), *Où va l'État ? La souveraineté économique et politique en question*, Paris, Le Monde Éditions, 1992.

LEQUESNE, Christian, *Paris-Bruxelles : Comment se fait la politique européenne de la France*, Paris, Presses de la FNSP, 1993.

LEVEAU, Rémy, *Le sabre et le turban. L'avenir du Maghreb*, Paris, Éditions François Bourin, 1993.

LÉVI, Jean (dir.), *Stratégies du pouvoir IVᵉ-IIᵉ siècle avant J.-C. Dangers du discours*, Aix-en-Provence, Alinéa, 1985.

LÉVI, Jean, *Les fonctionnaires divins. Politique, despotisme et mystique en Chine ancienne*, Paris, Le Seuil, 1989.

LEVINAS, Emmanuel, *Humanisme de l'autre Homme*, Montpellier, Fata Morgana, 1972.

—, *Le temps et l'autre*, Paris, Quadrige, PUF, 1991 (réédition).

LÉVI-STRAUSS, Claude, *Race et histoire*, Paris, Denoël, « Folio », 1987 (réédition).

LÉVY, Pierre, *La machine univers. Création, cognition et culture informatique*, Paris, La Découverte, 1987.

LIN, Zhiling, et ROBINSON, Thomas W. (eds), *The Chinese and their Future. Beijing, Taipei and Hong Kong*, Washington DC, The American Enterprise Institute, 1994.

LINDBLOM, Charles E., *Democracy and market System*, Oslo, Norvegian University Press, 1988.

LIEBES, Tamar, et KATZ, Elihu, *The Export of Meaning. Cross cultural Readings of Dallas*, Oxford, Oxford University Press, 1990.

LIPOVETSKY, Gilles, *L'ère du vide. Essais sur l'individualisme contemporain*, Paris, Gallimard, 1983.

LUARD, Evan, *The blunted Sword. The Erosion of military Power in world Politics*, Londres, Tauris, 1988.

LUTTWAK, Edward N., *The endangered american Dream*, New York, Simon and Schuster, 1993.

LUCAKS, John, *The End of the Twentieth Century, and the End of the modern Age*, New York, Tickner and Fields, 1993.

LYOTARD, Jean-François, *La condition postmoderne*, Paris, Minuit, 1979.

MAFFESOLI, Michel, *Le temps des tribus. Le déclin de l'individualisme dans les sociétés de masse*, Paris, Méridiens, 1988.

—, *La transfiguration du politique. La tribalisation du monde*, Paris, Grasset, 1992.

MAIELLO, Fransesco, *Révolution à l'italienne*, La Tour d'Aigues, Éditions de l'Aube, 1993.

MARGOLIN, Jean-Louis, *Singapour 1959-1987. Genèse d'un nouveau pays industriel*, Paris, L'Harmattan, 1989.

MARIENSTRAS, Élise, *Les mythes fondateurs de la nation américaine*, Bruxelles, Complexe, 1992.

MARROU, Henri-Irénée, *Théologie de l'Histoire*, Paris, Le Seuil, 1968.

MARTIN, Denis-Constant (dir.), *Sortir de l'apartheid*, Bruxelles, Complexe, 1992.

MAYALL, James, *Nationalism and international Society*, Cambridge, Cambridge University Press, 1990.

McGREW, Anthony G., et Lewis Paul G. *et alii*, *Global Politics*, Cambridge, Polity Press, 1992.

McNEILL, William, *The human Condition. An ecological and historical View*, Princeton, Princeton University Press, 1980.

—, *La recherche de la puissance. Technique, force, armée et société depuis l'an mil*, Paris, Economica, 1992.

MECHOULAN, Henry, *Amsterdam au temps de Spinoza. Argent et Liberté*, Paris, PUF, 1990.

MENDRAS, Henri, et SCHNAPPER, Dominique (dir.), *Six manières d'être européen*, Paris, Gallimard, 1990.

MENDRAS, Marie (dir.), *Un État pour la Russie*, Bruxelles, Complexe, 1992.

MERLE, Marcel, *La crise du Golfe et le nouvel ordre international*, Paris, Economica, 1991.

MEYER, Michel (dir.), *La philosophie anglo-saxonne*, Paris, PUF, 1994.

MICHAILOF, Serge (dir.), *La France et l'Afrique. Vade-mecum pour un nouveau voyage*, Paris, Karthala, 1993.

MICHEL, Patrick, *Politique et religion. La grande mutation*, Paris, Albin Michel, 1994.

MILLER, Lynn H. (ed.), *Global order. Values and Power in international Politics*, Boulder, Westview Press, 1990 (réédition).

MILLON-DELSOL, Chantal, *Le principe de subsidiarité*, Paris, PUF, « Que sais-je », 1993.

MODELSKI, George, *Long Cycles in World Politics*, Londres, Mac Millan, 1987.

MONGIN, Olivier, *La peur du vide. Essai sur les passions démocratiques*, Paris, Le Seuil, 1991.

—, *Paul Ricœur*, Paris, Le Seuil, 1994.

MORE, Thomas, *L'Utopie*, Paris, Messidor Éditions sociales, 1982 (réédition).

MORIN, Edgar, *L'espace du temps*, Paris, Grasset, 1962.

—, *Penser l'Europe*, Paris, Gallimard, 1990.

MOSES, Stéphane, *L'ange de l'histoire. Rosenzweig, Benjamin, Scholem*, Paris, Le Seuil, 1992.

MOYNIHAN, Daniel Patrick, *Pandaemonium. Ethnicity in international Politics*, Oxford, Oxford University Press, 1993.

MUELLER, John, *Retreat from Doomsday. The Obscolescence of major Wars*, New York, Basic Books, 1989.

NAHOUM-GRAPPE, Véronique (dir.), *Vukovar, Sarajevo... La guerre en ex-Yougoslavie*, Paris, Esprit, 1993.

NAISBITT, John, et ABURDENE, Patricia, *Megatrends 1990-2000. Ce qui va changer*, Paris, First, 1991.

NANCY, Jean-Luc, *Le sens du monde*, Paris, Galilée, 1993.

NAVARI, Cornelia (ed.), *The condition of states. A Study in international political Theory*, Philadelphie, Open University Press, 1991.

NEWMAN, Katherine, *Declining Fortunes : The withering of the american Dream*, New York, Basic Books, 1992.

NIPPERDEY, Thomas, *Réflexions sur l'histoire allemande*, Paris, Gallimard, 1992.

NIVAT, Georges, *Impressions de Russie. L'An Un*, Paris, Éditions de Fallois-L'âge d'homme, 1993.

NOWOTNY, Helga, *Le temps à soi. Genèse et structuration d'un sentiment du temps*, Paris, Éditions de la Maison des sciences de l'homme, 1992.

NUSS, Bernard, *Les enfants de Faust. Les Allemands entre ciel et enfer*, Paris, Autrement, 1994.

NYE, Joseph S. Jr. (ed.), *Bound to lead. The changing Nature of american Power*, New York, Basic Books, 1990.

O'BRIEN, Richard, *Global financial Integration : the End of Geography*, Londres, Pinter Publishers, Royal Institute of International Affairs, 1992.

OLSON, Mancur, *The Rise and Decline of Nations. Economic Growth, Stagflation and social Rigidities*, New Haven, Yale University Press, 1982.

OMAN, Charles, *Globalisation et régionalisation : quels enjeux pour les pays en développement*, Paris, OCDE, 1994.

PAPAIOANNOU, Kostas, *La consécration de l'Histoire*, Paris, Champ libre, 1983.

PERRET, Bernard, et ROUSTANG, Guy, *L'Économie contre la société. Affronter la crise de l'intégration sociale et culturelle*, Paris, Le Seuil, 1993.

PFAFF, William, *The Wrath of Nations. Civilizations and the Fury of Nationalism*, New York, Simon and Schuster, 1993.

PICARD, Elizabeth (dir.), *La question kurde*, Bruxelles, Complexe, 1992.

PHILIPPART, Eric (dir.), *Nations et frontières dans la nouvelle Europe*, Paris, Complexe, 1993.

POMIAN, Krzysztof, *L'ordre du temps*, Paris, Gallimard, 1984.

—, *L'Europe et ses nations*, Paris, Gallimard, 1990.

POPPER, Karl, *La société ouverte et ses ennemis*, Paris, Le Seuil, 1979, I : *L'Ascendant de Platon*.

PORTER, Michael E., *The Competitive advantage of Nations*, New York, Mac Millan, 1990.

POSTEL-VINAY, Karoline, *La révolution silencieuse du Japon*, Paris, Calmann-Lévy, Fondation Saint-Simon, 1994.

PROUST, Françoise, *L'histoire à contretemps. Le temps historique chez Walter Benjamin*, Paris, Cerf, 1994.

RAGON, Michel, *Histoire de l'architecture et de l'urbanisme modernes. III : De Brasilia au post-modernisme, 1940-1991*, Paris, Casterman, 1986.

RAGSDALE, Hugh (ed.), *Imperial russian foreign Policy*, Cambridge, Cambridge University Press, 1994.

RAWLS, John, *Individu et justice sociale*, Paris, Le Seuil, 1988.

REICH, Robert, *L'Économie mondialisée*, Paris, Dunod, 1993.

RENAN, Ernest, *Qu'est-ce qu'une nation? et autres essais politiques*, Paris, Presses Pocket, 1992.

REVEL, Jean-François, *Le regain démocratique*, Paris, Fayard, 1992.

RICŒUR, Paul, *Temps et récit. 1. Le Temps raconté*, t. III Paris, Le Seuil, 1993 (réédition).

ROCCA, Jean-Louis, *L'Empire et son milieu. La criminalité en Chine populaire*, Paris, Plon, 1991.

ROCHE, Jean-Jacques, *Le système international contemporain*, Paris, Montchrestien, 1994 (réédition).

RORTY, Richard, *Science et solidarité. La vérité sans le pouvoir*, Paris, L'éclat, 1990.

—, *Contingence, Ironie et Solidarité*, Paris, Armand Colin, 1993.

—, *Conséquences du pragmatisme*, Paris, Le Seuil, 1993.

—, *Objectivisme, relativisme et vérité*, Paris, PUF, 1994.

ROSANVALLON, Pierre, *Le libéralisme économique. Histoire de l'idée de marché*, Paris, Le Seuil, 1989.

ROSENCRANCE, Richard, *The Rise of the Trading State. Commerce and Conquest in the modern World*, New York, Basic Books, 1986.

ROSENAU, James N., et CZEMPIEL, Ernst-Otto (eds), *Governance without Government : Order and Change in world Politics*, Cambridge, Cambridge University Press, 1992.

ROSENAU, James N., *The United Nations in a turbulent World*, Boulder, Lynn Lienner Publishes, 1992.

ROSENBERG, Justin, *The Empire of civil Society*, Londres, Verso, 1994.

Roy, Olivier, *L'échec de l'Islam politique*, Paris, Le Seuil, 1992.

Rupnik, Jacques (dir.), *De Sarajevo à Sarajevo. L'échec yougoslave*, Bruxelles, Complexe, 1992.

Russett, Bruce, *Grasping the Democratic Peace. Principles for a post-Cold War World*, Princeton, Princeton University Press, 1993.

Russett, Bruce, et Starr, Harven (eds), *World Politics : The Menu for Choice*, New York, W.H. Freeman and Company, 1992 (4e édition).

Saint-Augustin (Œuvres de), *La Cité de Dieu. Livres I-IX*, Paris, Le Seuil, « Points », 1994 (réédition).

Scardigli, Victor, *Les sens de la technique*, Paris, PUF, 1992.

Schlesinger Jr. Arthur M., *La désunion de l'Amérique*, Paris, Liana Levi, 1993.

Schmitt, Carl, *La notion de politique. Théorie du partisan*, Paris, Flammarion, 1992.

Schneider, Michel, *La comédie de la culture*, Paris, Le Seuil, 1993.

Segal, Gerald, *Rethinking the Pacific*, Oxford, Clarendon Press, 1990.

—, *China changes Shape : Regionalism and Foreign Policy*, Londres, International Institute for Strategic Studies, 1994.

Selznik, Philip, *The moral Commonwealth. Social Theory and the Promise of Community*, Berkeley, University of California Press, 1992.

Senarclens de, Pierre, *De Yalta au Rideau de Fer. Les grandes puissances et les origines de la guerre froide*, Paris, Presses de la FNSP-Berg, 1993.

Shaw, Martin, *Post-military Society*, Cambridge, Polity Press, 1991.

Siegel, Richard L., *Employment and human Rights. The international Dimension*, Philadelphie, University of Pennsylvania Press, 1994.

Simmel, Georg, *Le conflit*, Saulxures, Circé, 1992.

Slama, Alain-Gérard, *L'angélisme exterminateur. Essai sur l'ordre moral contemporain*, Paris, Grasset, 1993.

Stein, Arthur, *Why Nations cooperate ? Circumstance and Choice in international Relations*, Cornell, Cornell University Press, 1990.

—, *Dans le château de Barbe-Bleue. Notes pour une redéfinition de la culture*, Paris, Seuil, 1973.

—, *Les Antigones*, Paris, Gallimard, 1984.

—, *Le sens du sens. Présences réelles*, Paris, Librairie philosophique J. Vrin, 1988.

Steiner, Georges, *Réelles présences. Les arts du sens*, Paris, Gallimard, 1991.

Stern, Brigitte (dir.), *Aspects juridiques de la guerre du Golfe*, Paris, Montchrestien, 1991.

Stopford, John, et Strange, Susan (ed.), *Rival States, rival Firms. Competition for world Market Shares*, Cambridge, Cambridge University Press, 1991.

Sue, Robert, *Temps et ordre social*, Paris, PUF, 1994.

TAMIR, Yael, *Liberal Nationalism*, Princeton, Princeton University Press, 1993.

TANAKA, Stefan, *Japan's Orient. Rendering past into History*, Berkeley, University of California Press, 1993.

—, *The Ethics of Authenticity*, Harvard, Harvard University Press, 1991.

TAYLOR, Charles, *Reconciling the Solitudes. Essays on canadian Federalism and Nationalism*, Montréal, McGill, Queen's University Press, 1993.

—, *Le malaise de la modernité*, Paris, Cerf, 1994.

—, *Multiculturalisme. Différence et Démocratie*, Paris, Aubier, 1994.

TEICHOVA, Alice, LÉVY-LEBOYER, Maurice, et NUSSBAUM Helga (ed.), *Multinational Enterprise in historical Perspective*, Cambridge Paris, Cambridge University Press et Éditions de la Maison des sciences de l'Homme, 1986.

THOMPSON, John B., *Ideology and modern Culture*, Cambridge, Polity Press, 1990.

THOMPSON, Kenneth W., *Traditions and Values in Politics and Diplomacy. Theory and Practise*, Baton Rouge & Londres, Louisiana State University Press, 1992.

THUROW, Lester, *La Maison Europe. Superpuissance du XXIe siècle*, Paris, Fondation Saint-Simon, Calmann-Lévy, 1992.

TILLY, Charles, *Les révolutions européennes, 1492-1992*, Paris, Le Seuil, 1993.

TODOROV, Tzvatan, *La morale de l'histoire*, Paris, Grasset, 1991.

TRINH, Sylvaine, *Il n'y a pas de modèle japonais*, Paris, Odile Jacob, 1992.

TUCKER, Robert W., et HENDRICKSON, David C., *The imperial Tentation. The new world Order and America's Purpose*, New York, Council of Foreign Relations Press, 1992.

TYLER MAY, Elaine, *Homeward Bound. American Family in the Cold War Era*, New York, Basic Books, inc, Publishers, 1988.

VALADIER, Paul, *Éloge de la conscience*, Paris, Le Seuil, Esprit, 1994.

VANDERMEERSCH, Léon, *Le nouveau monde sinisé*, Paris, PUF, 1986.

VIRILIO, Paul, *L'horizon négatif*, Paris, Galilée, 1984.

WALKER, Martin, *The Cold War and the Making of the modern World*, Londres, Fourth Estates, 1993.

WALKER, R. B. J. et MENDLOVITZ (eds), *Contending sovereignties. Redefining political communities*, Boulder, Lynn Rienner, 1990.

WEIL, Éric, *Hegel et l'État. Cinq conférences*, Paris, Librairie philosophique J. Vrin, 1985.

WILKINSON, Endymion, *Le Japon face à l'Occident*, Bruxelles, Complexe, 1992.

WOLFE, Alan (ed.), *America at Century's End*, Berkeley, University of California Press, 1991.

WOMACK, James P., JONES, Daniel T., et ROOS, Daniel, *La machine qui va changer le monde*, Paris, Dunod, 1992.

WOODS, Lawrence, *Asia-Pacific Diplomacy. Nongovernmental Organizations and international Relations*, Vancouver, University of British Columbia Press, 1993.

WYNAENDTS, Henry, *L'engrenage. Chroniques yougoslaves*, Paris, Denoël, 1993.

YOICHI, Higuchi, et SAUTTER, Christian (dir.), *L'État et l'individu au Japon*, Paris, Éditions de l'École des hautes études en sciences sociales, 1990.

ZUMTHOR, Paul, *La mesure du monde*, Paris, Le Seuil, 1993.

INDEX

TABLE DES MATIÈRES

Cet ouvrage a été réalisé par la
SOCIÉTÉ NOUVELLE FIRMIN-DIDOT
Mesnil-sur-l'Estrée
pour le compte des Éditions Fayard
en septembre 1994

Imprimé en France
Dépôt légal : septembre 1994
N° d'édition : 1493 - N° d'impression : 28184
ISBN : 2-213-59299-3
35-57-9299-5